La construcción de la noticia

Paidós Comunicación

Colección dirigida por José Manuel Pérez Tornero y Josep Lluís Fecé

Miquel Rodrigo Alsina

La construcción
de la noticia

Nueva edición revisada y ampliada

PAIDÓS
Barcelona • Buenos Aires • México

Cubierta de Mario Eskenazi

© 2005 de todas las ediciones en castellano
 Ediciones Paidós Ibérica, S. A.,
 Mariano Cubí, 92 - 08021 Barcelona
 http://www.paidos.com

ISBN: 84-493-1824-6
Depósito legal: B-41.827/2005

Impreso en Hurope, S.L.,
Lima, 3 - 08030 Barcelona

Impreso en España - Printed in Spain

Sumario

PRIMERA PARTE:
EL ESTUDIO DE LA NOTICIA

Introducción

> ¿Sabía que algunas de estas estrellas que ahora mismo están ahí en realidad se extinguieron hace miles de años, pero que, debido a su lejanía, continuamos percibiendo su luz y admirando, por consiguiente, lo que ya no existe? Esto demuestra hasta qué punto son engañosos los sentidos y hasta qué punto nos es fácil engañar y ser engañados. Y, sin embargo, ¡cuánta importancia damos a la verdad!, ¿no le parece?
>
> EDUARDO MENDOZA, *La isla inaudita*,
> Barcelona, Seix Barral, 1989, págs. 125-126.

Cada mañana, los ciudadanos que desean informarse leen el diario, escuchan la radio, ven la televisión o navegan por Internet. Estos individuos realizan el consumo de una mercancía un tanto especial: las noticias. A cambio de un desembolso económico, de forma gratuita o mediante el pago de su atención, que se computa en baremos de audiencia para el mercado publicitario, reciben una serie de mensajes. Esta información va a delimitar, en cierta medida, su horizonte cognitivo.

Los propios medios de comunicación son los primeros que se presentan como los transmisores de la realidad social. La virtualidad del discurso periodístico informativo está en sus pretensiones referencialistas y cognitivas. Este tipo de discurso se autodefine como el transmisor de un saber muy específico: «la actualidad». Este acontecer social cotidiano que se ha definido como «la actualidad» debe ser objeto de una pronta desmitificación. Si conceptuamos «la actualidad» no ya como todo aquello que sucede en el mundo y que pudiera ser transformado en noticia, sino únicamente como los acontecimientos a los que tienen acceso los *mass media*, aun así «la actualidad», transmitida en forma de noticias, no es más que una pequeña parte de estos acontecimientos. Schramm (1982, pág. 163) recoge al respecto los siguientes datos: de las palabras que llegan a la agencia de noticias Associated Press (AP), entre 100.000 y 125.000, ésta selecciona unas 57.000 que se distribuyen por Estados Unidos. La oficina de AP de Wisconsin selecciona de estas noticias unas 13.352 palabras, añadiendo noticias locales; dicha oficina envía 19.423 palabras a 4 diarios representativos de Wisconsin, que seleccionan y utilizan 12.848 palabras. Por mi parte me atrevo a plantear: ¿cuántas palabras leen los lectores?

Todos nos vemos obligados a acceder al conocimiento de cierto entorno a través de esa «actualidad».

En principio, se puede afirmar que la efectividad del discurso periodístico informativo está en el hacer saber (informar), aunque no se puede ocultar que también pueden hacer creer (persuadir), hacer hacer (manipular) y hacer sentir (emocionar). En cualquier caso, podríamos afirmar que lo que hace el discurso periodístico informativo es proponer un contrato pragmático fiduciario (Rodrigo, 1995, págs. 160-163).

En el estudio de este hacer comunicativo del discurso periodístico informativo, hay que tener en cuenta que nos encontramos ante un discurso social y, como tal, inserto en un sistema productivo. Este sistema productivo tiene sus propias características que se deben estudiar. Pero hay que recordar que la construcción de la noticia es un proceso de tres fases: la producción, la circulación y el consumo.

El estudio tradicional de la noticia limita el papel de los *mass media* al de meros transmisores de mensajes. El periodista sería un mensajero. También se ha planteado el consumo de la información, pero sin tener en cuenta que es una fase del proceso de construcción de la información y sólo puede entenderse si se tienen en cuenta las tres fases, aunque yo me centre en la producción.

En primer lugar, la producción de la información es una actividad compleja que se realiza, de forma industrial, en el seno de una institución reconocida socialmente. Sin embargo, nos encontramos ante la fase oculta de la construcción de la noticia. Los propios medios de comunicación son los primeros que no muestran fácilmente su proceso de producción. La autoimagen que pretenden transmitir de su trabajo es la de recolectores y transmisores de la información. Su actividad se reduce, así pues, a la búsqueda de las noticias y a la utilización de una tecnología para su difusión.

En segundo lugar, no se puede desligar la producción del consumo informativo. Desde una perspectiva estrictamente semiótica cabría hablar de reconocimiento; sin embargo, el concepto de consumo me permite plantear también los efectos de la comunicación. El lector actualiza el discurso periodístico enmarcándolo en el género informativo correspondiente. Toda actividad discursiva presupone un hacer interpretativo por parte del enunciatario. Evidentemente, el autor puede prever una lectura modélica (Eco, 1981) del destinatario. Sin embargo, el lector empírico, de acuerdo con sus subcódigos, puede llevar a cabo lo que Eco (1982, pág. 292) denomina una «descodificación aberrante». Es decir, el lector tiene la posibilidad de interpretar el texto de forma personal. En cierta ocasión, Gabriel García Márquez recordaba en un artículo que sus hijos le comentaban una clase de literatura recibida en la escuela sobre la obra de su padre. En la misma el profesor explicaba que en la novela *El coronel no tiene quien le escriba* el gallo que aparecía representaba la revolución. García Márquez se sorprendía de la perspicacia del maestro, que había descubierto un simbolismo nuevo para él.

Volviendo a la noticia, dentro de la perspectiva de la construcción social de la realidad, concibo la construcción de la noticia como un tipo especial de realidad: es la realidad simbólica, pública y cotidiana. Desde este punto de vista habría que hablar de la construcción de la realidad social. Los periodistas son, como todas las personas, constructores de la realidad de su entorno. Pero además dan forma de narración a esta realidad y, difundiéndola, la convierten en una realidad pública sobre el acontecer diario.

El libro está dividido en dos partes. La primera lleva por título «El estudio de la noticia». En ella establezco las bases epistemológicas que cimentan esta obra. Apuesto por una sociosemiótica pluridisciplinar. Con ello creo dar respuesta al carácter interdisciplinar que demanda este objeto de análisis. También muestro cómo las ciencias sociales han dado un giro cultural.

Dentro de la comunicación de masas, me he centrado en la noticia. La noticia la entiendo como construcción de la realidad social. Sin embargo, me apresuro a señalar su especificidad, ya que no es la única instancia en que se produce la construcción social de la realidad.

En esta primera parte también doy cuenta de dos fases del proceso de construcción de la noticia: la circulación y el consumo. Por lo que respecta a la circulación, después de dibujar el panorama del mercado de la información, me centro en el uso de los distintos canales de la comunicación. Sin embargo, creo que todavía está por investigar cuál es el uso informativo de los distintos medios. Un ejemplo puede ser bastante esclarecedor. Pensemos en un ciudadano que una tarde de domingo escucha la retransmisión radiofónica de un partido de fútbol. Recibe la información sobre el partido, los goles marcados, las declaraciones de los protagonistas, etc. Por la noche el mismo ciudadano ve el programa televisivo de deportes en el que visualiza las jugadas que ya le fueron descritas, los mismos o semejantes comentarios, etc. El lunes por la mañana nuestro ciudadano compra un periódico deportivo que reincide en lo que ya sabe. Cada medio de comunicación cumple una función que no es estrictamente informativa. Hay algo más que una redundancia comunicativa, aparentemente inútil, en el consumo que ha llevado a cabo. Me atrevería a apuntar, por mi parte, a la gratificación como móvil de este consumo informativo multimedia. Tampoco he querido dejar de reflexionar sobre los retos que nos propone la sociedad de la información.

El hecho de plantear el consumo de la noticia me permite adentrarme en el estudio diacrónico de las teorías de los efectos. Con ello me interesa destacar la imagen social que se ha tenido de los medios de comunicación. Además incluyo una explicación crítica sobre la teoría de la construcción del temario (*agenda-setting*). Sin embargo, la dinamicidad de la comunicación de masas obliga a la modificación de las perspectivas de investigación. La prospectiva que llevo a término pretende descubrir los cauces por los que, quizá, se desarrollarán los futuros avances.

La segunda parte de mi obra lleva por título «La producción de la noticia». La noticia es la narración de un hecho o la reescritura de otra narración, mientras que el acontecimiento es la percepción del hecho en sí o de la noticia. La empresa informativa puede entenderse como una industria que tiene como *inputs* los acontecimientos y como *outputs* las noticias. Sin embargo, hay que puntualizar que un acontecimiento no es una realidad objetiva, exterior y ajena al sujeto perceptor del mismo. En primer lugar, porque los *mass media* trabajan con noticias que, por ejemplo, les sirven las agencias de noticias. En segundo lugar, aunque se dé la percepción directa del hecho por un periodista, éste siempre interpretará la realidad de acuerdo con su enciclopedia. Jorge Luis Borges inicia uno de sus mejores relatos de *El libro de arena*, con las siguientes palabras: «Mi relato será fiel a la realidad, en todo caso, a mi recuerdo personal de la realidad, lo cual es lo mismo». Debo recordar que la teoría de la construcción social de la realidad (Berger y Luckmann, 1979) hace referencia a la vida cotidiana. Además hay que tener en cuenta que los acontecimientos son «realidades» históricas determinadas socioculturalmente, como puede apreciarse en la variación histórica que en los mismos se han producido. En la actualidad los *mass media* establecen unos parámetros para delimitar los hechos que cabe considerar como acontecimientos.

En relación a la producción de la noticia recojo los elementos fundamentales. Las fuentes informativas desempeñan un papel principal en la fabricación de la noticia. En el periodismo de investigación se pone todavía más de manifiesto esta circunstancia. Pero además se puede apreciar cómo hay unas fuentes privilegiadas que se consultan prioritariamente. Esto, inevitablemente, va a determinar el sesgo de la noticia.

Por otra parte, describo las fases del trabajo periodístico, dedicando una especial atención a la tematización. Hay que pensar que la morfología de los *mass media* exige destacar unos asuntos en «portada». Estos temas son los que van a tener una mayor repercusión en la audiencia. Tengamos en cuenta, además, que nuestro muy bien informado ciudadano hace una selección de las noticias que le aportan los *mass media*. La opulencia informativa de nuestra sociedad obliga a delimitar los campos de atención de los temas. Sin embargo, hay una serie de temas destacados por el sistema de los *mass media* que se imponen como los asuntos más relevantes del día.

Otro elemento que destaco es la organización informativa. Es interesante desenmascarar el discurso sobre el poder de formación de las empresas informativas. Se argumenta que el periodista realmente aprende su oficio en las redacciones periodísticas. De esta forma se pretende que el aprendiz del oficio de periodista no acceda a la profesión con un bagaje de conocimientos previos que pudieran hacerlo menos dócil para una socialización por parte de la empresa. El interés por el control del personal se pone de manifiesto cuando los propios periódicos se convierten en escuelas de periodismo. No hay que olvidar que nos encontramos ante aparatos ideológicos que construyen la realidad social.

Dos de las problemáticas más candentes sobre la producción de la noticia son la de la profesionalidad periodística y la de la objetividad. No es un debate baladí el que se plantea. Nos encontramos ante dos de las claves que sostienen el concepto liberal de la información. Por mi parte defino al periodista como un productor de la realidad social. Obviamente esta concepción choca frontalmente con el tópico tradicional de la objetividad periodística. En el mundo de los *mass media*, la objetividad sigue siendo uno de los mitos más difíciles de derrocar. Incluso en un fallido periódico (*ABB*), autodeclarado amarillo por su director (*El País*, 19/II/1986), éste afirmaba: «Lo publicaremos todo, siempre que sea verdad y vendible». En los medios de comunicación se liga indisolublemente la credibilidad a un concepto ya obsoleto de objetividad.

También planteo los retos que atisbo va a tener que arrostrar el periodismo en nuestra compleja y multicultural realidad social.

Por último, entro en el resultado final de este proceso-producto: las noticias. Evidentemente, el concepto de noticia variará de acuerdo con las características que establezcan del proceso productivo. La definición de noticia que propongo es la siguiente: «Noticia es una representación social de la realidad cotidiana producida institucionalmente que se manifiesta en la construcción de un mundo posible». Mediante esta definición pretendo poner de manifiesto, en primer lugar, la construcción de la noticia a partir de los acontecimientos que diariamente se seleccionan. En segundo lugar, hay una doble institucionalización. La noticia se produce en una institución informativa que supone una organización compleja. Pero además el rol de los *mass media* está institucionalizado y tiene la legitimidad para producir la realidad socialmente relevante. Por último, recalco que la noticia es una producción discursiva y, como tal, requiere un proceso de elaboración textual.

Finalmente, no puedo dejar de dar las gracias a los muchos lectores de esta obra, que, después de cuatro reimpresiones, merecen esta edición revisada y ampliada. Espero no defraudarles.

El trabajo científico y pedagógico de este libro se cimenta en más de veinte años de investigación y docencia en la Universidad Autónoma de Barcelona y en otras universidades españolas y de otros países. Toda investigación y cualquier acto docente son una magnífica oportunidad que se nos brinda para ampliar nuestro conocimiento. Tampoco quiero olvidar a l@s bibliotecari@s de la Biblioteca de Comunicación y la Hemeroteca General de la Universidad Autónoma de Barcelona y de otras bibliotecas universitarias españolas y extranjeras que siempre han sido una ayuda profesional y amable. La discusión con colegas y alumnos ha contribuido al esclarecimiento y replanteamiento de muchas de mis ideas iniciales. El último agradecimiento, y seguramente el más importante, es para aquellos que con su afecto, amistad y comprensión me han ayudado en los momentos que, sin su apoyo, el camino hubiera sido mucho más difícil, y para ti, Anna, ya que sin ti...

MIQUEL RODRIGO ALSINA
Sant Quirze del Vallès, marzo de 2004

Primera parte

El estudio de la noticia

1. Bases epistemológicas

Como ya he apuntado en la introducción, la construcción del discurso periodístico es un proceso compuesto de tres fases que están interrelacionadas: la producción, la circulación y el consumo o reconocimiento.

Esta concepción del proceso global de comunicación como un modo de producción, de circulación y de reconocimiento no es nueva en el ámbito semiótico (Veron, 1973, 1976a, 1977, 1978). Aunque en la misma siempre ha podido apreciarse una clara vocación bidisciplinar. Ya se ha planteado (Mancini, 1981) como una hipótesis de trabajo sociosemiótico.

Las relaciones entre sociología y semiótica han sido promiscuas y difíciles, pero inevitables. Como señala Gouldner (1978, pág. 156): «Este análisis de la ideología en el mundo moderno nos ha lanzado a un universo del discurso más vasto: no podemos comprender la ideología independientemente de las variantes de lenguajes sociolingüísticas "elaboradas" y "restringidas", de la cultura del lenguaje crítico, de la gente culta, de los "intelectuales". Tampoco podemos comprender la ideología separadamente del "público" y de los sistemas educacionales públicos, los cuales, a su vez, están vinculados con la "revolución en las comunicaciones", el periódico y la "noticia"; en conjunto, éstos constituyen parte del fenómeno de los "partidos" políticos y los "movimientos" que movilizan "masas" y generan interés por la "opinión"». La sociosemiótica ha hecho distintas aproximaciones al mundo de la comunicación. Por mi parte pretendo conjugar las aproximaciones de determinada sociología y semiótica (Rodrigo, 1995) que se basan en la construcción de la significación por el ser humano.

Para Schutz (Martín Algarra, 1993) la persona es un ser social; por consiguiente la conciencia que tiene de su vida cotidiana es una conciencia social. Además, la conciencia utiliza las simbolizaciones que se crean y comunican a través de grupos de individuos de este mundo históricamente determinado y compartido. Esto es, pues, un mundo intersubjetivo (Schutz, 1974, pág. 41), un mundo compartido de percepciones recíprocas. Pero esta experiencia compartida no se presenta en todas las relaciones sociales, sino que tiene lugar cuando una persona es consciente de que está experimentando simultáneamente el mismo mundo que otra. Esto puede apreciarse perfectamente en el caso de la comunicación intercultural (Rodrigo, 1999). En relación a la comunicación, Schutz (1974, págs. 287-288) apunta que el discurso es siempre interpretado por el comunicador en términos de la interpretación que presupone del destinatario. Pero, por otra parte, es imposible una total identidad de ambos esquemas interpretativos. El esquema interpretativo está estrechamente determinado por la situación biográfica y el sistema de significatividades que origina. Por ello, es más sencilla una comunicación eficaz entre personas que comparten un sistema de significatividades similares.

En la misma línea, el interaccionismo simbólico (Blumer, 1982, pág. 2) tiene como premisas básicas:

a) El ser humano orienta sus actos hacia las cosas en función de lo que éstas significan para él.

b) El significado de estas cosas surge como consecuencia de la interacción social dada que cada cual mantiene con el prójimo.

c) Los significados se manipulan y modifican mediante un proceso interpretativo desarrollado por la persona al enfrentarse con las cosas que va hallando a su paso. Es decir, se van construyendo.

Esto lleva a plantearnos la construcción social de la realidad. Dicho concepto, tal como es definido por Berger y Luckmann (1979), es un proceso de institucionalización de las prácticas y de los roles en la vida cotidiana. Este proceso es, al mismo tiempo, socialmente determinado e intersubjetivamente construido. Esto nos llevaría a caracterizar el proceso de la comunicación social de los medios de comunicación como una actividad socialmente legitimada para producir construcciones de la realidad públicamente relevantes.

Por su parte, «la etnometodología considera que la significación es una interacción reflexiva [...] entre la organización de la memoria, el razonamiento práctico y el discurso» (Cicourel, 1979, pág. 135). La etnometodología, al estudiar los tipos de situaciones particulares, tiene mucho en común con la preocupación del segundo Wittgenstein (1983) por el uso lingüístico ordinario en contextos específicos, y con su idea de que el significado se explica mejor estudiando el uso dentro del cual se sitúan las expresiones. Siendo precisamente en este uso donde Wittgenstein (1983) recoge los juegos del lenguaje y las reglas que lo rigen. Reglas de la comunicación que también son objeto de atención por la pragmática al estudiar los actos del habla (Searle, 1980).

Aunque Verón (1983, págs. 100-102) apunta que la sociosemiótica o «teoría de los discursos sociales» debe superar las limitaciones de la pragmática, limitaciones que, según este autor, están en que la pragmática tiene como único dominio los enunciados lingüísticos, mientras que los discursos sociales son un «paquete» constituido por materias significantes heterogéneas. Además, la pragmática estudia enunciados fuera de todo contexto discursivo y contexto situacional real, mientras que la sociosemiótica pretende dar cuenta de las condiciones reales de producción y de reconocimiento de los discursos. Por otro lado, la pragmática da cuenta de distintos enunciados y posibles situaciones de enunciación cada vez más complejas, mientras que la sociosemiótica lleva a cabo un proceso inverso: parte de los discursos sociales e intenta comprender sus propiedades y su funcionamiento en una sociedad determinada y, además, considera que su estatus de objetos sociales sobredetermina los otros niveles de sentido. Por último, la pragmática parte del significado literal del enunciado para, posteriormente, superar este nivel de sentido, mientras que para la sociosemiótica el sentido literal sólo se produce en situaciones excepcionales. Es decir, como ya dije, la sociosemiótica estudia la producción, la circulación y el consumo real de los discursos.

1.1. Metodología

El estudio semiótico de los discursos generados por los *mass media* es uno de los ámbitos que ha tenido un desarrollo más importante.

La semiótica de la comunicación de masas se ha consolidado como una de las disciplinas de mayor interés, tanto a nivel académico docente como investigador. Este proceso de consolidación ha debido sortear diferentes obstáculos. Algunos de ellos hay que buscarlos en el desarrollo de la semiótica. Otros, en las propias características de los fenómenos comunicativos objeto de estudio. El carácter heteróclito, complejo y dinámico de los *mass media* obliga a replantear no sólo los resultados de las investigaciones pasadas, sino incluso la metodología utilizada.

1.1.1. DE LA SEMIÓTICA DEL ENUNCIADO A LA SEMIÓTICA DE LA ENUNCIACIÓN

Desde la aparición en 1964 de *Eléments de sémiologie* de Roland Barthes las aportaciones de la semiótica al estudio de la comunicación de masas han ido evolucionando de acuerdo con los nuevos desarrollos de la disciplina semiótica. Se producía así una especie de dependencia metodológica. Sin embargo, pronto el propio objeto de estudio empezó a establecer sus exigencias. De la semiótica del signo se pasó a la semiótica discursiva. El enunciado se había ampliado, pero la comunicación de masas exigía dar cuenta, asimismo, del ámbito de la enunciación. La enunciación entendida como la realización de un proceso comunicativo. Se trata de estudiar no sólo los signos, ni tan siquiera discursos, sino los procesos de producción, de circulación y de consumo de la comunicación.

Esta perspectiva determina algunas variaciones metodológicas. La más importante, sin duda, es la que hace referencia a la inmanencia del análisis semiótico. Para la «Escuela de París» (Coquet, 1982) el principio de inmanencia supone que cualquier remisión a los hechos extralingüísticos debe ser rechazada por perjudicar la homogeneidad de la descripción (Greimas y Courtés, 1979, pág. 181). Sin embargo, es necesaria, como apunta Chabrol (1983, pág. 67), «una aproximación inmanente que relacione las descripciones estructurales de cada nivel del análisis semiótico discursivo de un texto (o de un corpus de textos) con ciertas características de las estructuras sociales y/o físicas pertinentes, desde el punto de vista de las "condiciones de producción" o de "interpretación", o aún más, "de reconocimiento"». Como señalé anteriormente, la semiótica topa con un objeto de análisis que le exige unos nuevos criterios de pertinencia. Como nos recuerda Vilches (1986, pág. 103): «Salvo que se renuncie de antemano a que la semiótica se ocupe de ciertos objetos, la relación del espectador con el texto no puede basarse exclusivamente en un modelo inmanente».

Otra característica de la semiótica de la comunicación de masas es que debe tratarse de una semiótica sincrética. Sobre todo en la radio y en la televisión podemos apreciar distintos planos expresivos no lingüísticos: prosódicos, cinésicos, cromáticos, etc. (García, 2000). De nuevo el objeto de análisis fuerza a la semiótica a dar cuenta del efecto de sentido resultante de este haz significante.

1.1.2. ¿Semiótica *versus* sociología? Sociosemiótica

En 1973, Paolo Fabbri, en su conocido artículo de la revista *Versus*, «La communicazioni di masse in Italia: sguardo semiotico e malocchio de la sociologia», anunciaba la decadencia de la perspectiva sociológica frente a la semiótica en el estudio de la comunicación de masas. Para Fabbri la sociología tradicional entra en crisis al pasar de la ciencia de los hechos a la ciencia del sentido. Por ello la semiótica es la disciplina más idónea para el estudio de la comunicación de masas.

Esta confrontación entre la semiótica y la sociología en el estudio de la comunicación de masas debe matizarse. En primer lugar, no es pertinente concebir un campo de estudio como un campo de batalla en el que se enfrentan distintas disciplinas. Por el contrario, pueden apreciarse bastantes puntos en común entre la sociología y la semiótica. Como señala Rositi (1980, pág. 343), en los últimos diez años la producción científica de la teoría de la comunicación apunta a una especie de «hermenéutica del acontecimiento». Edgar Morin (1975, pág. 31 y sigs.) propugna, por su parte, una «sociología del presente» de matriz fenomenológica.

Tengamos en cuenta asimismo las teorías de la construcción social de la realidad (Berger y Luckmann, 1979) y de la construcción del temario —*agenda-setting*— (Mc Combs y Shaw, 1972), entre otras, que son de extrema utilidad para explicar tanto la producción del discurso como su consumo por el enunciatario. De hecho, como apunta Geertz (1976, pág. 34), «la sociología del conocimiento debiera llamarse sociología del significado, pues lo que está socialmente determinado no es la naturaleza de la concepción, sino los vehículos de la concepción».

En segundo lugar, debemos recordar que una de las clásicas contraposiciones es la del análisis de contenido cuantitativo con el análisis semiótico cualitativo. Esta confrontación no es nueva en las ciencias sociales (Alvira, 1983). Sin embargo, deberíamos señalar que nos encontramos ante una falsa dicotomía. No son dos métodos incompatibles, sino complementarios. Obviamente, el análisis de contenido es un método más idóneo para corpus amplios (Glasgow Media Group, 1977 y 1980), mientras que la semiótica da lugar a estudios muy desarrollados de corpus reducidos (Greimas, 1976a). Pero también es posible realizar análisis de contenido utilizando en las variables categorías semióticas (Rodrigo, 1986).

Beltrán (1989, pág. 33) considera que «las ciencias sociales, por su parte, pueden y deben utilizar el método cuantitativo, pero sólo para aquellos aspectos de su objeto que lo exijan o lo permitan». Es decir, que es el objeto el que determina el método más adecuado para su investigación. Así, Beltrán (1989, pág. 33) toma una postura equidistante entre un «humanismo delirante», que rechaza una aproximación cuantitativa a los fenómenos humanos o sociales, y aquellos que desprecian cualquier aproximación que no sea cuantitativa y formalizable matemáticamente. Hay que recordar que el método cuantitativo fue el que, en los inicios de las teorías de la comunicación, coadyuvó a la consolidación de la disciplina. Hay que reseñar que las técnicas más propias del método cuantitativo son las encuestas y el análisis de contenido. Estas técnicas fueron las que tradicionalmente utilizaba la *Mass Communication Research* (Saperas, 1992, págs. 113-151).

La postura de Beltrán (1989, pág. 40) es muy clara cuando señala lo siguiente: «No me interesa aquí establecer prelaciones, sino concurrencias; los métodos empíricos cuantitativo y cualitativo son, cada uno de ellos, necesarios *in sua esfera, in suo ordine*, para dar razón de aspectos, componentes o planos específicos del objeto de conocimiento. No sólo no se excluyen mutuamente, sino que se requieren y complementan, tanto más cuanto que el propósito de abarcar la totalidad del objeto sea más decidido».

Si tuviéramos que comparar los métodos cuantitativo y cualitativo, inspirándonos en Jensen (1993, pág. 13), podríamos establecer las siguientes características:

— El método cualitativo tiene como uno de sus referentes disciplinares las humanidades. En distintos países europeos (Rodrigo, 2001, págs. 94-108) los estudios de la comunicación provenían de los estudios de la crítica literaria. Esta metodología se centra tanto en la cultura como en la comunicación, considerando a ambas como fuentes de significados. La relación entre cultura y comunicación es, por ejemplo, un elemento importante en los Cultural Studies (estudios culturales). Además, se centra en la aparición de sus objetos analíticos en un contexto específico. La metodología cualitativa suele privilegiar una aproximación *emic* al objeto de estudio. El investigador lo que hace es vivir una experiencia que interpreta. Por último, se podría señalar que el análisis se centra en un proceso que se contextualiza y que se observa integrado en otras prácticas sociales y culturales más amplias.

— El método cuantitativo tiene como principal referente disciplinar las ciencias sociales, sobre todo las ciencias sociales de matriz positivista. Al estudiar la comunicación la considera fundamentalmente como una fuente de información. Además la metodología cuantitativa se fija en una serie de elementos recurrentes, formalmente similares en diferentes contextos. Se trata de generalizar los resultados. Además se privilegia una aproximación *etic* al objeto de estudio, por mor de una mayor objetividad. El investigador realiza experimentos o investigaciones que le permiten llevar a cabo una medición. El análisis se centra en unos productos concretos que se delimitan claramente.

Aunque la clasificación metodológica de Beltrán (1989) me parece excelente, voy a proponer la que realizan otros autores (Neuman, 1994) (Del Rincón *et al.*, 1995) porque me va a permitir, por un lado, destacar otros problemas metodológicos y, por otro, recordar las fuentes de las teorías de la comunicación. Algunos autores proponen como tricotomía de los métodos de las ciencias sociales la metodología empírico-analítica, la constructivista y la sociocrítica (Del Rincón *et al.*, 1995). Neuman (1994), por su parte utiliza la siguiente terminología al establecer su tricotomía: positivismo, ciencia social interpretativa y ciencia social crítica. Yo voy a adoptar la terminología: positivista, interpretativa y crítica.

Antes de entrar en cada una de las metodologías quisiera recordar que estas clasificaciones no hay que entenderlas como barreras infranqueables, sino como un intento de organizar el conocimiento. Esto significa que, en ocasiones, entre las distintas metodologías hay puntos de conexión y similitudes o las diferencias son simplemente un problema de la intensidad de la característica. Por ejemplo, Neuman (1994, pág. 69) señala que «el positivismo está basado en el *determinismo*: la conducta humana está determinada por leyes causales sobre las que los seres humanos tienen poco control. La ciencia social interpretativa asume el *voluntarismo*: la gente tiene un amplio margen de libertad para crear los significados sociales. La aproximación de la ciencia crítica se sitúa en medio de ambas. Es parcialmente determinista y parcialmente voluntarista».

La metodología positivista es la metodología más próxima a las ciencias naturales. Así pues, pretende establecer una serie de hipótesis que deben ser contrastadas de forma empírica. Pero no se trata sólo de verificar estas hipótesis para describir o explicar la realidad analizada, sino que hay una intención declaradamente prediccionista. Recordemos el aforismo positivista «saber para prever, prever para poder». Es decir, en última instancia, hay un deseo de predicción para poder controlar los fenómenos sociales. Orozco (1996, págs. 32-33) diferencia el paradigma positivista del realista. Este último, que es una variante del anterior, no pretende ser predictivo, pero sí que considera que hay que llegar a las causas de los acontecimientos, a las explicaciones últimas. Aquí se encontrarían para Orozco (1996, pág. 32) la mayoría de las investigaciones sobre los efectos de los medios de comunicación.

La metodología positivista corresponde a las ciencias no-motéticas; esto plantea el problema de si es aplicable a las ciencias sociales o sólo a las ciencias naturales. Para Orozco (1996, pág. 29) en las ciencias sociales «la explicación a los acontecimientos no está dada por el acontecimiento mismo, sino en el contexto, en el entorno en el cual se dan los acontecimientos. Ésta es una de las tantas críticas que recibió el modelo positivista de parte de las ciencias sociales, cuando se trasladó el modelo de las ciencias físicas al modelo de las ciencias sociales». Otra de las críticas al positivismo es que contempla la «realidad de forma fragmentada y al centrarse en los fenómenos observables de la realidad corre el peligro de ignorar otras dimensiones de la misma. Por otro lado, algunas situaciones sociales son difíciles de observar sin ser distorsionadas, y algunos estudios pueden ser irrepetibles o de difícil replicación» (Del Rincón *et al.*, 1995, págs. 28-29). Pero por otro lado se considera que es el único método realmente científico. Este método defiende la objetividad metodológica, por lo que exige técnicas de investigación que sean independientes del investigador y que permitan la replicación. El positivismo considera que el único conocimiento válido es el que es verificable y medible. La cuantificación es básica para la metodología positivista. Para el positivismo las ciencias sociales son «un método que combina la lógica deductiva con las observaciones empíricas precisas de la conducta individual para descubrir y confirmar una serie de leyes probabilísticas causales que se pueden usar para predecir los modelos generales de la actividad humana» (Neuman, 1994, pág. 58).

Dentro de las teorías de la comunicación situaríamos en la metodología positivista a la perspectiva estructural funcionalista. Las técnicas usuales de la metodología positivista son los tests, los estudios de laboratorio, las encuestas, la observación sistemática y el análisis de contenido.

La metodología interpretativa, que en ocasiones se denomina hermenéutica, está fundada en las humanidades, aunque también hay que tener en cuenta a la sociofenomenología y a la semiótica. La metodología interpretativa busca descubrir los significados de las acciones sociales. Es decir, no es tan importante lo que es un acontecimiento en sí mismo, como aquello que interpretan los actores sociales que es. Como señala Orozco (1996, pág. 33) no se trata tanto de llegar a un conocimiento objetivo sino más bien a un conocimiento consensuado. Con la metodología interpretativa nos encontramos con «un proceso de investigación *holístico-inductivo-ideográfico*, buscando una comprensión global de los fenómenos y situaciones que estudia. Utiliza la vía inductiva, los conceptos, la comprensión de la realidad y las interpretaciones se elaboran a partir de la información. Se crea un clima social adecuado para que las personas puedan responder fielmente según sus experiencias y vivencias, teniendo en cuenta la idiosincrasia de los fenómenos y el contexto de las situaciones» (Del Rincón *et al.*, 1995, págs. 29-30). La crítica que se le suele hacer a esta metodología es su carácter subjetivo. Se afirma que el sistema de recoger la información es poco fiable porque los sujetos pueden dar datos incompletos o que el investigador puede dar una visión sesgada de la realidad. Aunque la generalización no es uno de los objetivos de la metodología interpretativa, el positivismo considera que lo particular no hace ciencia, por consiguiente cuestiona la cientificidad de esta metodología.

Para Neuman (1994, pág. 62) «la aproximación interpretativa es el análisis sistemático del significado de la acción social a través de la observación directa de la gente en su espacio natural para llegar a entender e interpretar cómo la gente crea y mantiene sus mundos sociales».

Dentro de las teorías de la comunicación por lo que respecta a la metodología interpretativa podríamos incluir la Escuela de Palo Alto, el interaccionismo simbólico, el construccionismo y la etnometodología. Las técnicas más utilizadas por la metodología interpretativa son la observación participante, los estudios de laboratorio, las historias de vida, las entrevistas en profundidad y el análisis discursivo.

La metodología crítica es básicamente una reflexión racional que busca desvelar la distorsión que la ideología, entendida como falsa conciencia, produce en la concepción de la realidad de las personas. Se pretende ampliar la conciencia crítica de las personas porque las ideologías dominantes bajo una apariencia de racionalidad ocultan unos intereses políticos particulares. Se trata de poner de manifiesto estas contradicciones y denunciar la apariencia de racionalidad que las ampara. Para la metodología crítica «la ciencia social es un proceso de análisis crítico que debe ir más allá de las ilusiones superficiales que ocultan las estructuras reales del mundo material para ayudar a la gente a cambiar las condiciones y construir ellos mismos un mundo mejor» (Neuman, 1994, pág. 67).

Las críticas que se suelen hacer a esta metodología son que está orientada políticamente, que se fundamenta en unos determinados valores y que es decididamente intervencionista en la realidad social. Todo ello le hace perder objetividad y neutralidad.

En la metodología crítica, con relación a las teorías de la comunicación, se podría recoger la Escuela de Francfort, los estudios de economía política y los estudios culturales. Aunque hay que señalar que los estudios culturales también podrían enmarcarse en la metodología interpretativa.

Las técnicas usuales de la metodología crítica son la observación de la realidad social, las historias de vida, las entrevistas en profundidad y el análisis discursivo.

Para algunos autores, «la ciencia crítica incorpora las prácticas y fines de ambas metodologías, la empírico-analítica y la constructivista, y conjuga relatos empíricos e interpretativos para facilitar sus fines dialécticos y críticos. La ciencia crítica busca recuperar el papel del teórico para la teoría social y la política en general» (Del Rincón et al., 1995, pág. 31).

Una de las clásicas discusiones entre las distintas metodologías son los criterios de rigor que utilizan. Como recogen algunos autores (Del Rincón et al., 1995, págs. 32-35), los criterios regulativos del rigor son la veracidad, la aplicabilidad, la consistencia y la neutralidad.

El criterio de veracidad hace referencia al grado de confianza que ostentan los procedimientos y los resultados de la investigación. El criterio de veracidad de la metodología positivista es interno. Es decir, que las variaciones que el investigador introduzca en las variables independientes sean la únicas causas de las variaciones observadas en las variables dependientes. Por lo que respecta a los resultados la veracidad se refiere al grado de correspondencia que existe entre los resultados obtenidos y la realidad analizada, que se considera que es única y uniforme. En las metodologías interpretativa y crítica, «para conseguir la veracidad se recurre al criterio de credibilidad —paralelo al de validez interna—, que se recurre al contrastar distintas fuentes de información, a través del diálogo y de la argumentación racional, de procesos de "corroboración estructural" y "adecuación referencial", contextualizando la situación» (Del Rincón et al., 1995, pág. 33).

El criterio de aplicabilidad se refiere a si se pueden generalizar los resultados de la investigación. Mientras que en el positivismo la generalización es esencial, las otras dos metodologías relativizan su importancia. Sobre todo la metodología interpretativa se plantea hasta qué punto existen situaciones comparables, ya que el contexto y las circunstancias cambian con gran rapidez. Por ello se prefiere hablar de transferibilidad a otros contextos muy similares. Con la metodología positivista la generalización se puede cuestionar si se pretende extrapolar los resultados de experimentos de laboratorio a la vida cotidiana. En cualquier caso, para conseguir la mayor generalización se buscará que la situación de investigación sea lo más representativa posible.

El criterio de consistencia o estabilidad hace referencia al grado de replicabilidad de la investigación. Es decir, la repetición de la investigación para comprobar si se dan los mismos resultados. Esta estabilidad de los resultados es, para la metodología positivista, lo que da la fiabilidad a la investigación. En el caso de las otras metodologías no se plantea esta posibilidad de replicación, pero sí que se lleguen a los mismos resultados a partir de interpretar las mismas informaciones con perspectivas similares.

El criterio de neutralidad apunta que la investigación no

puede ver sus resultados condicionados por los sesgos, juicios o prejuicios e intereses del investigador. Para el positivismo la neutralidad se alcanza mediante la objetividad. En la metodología crítica se considera que el investigador siempre toma partido, aunque en las otras metodologías se niegue. La metodología interpretativa se basa en criterios intersubjetivos que, mediante la confirmabilidad, permiten detectar los sesgos personales del investigador. Es decir, es en la interrelación con el sujeto estudiado donde el investigador puede tomar conciencia de sus sesgos.

Por último, desearía apuntar que el estudio de la comunicación de masas ha postulado mayoritariamente una perspectiva pluridisciplinar y/o interdisciplinar (Rodrigo, 2001). Por ello es absolutamente pertinente que la base de las futuras investigaciones en este campo sea la sociosemiótica, ya que en ella se sintetizan las dos corrientes fundamentales, semiótica y sociología, aunque debamos tener también en cuenta las aportaciones de la psicología, e incluso de la antropología.

1.1.3. POR UNA SOCIOSEMIÓTICA PLURIDISCIPLINAR

Desde el campo de la semiótica se ha reconocido una cierta autonomía de la sociosemiótica. Sin embargo, no parece haber mucho acuerdo sobre qué es o debería ser la sociosemiótica. Podemos distinguir básicamente dos posturas. En primer lugar, nos encontramos con una sociosemiótica unidisciplinar, dependiente de los criterios metodológicos de la semiótica discursiva. Esta sociosemiótica unidisciplinar tiene como objeto de estudio los discursos de lo social. En segundo lugar, una sociosemiótica pluridisciplinar que reivindica una máxima autonomía a partir de la intersección de diferentes ciencias en un objeto de análisis común. Este objeto es, en nuestro caso, el proceso de la construcción de la noticia.

La sociosemiótica unidisciplinar estaría representada, principalmente, por la ortodoxia de la Escuela semiótica de París (Greimas y Courtés, 1982 y 1986). Esta sociosemiótica puede calificarse como una sociosemiótica del enunciado. Las fuentes de las que parte son la etnoliteratura y, fundamentalmente, la sociolingüística. Su finalidad es el establecimiento de una sociosemiótica que dé cuenta de las connotaciones sociales. Algunas de las dimensiones de este vasto ámbito son para Greimas y Courtés (1982, págs. 393-394) las siguientes:

a) Una concepción del orden discursivo de una sociedad determinada (Foucault, 1978).

b) El establecimiento del estatuto veridictorio de los discursos en cada sociedad. Es decir, lo que se considera una historia «real» y una historia de «ficción».

c) La determinación de sociolectos y de los grupos sociosemióticos que los utilizan.

d) El reconocimiento y la organización de los discursos sociales: *westerns*, partidos de fútbol, danza, etc.

El objeto empírico de la sociosemiótica es definido por Landowski en los siguientes términos: «[...] el conjunto de discursos y de prácticas que intervienen en la constitución y/o en la transformación de las condiciones de interacción entre sujetos (individuales o colectivos). Inicialmente centrada en el estudio de sistemas (taxonomía de lenguajes sociales, sistemas de connotaciones sociales), la problemática se reorienta así, poco a poco —a partir de la gramática narrativa—, hacia un mejor conocimiento de los procesos sociosemióticos [...]» (Greimas y Courtés, 1986, pág. 207).

Las relaciones de esta semiótica unidisciplinar con la sociología son, por una parte, claramente distantes. Se prefiere la «coherencia metodológica» a las «ambiciones interdisciplinarias» (Greimas y Courtés, 1982, pág. 392). La sociosemiótica depende, desde este punto de vista, del desarrollo de la semiótica general. Como apunta Landowski (1986, pág. 303): «Si la sociosemiótica tiene, por ejemplo, algo que decir hoy (por poco que sea) sobre estrategias [...], si ambiciona incluso reformular ciertos conceptos claves de la sociología —"autoridad", "legitimidad", "poder", por ejemplo— es porque la semiótica general le suministra previamente algunos instrumentos operativos indispensables, que tienen el nombre, muy precisamente, de semiótica de la persuasión (hacer creer), semiótica de la acción (hacer ser), semiótica de la manipulación (hacer hacer) y sobre los cuales se injerta finalmente la semiótica de las pasiones [...]».

Pero, por otra parte, la sociosemiótica unidisciplinar también es beligerante con la sociología. Por ejemplo, considera que no se puede decir que el análisis del enunciado no aclare mejor la naturaleza de la enunciación que «los parámetros sociológicos, independientemente de las substancias, canales o *media* que sirven para sus manifestaciones (televisión, cine, espectáculos de deportes colectivos, etc.), por el hecho de que todos remiten a un mismo universo significante y porque las formas de organización discursiva que se descubren en ellos son comparables». El propio Greimas (1976b, págs. 58-59) apunta como características de este tipo de discursos, por un lado, la desaparición de las instancias de la enunciación o la aparición de un sujeto de la enunciación colectivo. Por otro lado, los textos sociales establecen explícitamente el modo de empleo para la lectura correcta de los mismos. Además, no sólo hay una redundancia en los contenidos, sino también una recurrencia de las formas.

Si la sociosemiótica se limita al estudio de los discursos sociales, aun en el sentido amplio del término, creo que, efectivamente, la sociosemiótica unidisciplinar es una disciplina idónea.

Pero si, por ejemplo, la sociosemiótica de la comunicación social pretende dar cuenta, en la producción de discursos por los medios de comunicación, de la organización del trabajo comunicativo, de la incidencia de las industrias comunicativas en la misma y de las dependencias políticas y económicas que condicionan toda industria de la comunicación, la sociosemiótica debe ir más allá del análisis discursivo. Incluso por lo que hace referencia a la lectura, como apunta Barry Jordan (1986, pág. 48): «El hecho de tomar en cuenta el fenómeno de la intertextualidad sugiere que el objeto de análisis no es simplemente el texto, ni necesariamente el campo de conocimientos públicos con los que el texto se relaciona, sino algo bastante más sutil y complejo que tiene mucho que ver con la biografía y ambiente social del lector, esto es lo que pone en marcha aquella combinación concreta de elementos que funcionan juntos en la lectura». Es necesario el paso del lector modelo a los lectores empíricos (Rodrigo, 1995, págs. 90-97), el estudio de las audiencias, el análisis de los efectos de los medios, etc. Por ello se hace imprescindible que la sociosemiótica de la comunicación social sea pluridisciplinar.

Desde la propia Escuela semiótica de París, Claude Chabrol apunta a una «psico-socio-semiótica» de carácter pluridisciplinar. Chabrol (1982, pág. 180) considera que no se trata de una simple colaboración entre dos disciplinas: «[...] Hace falta crear un espacio teórico nuevo, homogéneo con su propio principio de pertinencia, su generalidad específica, el de una psico-socio-semiótica discursiva».

Para Jordan (1986, pág. 52): «Es muy difícil, por ejemplo, analizar los problemas de la producción del texto, de las lecturas del texto o hacer la historia social de sus distintas activaciones mediante el texto aislado, en sí mismo». Para estudiar la producción, la circulación y el consumo de los discursos de los medios de comunicación es necesario algo más que el análisis textual. Aunque también es posible hacer el estudio semiótico de una parte del proceso, por ejemplo de la producción periodística (Rodrigo, 1995, págs. 151-156). Además hay que destacar que en la activación de un texto hay que tener en cuenta el contexto cultural de la recepción y del receptor. Precisamente el gran reto del siglo XXI está en profundizar en la relación entre comunicación y cultura.

1.1.4. LA APERTURA DE LA CIENCIA A LA CULTURA

Todo objeto de estudio nace no sólo por la necesidad social de su existencia sino además porque hay un clima intelectual favorable a su desarrollo. Por esto quisiera, en primer lu-

gar, mencionar que un cierto cambio epistemológico ha creado las condiciones idóneas para el mejor desarrollo de una semiótica intercultural. En este contexto, a continuación, cabría
preguntarse cómo podría la semiótica aproximarse a la interculturalidad. Esto nos obligará a plantear qué características
tiene la comunicación intercultural. Por último, haré una crítica a un cierto giro cultural que podemos detectar como una
tendencia en distintos discursos actuales.

La ciencia, al igual que la cultura, son procesos constructores de procesos sociales y construidos por procesos sociales
(Fried Schnitman, 1994, pág. 17). Por ello, la prevalencia de
una teoría en el tiempo depende no sólo de su validez empírica sino de múltiples procesos sociales, entre los que tienen una
importancia primordial los climas de opinión intelectual (Rodrigo, 1995, pág. 33), que en ocasiones son, por qué vamos a
negarlo, una cierta «moda» o, como señalan Bourdieu y Wacquant (2000), fruto del imperialismo de la agenda intelectual
norteamericana.

En la epistemología clásica se consideraba que el mundo
de la cientificidad era el mundo del objeto y el mundo de la
subjetividad era el mundo de la filosofía. Ambos dominios
estaban legitimados en sus ámbitos, pero eran mutuamente
excluyentes. En la actualidad se empiezan a transgredir los límites, las disciplinas descubren que sus fronteras son blandas
y que sus objetos de estudio no son de su exclusiva propiedad. En este contexto, la semiótica puede sentirse muy a su
aire porque, como apunta Urrutia (2000, pág. 82), «la semiótica no corresponde [...] a lo que suele considerarse una disciplina escolar. Entiendo aquí disciplina como ciencia ordena-
da, por mor o no de la didáctica, con una metodología fija de
trabajo. Por su propia naturaleza es interdisciplinar, extra-
disciplinar o, me gusta más, indisciplinada». Lo que parece
claro es que se produce una apertura hacia diferentes aproximaciones semióticas, que da lugar a un eclecticismo metodo-
lógico. Como apunta Urrutia (2000, pág. 82): «El eclecticismo
no es acientífico, sino todo lo contrario. Es un compromiso
con el ser heterogéneo. La ciencia no tiene por qué ser claus-

trofóbica. La ciencia actual parte del concepto de provisionalidad».

En cualquier caso, un elemento clave de la epistemología actual es la aparición del sujeto. Esto se da a un doble nivel. Surge el sujeto en el objeto de estudio. Como señala Morin (1994a, pág. 68), «... en el siglo xx, hemos asistido a la invasión de la cientificidad clásica en las ciencias humanas y sociales. Se ha expulsado al sujeto de la psicología y se lo ha reemplazado por estímulos, respuestas, comportamientos. Se ha expulsado al sujeto de la historia, se han eliminado las decisiones, las personalidades, para ver sólo determinismos sociales. Se ha expulsado al sujeto de la antropología, para ver sólo estructuras, y también se lo ha expulsado de la sociología». En la actualidad, la vida cotidiana, tal y como la perciben los actores sociales, se ha convertido en un objeto de estudio privilegiado. Pero también aparece el sujeto como autor de la investigación. Se constata que la ciencia es una obra realizada por seres humanos. «Análisis etnográficos de comunidades científicas, que ven a los grupos científicos como tribus con vocabularios, rituales y prácticas sociales propios, van en la misma dirección. Estos estudios muestran que, aun cuando dejemos de lado influencias obvias e importantes para los emprendimientos científicos (tales como las fuentes de financiación, las regulaciones gubernamentales, las posibilidades comerciales, la opinión pública), hay un conjunto de factores culturales menos visibles pero no menos constitutivos de las indagaciones científicas» (Fried Schnitman, 1994, págs. 18-19).

Con la aparición de los sujetos se empieza a señalar la pluralidad de las concepciones de la realidad. Se llega a afirmar que «nunca hay una descripción "correcta" y "verdadera" de la realidad, sino muchas muy diferentes, según los criterios en los que se base el observador para la selección de sus informaciones, qué distinciones y valoraciones efectúa y desde qué perspectiva, con qué interés y con qué objetivos contempla su tema» (Simon, 1994, pág. 133). En este sentido, como apunta Urrutia (2000, pág. 33), «la verdad es, por lo tanto, verdad para alguien, en algún lugar, en un momento definible».

Un fantasma recorre el mundo de la posmodernidad, es el fantasma de la incertidumbre. No sólo se hace necesario resemantizar algunos conceptos cuyo significado es cada día más difuso, sino que además se ha producido una pérdida de la significatividad de la información. Pero es precisamente en esta situación donde la semiótica puede desarrollar toda su potencialidad descriptiva y explicativa. Como afirma Urrutia (2000, pág. 84), «la semiótica se desenvuelve sobre la inestable estabilidad comunicativa. Sobre la incertidumbre. Sobre la seguridad de que nuestra visión del mundo no es del todo segura, no tiene por qué serlo y no puede serlo».

Algunos autores ven, en esta situación de incertidumbre, un síntoma de la crisis de los tiempos actuales y manifiestan una gran angustia ante la falta de certezas incuestionadas. Así, Berger y Luckmann (1997, pág. 80) señalan: «El pluralismo moderno socava ese "conocimiento" dado por supuesto. El mundo, la sociedad, la vida y la identidad personal son cada vez más problematizados. Pueden ser objeto de múltiples interpretaciones, y cada interpretación define sus propias perspectivas de acción posible. Ninguna interpretación, ninguna gama de posibles acciones puede ya ser aceptada como única, verdadera e incuestionablemente adecuada». En mi opinión, estos autores sostienen una postura un tanto apocalíptica. Hay que tener en cuenta que es precisamente esta situación la que nos va a permitir aproximarnos a un pensamiento complejo, imprescindible para la comunicación intercultural. Ante una situación de mayor incertidumbre, será necesaria una mayor información o, mejor dicho, un mayor conocimiento, un pensamiento más complejo. Es mejor hablar de mayor conocimiento porque, de hecho, la sobreinformación puede producir el efecto de ocultación. Sería lo que se conoce como el «*blackout* polvareda», que sintéticamente se podría definir como «decir mucho para esconderlo todo». En este contexto creo que a la semiótica le corresponde un papel importante. Como señala Urrutia (2000, pág. 83), la semiótica «pretende interpretar los discursos del mundo en su composición y en su complejidad, no determinar simplemente sus componentes».

Este fantasma de la incertidumbre también nos conduce a una nueva conciencia de nuestra ignorancia, que nos hace replantearnos nuestras visiones de la realidad. El poder preguntarse sobre el propio pensamiento constituye un pensamiento potencialmente relativista y autocognoscitivo. Esto conduce a la complejidad. Admitir esta complejidad, no eliminar las antinomias, es cuestionar el principio de simplificación en la construcción del conocimiento. Supone rehusar la reducción de una situación compleja a un discurso lineal, a una simplificación abstracta.

Semprini (1997, págs. 59-60) establece las siguientes características de una epistemología multicultural:

1. La realidad es una construcción. La realidad social no tiene existencia con independencia de los actores y las teorías que les dan forma, y del lenguaje que permite conceptualizarla y comunicarla. Toda objetividad es una objetividad a partir de una versión, más o menos eficaz, de la realidad.

2. Las interpretaciones son subjetivas. Si la realidad no tiene objetividad, se reduce a una serie de enunciados cuyo sentido y estatuto referencial están sometidos a las condiciones de la enunciación, a la identidad y a las posiciones de los sujetos de la enunciación (enunciador y enunciatario). La interpretación es, pues, en esencia un acto individual. Pero, aun siendo colectiva, está enraizada en las competencias de recepción que orientan la interpretación.

3. Los valores son relativos. Por todo esto, la verdad no puede ser más que relativa, enraizada en una historia personal o en convenciones colectivas. Esto obliga a relativizar todo juicio de valor. Desde esta perspectiva se hace una defensa clara del relativismo (Geertz, 1995).

4. El conocimiento es un hecho político. Si las categorías y los valores sociales son el resultado de una actividad social, es necesario ver las relaciones concretas a que

dan lugar, las relaciones de fuerza, los intereses de los grupos que defienden determinadas categorías y valores, y cómo se marginaliza a otros grupos.

Tampoco hay que pensar que estamos ante el fin de los paradigmas; por el contrario, nos encontramos con paradigmas concurrentes. La situación actual es más bien pluriparadigmática. Se produce la coexistencia de teorías alternativas que no son necesariamente complementarias, que pueden ser incluso contradictorias. Por esto son tan importantes las disciplinas que sean capaces de articular aproximaciones distintas a los objetos de estudio. En este sentido, Urrutia (2000, pág. 83) defiende «la importancia renovada de la semiótica, pero no de una semiótica cerrada y de metodología estricta, sino de una semiótica abierta, capaz de articular metodologías diversas».

Todo lo dicho no resta valor a las teorías y los paradigmas clásicos, yo diría que simplemente les resta su valor absolutista, omnicomprensivo. Aunque se habla de un nuevo paradigma, el paradigma de la complejidad, no hay que pensar en una revolución científica kuhniana. Para Morin (1994b, pág. 440), «el pensamiento complejo no es el pensamiento omnisciente. Por el contrario, es el pensamiento que sabe que siempre es local, ubicado en un tiempo y en un momento. El pensamiento complejo no es un pensamiento completo...». Como afirma Morin (1997, pág. 143), «para mí, la complejidad es el desafío, no la respuesta. Estoy a la búsqueda de una posibilidad de pensar trascendiendo la complicación [...], trascendiendo las incertidumbres y las contradicciones [...]. En segundo lugar, la simplificación es necesaria, pero debe ser relativizada. Es decir, que yo acepto la reducción consciente de que es reducción, y no la reducción arrogante que cree poseer la verdad simple, por detrás de la aparente multiplicidad y complejidad de las cosas».

Por mi parte considero que el estudio de la interculturalidad tiene, en esta nueva propuesta epistemológica, el caldo de cultivo adecuado para su desarrollo potencial; y en la semiótica, la disciplina o indisciplina que mejor se puede aproximar a dicho objeto de estudio. Como afirma Urrutia (2000, pág. 80), «lo que distingue a la semiótica es que cree en la heterogeneidad de los objetos textuales y en el valor que, en esa heterogeneidad, cobra cada especificidad. La semiótica considera que todo texto [...] es producto de una conjunción de componentes de muy distinta procedencia».

1.1.5. HACIA UNA SOCIOSEMIÓTICA INTERCULTURAL

Seguramente, si pretendiéramos buscar los orígenes de la comunicación intercultural deberíamos profundizar, desde la historia de la comunicación, en los albores de la humanidad. Es decir que, en cierto sentido, la comunicación intercultural ha sido un reto permanente en la historia de las sociedades; quizás el nuevo reto que se nos presenta en este nuevo milenio es que la comunicación intercultural sea más eficaz que en el pasado (Rodrigo, 1997).

La comunicación intercultural no es un fenómeno de fácil concreción, básicamente porque entran en liza conceptos tan complejos como comunicación y cultura. En la historia de las teorías de la comunicación ha habido un cambio y se ha pasado de conceptuar la comunicación sobre todo como un proceso de transmisión de información, a definirlo más bien como un proceso de construcción de sentido (Rodrigo, 1996c). En esta línea, Hernández Sacristán (1999, págs. 17-18) defiende la concepción de la comunicación como actividad interpretativa: «Comunicar no puede entenderse como "transmitir" al otro mi pensamiento, imponerle de alguna forma mi pensar, sino como un acto que estimula la capacidad interpretativa del otro [...]. El acto interpretativo debe contar —y cuenta de hecho— tanto con lo que se dice como con lo que no se dice, tanto con lo dicho como con el contexto en el que se dice y quien lo dice». Si nos situamos en la comunicación cara a cara, podríamos pensar que las variables contextuales son más fácilmente controlables. Pero, como afirma Urrutia (2000, pág. 47), «... cuando el tiempo y el lugar de recepción no son los de emisión. El emisor sólo

puede suponer el contexto de recepción y no le es posible prever todas las variables». Históricamente, los estudios de comunicación intercultural se han situado con preferencia en el área
de la comunicación interpersonal (Rodrigo, 1999, págs. 19-32).
Por ejemplo, Hernández Sacristán (1999), al plantearse el estudio de la interacción comunicativa humana desde la pragmática contrastativa o intercultural, no tiene en cuenta la comunicación de masas (aunque sí la comunicación en el ciberespacio).
Sin embargo, la interacción social no se produce sólo en el cara
a cara. Además, en la comunicación de masas también se produce comunicación intercultural. Esta idea podría defenderse
con la siguiente argumentación. Para empezar la clásica diferenciación entre comunicación interpersonal y comunicación
de masas debería repensarse o, como mínimo, hay que recordar
las imbricaciones que ambas tienen en los procesos comunicativos cotidianos. No voy a entrar en las consecuencias de las
nuevas tecnologías de la comunicación, en los conceptos tradicionales de comunicación, porque no es el objetivo de esta
obra, pero baste apuntar cómo las dimensiones de espacio y
tiempo de las interacciones comunicativas se han visto altera-
das, como lo fueron en su momento con la comunicación de
masas, en la era de la información actual. Así se produce lo que
Castells (1997) denomina el espacio de flujos (Castells, 1997,
pág. 445) y el tiempo atemporal (Castells, 1997, pág. 467). En
cualquier caso, lo que está claro es que los medios de comunicación de masas dan lugar a nuevos tipos de interacción social
(Thompson, 1998, págs. 115-159). Si aceptamos la propuesta
de definición de comunicación como práctica interpretativa,
creo que nos estaremos aproximando a una idea de comunicación intercultural en la que tienen cabida muy fácilmente las
distintas formas de comunicación.

Como afirma García Canclini (1999, pág. 79), «la interculturalidad se produce hoy más a través de comunicaciones
mediáticas que por movimientos migratorios». De hecho, la
interculturalidad es uno de los aspectos de la globalización, si
la entendemos como la circulación de productos mediáticos
creados en culturas distintas de las de recepción. Es en esta

apropiación de los productos mediáticos (Thompson, 1998, págs. 230-235) por personas de distintas culturas donde se produce la relación intercultural. Aquí es precisamente cuando se plantea el segundo gran problema. ¿Cuándo nos encontramos con culturas distintas? En algunos casos es fácilmente reconocible, pero en otros se nos pueden ofrecer dudas. Sobre todo porque, en la actualidad, se ha producido una explosión del diferencialismo cultural.

1.1.6. DEL GIRO LINGÜÍSTICO AL GIRO CULTURAL

Si el señor Sigma (Eco, 1976) volviera a París, veinte años después, seguramente vería una ciudad cambiada porque, obviamente, la ciudad ha cambiado, pero también porque su mirada ha cambiado notablemente. Es muy posible que, en lugar de fijarse en signos verbales, gráficos, cromáticos, auditivos, etc., se fijara en las distintas lenguas que oye mientras pasea, en los rótulos de los restaurantes étnicos, en la *world music* que oye por la calle, etc. En los años setenta y ochenta, seguramente por el conocido como giro lingüístico, la semiótica cobró un impulso muy importante como disciplina dentro de las ciencias humanas. Baste recordar que la Asociación Española de Semiótica se fundó en 1983. Este giro lingüístico, que ayudó indudablemente en los inicios modernos de la semiótica, tuvo una gran incidencia en la filosofía del conocimiento y en muchos ámbitos del saber. Por ejemplo, al glosar dicho giro lingüístico en los estudios de periodismo, Chillón (1998, pág. 73) afirma: «No existe *una* sola realidad objetiva externa a los individuos, sino múltiples realidades subjetivas, innumerables experiencias. Y estas realidades subjetivas múltiples e inevitables *adquieren sentido para cada uno y son comunicables para los demás* en la medida en que son verbalizadas: *engastadas* en palabras y *vertebradas* en enunciados lingüísticos. Los límites del mundo de cada cual son definidos primordialmente por los límites del lenguaje con el que, *en el que* cada cual aprehende, vive el mundo, *su* mundo» (las cursivas son del original).

Por otro lado, también es cierto que el fulgurante desarrollo de la semiótica levantó algunas suspicacias. Seguramente algunos recordarán la acusación de imperialismo que se le hacía a la semiótica. En 1977, Eco (Pancorbo, 1977, pág. 39) ya apuntaba: «A la semiótica se le acusa hoy de ser una disciplina imperialista, que quiere ocuparse de todo...». Afortunadamente esta acusación ya hace tiempo que ha sido desestimada.

Lo que quizá se puede apreciar en la actualidad es un nuevo giro; pero, en esta ocasión, se trataría de un giro cultural. Por ejemplo, en el ámbito de la comunicación, como afirma Chillón (1998, pág. 74), la comunicación es «el acto de *poner en común* las experiencias particulares mediante enunciados, con el fin de establecer acuerdos intersubjetivos sobre el "mundo de todos", el conjunto de mapas que conforman la cartografía que por convención cultural llamamos "realidad". Y la *cultura*, la paulatina decantación de esos enunciados lingüísticos e icónicos, que en la medida en que son colectivamente asumidos van formando un *humus*, un sedimento común para uso consciente e inconsciente de todos. Tal sedimento es la *tradición cultural* que empapa a los individuos de modo inevitable, lo sepan o no, lo quieran o no» (las cursivas son del original). Esta relación entre comunicación y cultura parece evidente. Recordemos que Geertz (1989, pág. 20) ya proponía concebir la cultura como una urdimbre de creación de sentido.

Pero hay que advertir que nunca como hasta ahora se ha pretendido explicar tantas realidades a partir de una matriz cultural. Por ejemplo, cuando Huntington (1997) plantea su hipótesis del choque de civilizaciones, está utilizando el concepto de civilización o de cultura como un instrumento de poder. Para este autor, «la fuente fundamental de conflictos en este nuevo mundo no será principalmente ideológica o económica. Las grandes divisiones de la humanidad y la fuente predominante de conflictos serán de tipo cultural» (Huntington, 1997, pág. 57). Es claro que Huntington está en la línea de pensamiento conservador que va desde el fin de las ideologías, en los años sesenta, con Daniel Bell, hasta el fin de la historia de Francis Fukuyama en 1989. En la actualidad llega un momento en que todo se atribuye a la diversidad cultural. Como apunta Martiniello (1998, pág. 37), en relación a los cambios en los estados del este europeo, «es demasiado simplista achacar el derrumbamiento de los estados multinacionales únicamente a la variable cultural, y sostener que son fenómenos inevitables. Más bien deberíamos tener en cuenta una conjunción de factores económicos, culturales y políticos». En este mismo sentido, Castells (1998a, pág. 100), en relación al movimiento zapatista, señala: «Los insurgentes afirmaban su orgullo indio y luchaban por el reconocimiento de los derechos indios en la Constitución mexicana. Sin embargo, no parece que la defensa de la identidad étnica sea un elemento decisivo en el movimiento». De hecho, en ocasiones se utiliza la coartada culturalista como cortina de humo para ocultar otras realidades políticas o económicas (Rockwell, 1999).

Por todo ello, cada día es más imprescindible que se tenga en cuenta qué realidades pretenden legitimar cada uno de los distintos discursos sobre el multiculturalismo. Precisamente es aquí donde la semiótica tiene un papel importante. Por esto, una semiótica intercultural debería no sólo estudiar los discursos de distintas culturas que se entrecruzan e hibridan, sino también aquellos discursos sobre las culturas y las identidades culturales (Rodrigo, 2000a).

1.2. Delimitación del objeto: la noticia

Como ya he apuntado, una de las dificultades de la investigación social puede estar en la determinación del objeto de estudio. La comunicación de masas, y la noticia en concreto, es una realidad compleja, diversa y cambiante. Nos encontramos ante una realidad poliédrica de la que sólo damos cuenta de algunas de sus caras. En este trabajo pretendo estudiar la noticia como un producto de la industria informativa.

1.2.1. DEL ACONTECIMIENTO A LA NOTICIA

De acuerdo con el orden de exposición que desarrollo, debo iniciar una reflexión sobre el acontecimiento. La justificación viene en palabras de Edgar Morin (1969, pág. 225): «El acontecimiento debe concebirse en primer lugar como una información; es decir, un elemento nuevo que irrumpe en el sistema social [...] el acontecimiento es precisamente lo que permite comprender la naturaleza de la estructura y el funcionamiento del sistema».

El propio Morin (1975, pág. 31 y sigs.) propugna el establecimiento de lo que él denomina una «sociología del presente» cuyos principios son los siguientes:

1. Debe ser fenomenológica. Concepto que nos remite a:
   a) el fenómeno es concebido como un hecho relativamente aislado;
   b) la teoría concebida va más allá de los límites disciplinarios. Esta necesidad interdisciplinaria supone la aproximación de ésta al fenómeno y no a la inversa.
2. El acontecimiento, que significa imprevisibilidad, lo singular, es el monstruo de la sociología. Pero es posible estudiar el acontecimiento a partir de la sociología clínica que considera:
   a) el ámbito histórico mundial es el único ámbito experimental posible;
   b) una teoría puede establecerse no sólo a partir de regularidades estadísticas, sino a partir de fenómenos y situaciones extremas, «patológicas», que desempeñan un papel revelador.
3. El acontecimiento, desde el punto de vista sociológico, es todo lo que no está inscrito en las regularidades estadísticas. El acontecimiento es, por principio, desestructurante.
4. El acontecimiento es accidente; es decir, perturbador-modificador. Aparece una dialéctica evolutiva-involutiva.

5. Las crisis son fuente de extrema riqueza para una sociología no estadística. En ellas se une el carácter accidental (contingente), el carácter de necesidad (puesta en práctica de las realidades más profundas) y el carácter conflictual.

Así pues, dice Morin (1975, pág. 258): «Para comprender la crisis hacía falta pues reformular más radicalmente la teoría sociológica, concebir la sociedad bajo dos aspectos, el aspecto generativo (concerniente a su "información", es decir, su saber, sus reglas, sus normas, sus "programas") y el aspecto fenoménico (concerniente a su organización concreta *hic et nunc*, su práctica, su existencia en un entorno determinado)».

La postura de Morin debe comprenderse en el marco de la crisis de la sociología a finales de los años sesenta. Algunas de sus ideas son realmente interesantes sobre todo para la temática de este libro. Téngase en cuenta que la concepción de noticia, como tradicionalmente se ha aceptado, es lo opuesto a la noción histórica o científica del hecho significativo, que es repetitivo y constante, no excepcional. Por ello esta «sociología del presente» quizá pudiera denominarse también «sociología de la noticia».

Siguiendo, pues, esta sintonía del estudio fenomenológico del acontecimiento, enmarco la explicación del mismo en la teoría de la construcción social de la realidad (Berger y Luckmann, 1979). Esta realidad fenoménica no sólo no tiene sentido más allá del individuo, sino que además, lógicamente, no es inmutable. Por ello doy cuenta de la evolución de la categorización del acontecimiento en el sistema de la comunicación social, porque un acontecimiento siempre hace relación a un sistema. Así, al estudiar la naturaleza del acontecimiento, constato las interrelaciones del mismo con el sistema que le da sentido. Como es natural, siempre me remito, en última instancia, al sistema de los *mass media*. Al determinar las características del acontecimiento hago referencia expresa a los medios de comunicación.

En el paso del acontecimiento a la noticia, la diferencia

primera que establezco es que el acontecimiento es un fenómeno de percepción del sistema, mientras que la noticia es un fenómeno de generación del sistema. Dentro de las técnicas del periodismo, en ocasiones se ha simplificado excesivamente el paso de acontecimiento a noticia (Gaillard, 1972, págs. 25-33). Este error se debe a que se conceptúa este fenómeno de generación del sistema desde un punto de vista puramente mecánico. Por mi parte, he relacionado el acontecimiento-noticia con la realidad social a partir de la noción de la construcción de la realidad, como producción de sentido a través de la práctica productiva y las rutinas organizativas de la profesión periodística. Por consiguiente, la concepción de esta construcción de la realidad variará según el carácter que se le otorgue a la propia realidad social.

1.2.2. LA NOTICIA COMO CONSTRUCCIÓN SOCIAL DE LA REALIDAD

En principio podría establecer una clara división entre la concepción de la realidad social como una cosa ontológicamente dada y exterior a la subjetividad, y la realidad social como resultado de acciones sociales intersubjetivas. Como apunta Grossi (1985b, pág. 378), «la realidad no puede ser completamente distinta del modo como los actores la interpretan, la interiorizan, la reelaboran y la definen histórica y culturalmente». La objetividad como cosa autónoma entra en crisis (Schaff, 1976), pasa a ser un producto social intersubjetivo. Teniendo en cuenta que nos situamos en un nivel socio-semiótico, hay que destacar la influencia del lenguaje sobre el pensamiento y sobre el conocimiento humano (Schaff, 1969). En este punto hay que recordar la teoría del relativismo lingüístico (Rodrigo, 1999, págs. 107-110). Esta teoría, basada en la conocida hipótesis Sapir-Whorf, considera que la lengua de un pueblo da forma a su cultura porque determina la percepción y la representación que el hablante tiene de la realidad. Así pues, las diferentes lenguas no sólo implican culturas distintas sino incluso estructuras intelectuales y emocionales distintas.

A partir de la concepción de la realidad como producto de los media podemos descubrir dos modelos de análisis contrapuestos. Por un lado se establece que los *mass media* tienden a construir una realidad aparente, ilusoria. Para unos los media manipulan y distorsionan la realidad objetiva (Doelker, 1982; Enzensberger, 1972). Para otros se produce un simulacro de la realidad social (Baudrillard, 1978a y b, 1979). Para ambos la realidad que transmiten los *mass media* es una construcción, el producto de una actividad especializada. Empero, a partir de estas concepciones se finaliza por reintroducir, la menos implícitamente, la concepción de la realidad social como algo exterior y autónomo de la práctica periodística.

Por otro lado se postula la hiperrealización de la realidad social a partir de una referencia expresa a la sociosemiótica y la etnometodología (Wolf, 1982). Los *mass media* son los que crean la realidad social. Los acontecimientos son conocidos gracias a los *mass media* y se construyen por su actividad discursiva. En nuestra sociedad son los *mass media* los que producen la realidad social (Veron, 1981). Así pues, el proceso de la construcción de la realidad social depende enteramente de la práctica productiva del periodismo.

Este modelo, que en principio se pudiera decir que es el que sostengo, puede contener algunas aporías. En primer lugar, no debe asimilarse el concepto «construcción de la realidad» única y exclusivamente con la práctica periodística. La noción «construcción social de la realidad» tal como la definen Berger y Luckmann (1979) se sitúa a nivel de la vida cotidiana, en la que se da, sin embargo, un proceso de institucionalización de las prácticas y los roles. Este proceso es al mismo tiempo socialmente determinado e intersubjetivamente construido. Esto nos lleva a caracterizar la actividad periodística como un rol socialmente legitimado para producir construcciones de la realidad públicamente relevantes. Así pues, podemos establecer que los periodistas tienen un rol socialmente legitimado e institucionalizado para construir la realidad social como realidad pública y socialmente relevante. Estas competencias se realizan en el interior de aparatos productivos especializados: los *mass media*. Como apunta Altheide (1976, pág. 25), «la institucionalización de los noticiarios informativos se ha convertido en una actividad sancionada».

En segundo lugar, este modelo puede caer en la falacia de considerar a los *mass media* como los constructores de la realidad sin tener en cuenta la interacción de la audiencia. Por ello debe quedar bien claro que la construcción social de la realidad por los *mass media* es un proceso de producción, circulación y reconocimiento. Pensemos que la actividad periodística es una manifestación socialmente reconocida y compartida. Incluso históricamente, se han producido variaciones en la producción periodística que el consumidor va conociendo. Como nos recuerda Vázquez Montalbán (1980, págs. 172-173), «fue el *Herald* quien introdujo sistemáticamente la crónica directa, el embrión del "reportaje" en los diarios, proporcionando al lector la ilusión intelectiva de que "asistía" al acontecimiento del mismo modo que la *interview* proporcionaba la ilusión de que "veía" al personaje».

Por consiguiente, esta relación entre el periodista y sus destinatarios está establecida por un contrato pragmático fiduciario social e históricamente definido. A los periodistas se les delega la competencia de recoger los acontecimientos y temas importantes y atribuirles un sentido. Este contrato se basa en unas actitudes epistémicas colectivas que se han ido forjando por la implantación del uso social de los medios de comunicación como transmisores de la realidad social de importancia pública. Los propios medios son los primeros que llevan a cabo una continua práctica de autolegitimación para reforzar este rol social.

Hay que tener en cuenta que en toda relación comunicativa se establecen una serie de contratos pragmáticos con los destinatarios, de forma que éstos hagan el uso adecuado, desde el punto de vista del comunicador, del discurso. El destinatario ha de saber cuál es la finalidad del mensaje, cómo se puede usar e incluso qué efectos puede producirle. En el caso de que el destinatario no aceptara el contrato pragmático propuesto por el comunicador, el discurso perdería su virtualidad (Rodrigo, 1995, págs. 160-163).

¿Cuál es, en principio, la primera función de la información mediática? Se podría decir que consiste en «hacer saber». Pero este hacer saber necesita como condición necesaria que se crea que la información mediática es real, si no no puede «hacernos saber». Si no se da esta condición nos encontraríamos ante un falso saber. Así pues, los medios de comunicación nos proponen un contrato pragmático fiduciario que pretende hacernos creer que lo que dicen es verdad y al mismo tiempo nos piden que confiemos en su discurso informativo. Si no me creo las noticias, entonces ¿para qué sirven? ¿Para qué sirve, en principio, la información periodística si no es para hacer saber? ¿Qué sucede si el destinatario no cree que determinada información sea verdad? Nos encontraríamos ante un saber cuestionado, la información no haría saber. Por consiguiente, para que un discurso sea efectivamente informativo debe darse un contrato pragmático fiduciario. Se ha de creer que aquello que dice es verdad, que ha sucedido realmente así. Si un diario, por ejemplo, no tiene credibilidad, sus informaciones pierden virtualidad y no sirven para informarse.

El contrato pragmático fiduciario de los medios de comunicación es un producto histórico de la institucionalización y de la legitimación del papel del periodista. Esto no significa que dicho contrato pragmático fiduciario se pueda establecer de una forma imperativa. En España, durante la dictadura del general Franco, un sector de la población no aceptaba ese contrato pragmático fiduciario, se sabía de la existencia de una censura que hacía que la credibilidad de los medios de comunicación fuera muy baja. En las democracias, a pesar de esta institucionalización del papel del periodista, los medios de comunicación deben luchar día a día para tener credibilidad y para renovar ese contrato. La información mediática necesita contar con la confianza de sus lectores, en el sentido de que el discurso informativo debe poder ser creído.

Para que se acepte ese contrato, el discurso informativo se

construye de tal forma que se presenta como un discurso veridictorio (Greimas y Courtés, 1979, págs. 417-418). La estrategia consiste en construir un discurso que pueda ser creído. Por esta razón, se hace aparecer en el discurso informativo las fuentes informativas que el periodista ha consultado, el periodista utiliza comillas para recoger declaraciones literales, también facilita muchos datos sobre un acontecimiento de manera que no se pueda dudar de que es verdad, etc.

Todo ello refuerza un discurso construido para decir la verdad. Pero, aun así, existe una paradoja, es curioso que los lectores estén dispuestos a creer lo que se escribe en los periódicos, pero consideren que a menudo los periodistas son unos mentirosos.

También es cierto que el discurso de los medios de comunicación no es solamente informativo, no pretende únicamente hacer saber, sino que también pretende hacer sentir. Los periódicos sensacionalistas apuntan más a las emociones que al saber de sus lectores. De hecho, proponen una especie de contrato pragmático lúdico. En el siglo XIX, el periódico sensacionalista americano *Sun* inventó informaciones sobre pruebas científicas en relación con la existencia de vida en la Luna. Cuando otros periódicos denunciaron el engaño, los lectores del *Sun* no se enfadaron por el fraude, por el contrario, consideraron que se trataba de una historia divertida. En este caso, podemos ver que el contrato pragmático fiduciario no es lo más importante.

Otro caso es, por ejemplo, el del 28 de diciembre, día de los Santos Inocentes (al menos en España). Ese día está permitido gastar bromas a la gente, y los medios de comunicación pueden dar una noticia falsa. Pero esto no cuestiona la credibilidad de los medios de comunicación, porque la audiencia conoce por anticipado esta suspensión parcial del contrato fiduciario y la propuesta de un pequeño contrato lúdico. El juego propuesto consiste en ser capaz de adivinar cuál es la noticia falsa.

No hay que buscar el origen de la crisis de credibilidad de los medios de comunicación en el 28 de diciembre, sino en otras circunstancias o en otras fechas, como las del 16 de enero de 1991 (Rodrigo, 2001, págs. 35-37) o el 11 de septiembre de 2001. Tanto con la primera guerra del Golfo como después del atentado terrorista de Nueva York, el control de la información se ha hecho más evidente. Pero no sólo esto, después del 11 de septiembre de 2001, Estados Unidos ha establecido una estrategia, todavía más clara, de facilitar a los medios de comunicación noticias tendenciosas. Pero el contrato pragmático fiduciario puede romperse no sólo por las estrategias manipuladoras de los estados, sino también por casos de información falseada. Por ejemplo, en 1990 se desencadenó una tormenta política en Italia a causa de un falso *scoop* que apareció en la segunda cadena de la RAI sobre un fraude electoral en un referéndum realizado después de la Segunda Guerra Mundial para decidir sobre el sistema político, republicano o monárquico (*El País*, 8/II/1990). Evidentemente, suelen ser casos singulares, pero mi intención es subrayar que la crisis de credibilidad, la falta de confianza en los medios de comunicación puede producirse no sólo debido a las grandes estrategias manipuladoras de los estados, sino también por estos casos singulares, porque abren la puerta a las dudas, a la desconfianza (Rodrigo, 2003b).

Hay que tener en cuenta la existencia de este contrato pragmático fiduciario para balancear las dos concepciones anteriormente apuntadas, por un lado la realidad mediática como simulacro y por otro como hiperrealidad. Como apunta Grossi (1985b, pág. 383), «es improductivo elaborar una teoría de la realidad informativa como producto del trabajo periodístico para concluir después que a menudo éste se presenta como seudorrealidad; también es aporético fundamentar enteramente en la sola práctica organizativa de los aparatos los recorridos del sentido de la realidad informativa y después denunciar que estos resultados discursivos sirven sólo para legitimar el orden existente o reforzar los valores dominantes o producir una imagen "interesada" de la realidad social».

1.2.3. LA NOTICIA Y LA REALIDAD SOCIAL

Toda esta discusión me lleva a la necesidad de plantearnos dos cuestiones. En primer lugar, habría que profundizar en esta específica construcción social de la realidad informativa en comparación a otras (Rodrigo, 1995, págs. 156-163). En segundo lugar, se trataría de descubrir el proceso de producción de la misma a través del sistema especializado de los *mass media*.

Por lo que respecta a la primera cuestión, no va a ser objeto de atención en este libro. Pero puedo esbozar algunas propuestas interesantes. Adoni y Mane (1984) se plantean el rol de los *mass media* en el proceso de construcción social de la realidad. Dicho proceso lo contemplan desde un punto de vista dialéctico entre tres tipos de realidad:

1. La realidad social objetiva. Es experimentada como el mundo objetivo que existe fuera del individuo. Esta realidad es aprehendida por los individuos como algo que no necesita verificación y no dudamos de ella, permitiéndonos llevar a cabo los actos de existencia cotidianos.
2. La realidad social simbólica. Consiste en las formas de expresión simbólica de la realidad objetiva. En este apartado entrarían los *mass media*, aunque hay multitud de realidades simbólicas con diferentes sistemas de símbolos. Sin embargo, el individuo puede diferenciar las distintas esferas de realidad simbólica.
3. La realidad social subjetiva. Esta realidad subjetiva tendría como *inputs* a las otras dos. Es decir, el mundo objetivo y las representaciones simbólicas se han fundido en la realidad social subjetiva. Las construcciones individuales de la realidad se basan en las acciones sociales individuales, la existencia en la realidad objetiva y el significado en expresiones simbólicas.

Esta realidad subjetiva individual está organizada en términos de «zonas de relevancia» que difieren del aquí y ahora de la esfera individual inmediata de actividad. La realidad social se percibe a través de un *continuum* basado en la distancia de estos elementos. Los elementos sociales con los que el individuo interactúa frecuentemente cara a cara son la parte «cercana» de las zonas de relevancia. Lo «remoto» de las zonas de relevancia está compuesto, en general, por elementos sociales más abstractos que no son accesibles a la experiencia directa. A través de este *continuum* cercano-remoto y de los tres tipos de realidad descritos, Adoni y Mane (1984) pretenden clasificar y explicar los micro y macroniveles de la vida social.

Recordemos que ya De Fleur y Ball-Rokeach (1982, pág. 319 y sigs.) apuntan que el grado de contribución de los media a la construcción de la realidad social del individuo está en función de la experiencia directa con los fenómenos y de la dependencia de la información de los medios sobre estos fenómenos. Para Adoni y Mane (1984) el proceso dialéctico de construcción social de la realidad puede definirse como un sistema de dos dimensiones: a) los tipos de realidad (objetiva, simbólica y subjetiva); b) la distancia de los elementos sociales frente a la experiencia directa.

Volveré a continuación sobre la segunda cuestión que había planteado, a saber: las características de la producción de la realidad social por los *mass media*. Éste ha sido el objeto de estudio principal de este libro. Enlazándolo con el tema del acontecimiento, recojo las características que van a concretar la atención de los *mass media* sobre determinados acontecimientos. Un elemento fundamental en el proceso de producción informativa son las fuentes. La relación entre acontecimiento-fuente-noticia es esencial para la comprensión de la construcción social de la realidad informativa. Seguidamente vemos cuáles son las características generales del trabajo periodístico que se realiza en el seno de una organización determinada, de la cual también damos cuenta. Es indudable que la organización condiciona la producción. Pero no sólo a nivel técnico, sino también ideológico. La propia profesión periodística se autolegitima en su rol de puros transmisores de la realidad social. Pero difícilmente los periodistas reconocen que llevan a cabo una construcción de la realidad social, como si esto fuera reconocer una especie de «pecado original» del periodismo. Las concepciones sobre la propia profesionalidad periodística son diversas, cuando no contrapuestas. Uno de los temas clave en este debate, sobre el que también vuelvo a insistir, es el de la objetividad. Finalmente, abordo el carácter del producto elaborado: las noticias.

Por último, quisiera recordar una vez más que si bien en este libro se parte de la noticia como realidad social construida, ésta no es más que una de las realidades que los individuos construimos cotidianamente. Se puede discutir la importancia o relevancia de las distintas realidades socialmente construidas. Pero no hay que caer en la falacia de la unicidad de la realidad social.

2. La circulación de la noticia

Evidentemente, lo que se denomina la comunicación de masas es algo más que un sistema de circulación de relatos, en general, y de noticias, en particular. Pero también es un sistema de circulación de noticias. Como apunta Colombo (1983, pág. 93), «comunicación de masas es, por tanto, un sistema de circulación de informaciones a través de vastas redes de distribución de la noticia que se superponen a toda forma de cultura local, de creencia y de elección original e interior, creando amplias regiones homogéneas de conocimiento común». Nos encontramos, de nuevo, con la metáfora de la aldea global. Pero, como puede apreciarse en la cita recogida, la idea es que mientras el sistema informativo hace propuestas de interpretación que buscan el consenso social, en cada ámbito local específico se produce una reinterpretación de la información. Téngase en cuenta que la globalización, como fenómeno social, sólo se concreta, de forma singular, en el ámbito local. Estamos ante lo que se conoce como la glocalización, que pone de manifiesto la hibridación cultural a que da lugar esta superposición o, mejor dicho, este mestizaje cultural (García Canclini, 1997 y 1999).

2.1. El sistema de los mass media

Este sistema informativo ha tenido diferentes variaciones, sobre todo a partir de la aparición de algún nuevo medio de comunicación que modificaba el sistema establecido. Estos períodos, en busca del nuevo equilibrio, se han caracterizado por la supuesta crisis de algunos de los antiguos medios de comunicación, aunque, en realidad, habría que señalar que se trata de la crisis de su antiguo uso para pasar a su reubicación en el sistema informativo.

Livolsi (1979, págs. 50-51) establece algunos puntos de reflexión sobre las modificaciones de la estructura y del sistema de los medios de comunicación de masas.

1. Los *mass media* forman parte de un sistema integrado y general, determinado notablemente por el medio televisivo, y, consecuentemente, por modos de presentación de la noticia que privilegian modelos expresivos muy estandarizados y repetitivos. A pesar de la aparición de las llamadas nuevas pantallas (vídeo, videojuegos, Internet...), la televisión sigue siendo, aún, el medio dominante del sistema. En España, según el Instituto Nacional de Estadística (*El País*, 23/II/2005, pág. 31) en el año 2004 el 99,6 % de los hogares españoles tenía televisión, mientras que sólo el 48,1 % tenía ordenador, pero sólo en el 30,8 % de los hogares se navegaba por Internet. Aunque hay que constatar que ha habido un gran crecimiento de estas nuevas pantallas en los hogares.

2. La producción de la noticia está determinada, además de por un proceso de producción, por una política cultural que aparentemente no tiene una lógica, pero que contribuye a la legitimación del *statu quo*. La produc-

ción de la noticia a partir de noticias y la reproducción de lo real son los procesos sobre los que se desarrolla esta política.

3. La objetividad debe entenderse como propuesta explícita de una clave de lectura del flujo comunicativo.

4. Cada medio deberá buscar su propia particularidad, identidad y especificidad de funciones, además de individualizar más exactamente los propios contenidos, medios expresivos...

5. Por lo que se refiere a la prensa, más que la amenaza de los otros medios deben tenerse en cuenta las propias contradicciones y problemas, sobre todo los nuevos modos de concentración de la propiedad, las crecientes dificultades de gestión y económicas, la incorrecta introducción de las nuevas tecnologías...

6. Se deben solucionar en la prensa algunos problemas estructurales: la distribución de la prensa, la política publicitaria, la profesionalidad de los periodistas...

Como se puede apreciar, aquí no se concibe la objetividad como la enunciación de la verdad absoluta, sino más bien como el esfuerzo para permitir que la noticia recibida pueda ser descodificada. «Así pues no se trata sólo de dar noticias ciertas, sino también de presentarlas de modo que su correspondiente valoración sea posible por parte de los fruidores» (Livolsi, 1979, pág. 39). Livolsi desplaza el problema de la objetividad del productor de la información al consumidor de la misma, además apunta a la interpretación como sistema para reformular la problemática de la objetividad. Esto se podría complementar señalando que las noticias proponen la clave de lectura o interpretación.

Livolsi señala claramente la interdependencia de los distintos medios de comunicación formando un sistema que funciona muy interrelacionadamente. Nos encontramos con un sistema heteróclito, ya que cada medio de comunicación tiene unas características tecnológicas que condicionan su modo de producción, de circulación y de consumo. Sin embargo, y por otro lado, es un sistema bastante homogéneo que viene a cumplir las mismas funciones sociales. Además, las interrelaciones entre los distintos medios son indiscutibles.

Por otra parte, el sistema de los *mass media* también es lugar de confrontación entre diferentes actores. Los tres actores principales que entran en juego con diferentes intereses son: a) los productores de la comunicación, b) las fuerzas políticas, c) los grupos económicos internos y externos del sector. Todos ellos intervienen tanto en la producción como en la circulación de la información.

Otra característica del sistema de los medios de comunicación es su mutabilidad. Se trata de un ecosistema permanentemente cambiante, aunque tiene hitos indiscutibles, como son las apariciones de nuevos medios que reformulan el ecosistema.

2.2. La sociedad de la información

Lo que parece evidente es que vivimos en una sociedad en mutación permanente, esto no es nuevo, y acelerada, esto es algo más nuevo. Esto hace que, en muchas ocasiones, los investigadores en ciencias sociales vayamos de perplejidad en perplejidad. Además, no parece que esto vaya a cambiar, en palabras de Castells (1998b, pág. 392) el siglo XXI «se caracterizará por una perplejidad informada». No se trata de que las ciencias sociales se conviertan en ciencias predicativas o nomotéticas, pero tampoco hay que caer en la futurología. En cualquier caso, hay que reconocer la dificultad que tenemos para seguir los procesos sociales que se van produciendo y los retos que nos plantean las nuevas tecnologías.

Veamos, en primer lugar, cómo los cambios tecnológicos inciden en el sistema de la comunicación, pero hay que señalar que los cambios tecnológicos y los sociales están interrelacionados. Esto nos obliga a tener muy en cuenta los efectos sociales de las nuevas tecnologías de la comunicación.

Ya en los años ochenta, Moragas (1985, pág. 18) apuntaba dos consecuencias de las nuevas tecnologías sobre la comunicación:

«a) el aumento de las posibilidades de interacción no sólo de los individuos entre sí, sino de los individuos con las computadoras, y

b) la transformación de los espacios de recepción no sólo en la dirección de la transnacionalización, sino, al mismo tiempo, en la de la mediación tecnológica de los procesos interindividuales o de ámbito local.»

Creo que está claro que venimos asistiendo al desarrollo y a la innovación estructural de los sistemas de comunicación. Algunas de las tendencias más visibles, que por ahora podemos apreciar, son las siguientes:

a) Sigue la internacionalización, o quizá mejor dicho la transnacionalización, del mercado de los medios. En 1995 el 69,8 % de la ficción emitida por las cadenas de la Unión Europea eran productos norteamericanos. Esto no sería algo nuevo. Se trataría del conocido imperialismo cultural norteamericano. Según Schiller (1996, pág. 8), «la formación de macroempresas en el ámbito cultural-multimedia permite prever cuál será la forma y el contenido del entorno simbólico mundial en los próximos años. Sus características ya son evidentes:

1. Una gigantesca concentración de capital. La mencionada fusión de Disney [con la cadena ABC] supuso la formación de una sociedad de 19.000 millones de dólares.[...]

2. La producción y la difusión de gran parte de los mensajes y las imágenes que forman el entorno simbólico de las personas se unifica con una finalidad empresarial. Es decir, en todas las facetas artísticas de los medios de comunicación el proceso creativo está sujeto a los imperativos del capital: obtener los

máximos beneficios. Esta dinámica influye decisivamente en la forma y el contenido del producto de los medios de comunicación.
3. Por último, los nuevos colosos de los medios de comunicación tratan de lograr una posición dominante en el mercado para situar sus productos en cada rincón del planeta».

b) Se produce una integración de las distintas tecnologías de la comunicación. Por ejemplo, algunas emisoras de radio se ponen en contacto con sus oyentes por *e-mail* o pueden sintonizarse por Internet. El ordenador se ha convertido en una herramienta muy útil para la autoedición de revistas de baja tirada. Estamos asistiendo a la aparición del diario electrónico. En la actualidad diarios de todo el mundo pueden leerse por Internet.

Parece ser que en Estados Unidos crece la tendencia en la prensa a difundir sus primicias en sus periódicos *on line*, a través de Internet. Veamos un ejemplo: el diario *Dallas Morning News* puso en su página de Internet la noticia de que Timothy Mc Veigh, que era el principal sospechoso del atentado en Oklahoma en 1995, se había declarado ante sus abogados culpable de haber colocado la bomba. Ésta es una forma de adelantarse a la publicación en papel de los diarios y de poder competir con la inmediatez de la radio. Además aparecen revistas que sólo pueden consultarse por Internet. La información en Internet puede llegar a cambiar el concepto de la prensa o mejor aún de los medios de comunicación en general. Otro ejemplo es la aparición en Internet del informe del fiscal Kenneth Starr sobre las relaciones de Bill Clinton con Mónica Lewinsky. En un primer momento, la noticia fue que esta información se podía consultar en Internet, como así hicieron muchas personas, pero a continuación se produjo un mimetismo mediático. En palabras de Ramonet (1998, pág. 18), «el mimetismo es la fiebre que se apodera súbitamente de los *media* (con todos los soportes confundidos en él) y que les impulsa, con la más absoluta urgencia, a precipitarse para cubrir un acontecimiento (de cualquier naturaleza) bajo el pretexto de que otros —en particular los medios de referencia— conceden a dicho acontecimiento una gran importancia». La novedad en este caso es que el medio de referencia había sido Internet.

Aunque hay que advertir que a pesar de las primicias que hemos señalado el periodismo *on line* todavía no es un periodismo a tiempo real. Es distinto el tiempo fenoménico de los acontecimientos y el tiempo de producción de la información. Pero no creo que sea arriesgado afirmar que algunas de las características de la producción periodística sí que cambiarán. Por ejemplo, lo que hace referencia a la hora de cierre. Lo que se producirá es una actualización cada cuatro o cinco horas de forma que no se tendrá la sensación de fragmentos de realidad separados, sino que irá habiendo una evolución de los acontecimientos permanentemente.

Además, creo que en la actualidad todavía no se han producido los verdaderos cambios que pueden darse en los medios de comunicación a través de Internet. Porque, de hecho, todavía no se ha producido un cambio en los lenguajes en este cuarto medio como algunos ya denominan a Internet. Quizá en el futuro será un hipermedio, tendremos un hipertexto en el que se combinarán los tres lenguajes de los clásicos medios de comunicación (prensa, radio y televisión). O mejor dicho, quizá hay que crear todavía un nuevo lenguaje para este posible nuevo hipermedio. Pero, en cualquier caso, creo que esto va a suponer un cambio en las estructuras de producción, de distribución y en los lenguajes periodístico y publicitario.

c) En el ecosistema comunicativo se produce una pluralidad de medios o quizá sería mejor decir la multiplicación de canales.

Hay un aumento de canales en Europa. La aparición de la televisión digital hace que haya un gran aumento del número de canales de televisión disponibles. En todos los países europeos se está dando un proceso similar. Aproximadamente hacia 1996 las empresas privadas de televisión iniciaron la explotación de la televisión digital ofreciendo 20 o 30 canales. A continuación, la televisión pública ha entrado también en el negocio.

Sin embargo, cuando se habla de pluralidad de medios no podemos hablar sólo de los grandes grupos multimedia. La mesocomunicación es un fenómeno relevante en el ecosistema comunicativo (Moragas, 1988). En Catalunya hay unas ochenta televisiones locales, de ámbito de difusión local. Entre ellas hay muchos tipos de emisoras, desde emisoras públicas hasta privadas. Las hay en Barcelona y en poblaciones de hasta nueve mil habitantes. En 1994, se calculaba que en España funcionaban 400 televisiones locales, con una media de medio millón de espectadores y con una inversión de 10.000 millones de pesetas (unos 60 millones de euros). La tendencia que se dibuja es su incremento. En el año 2002 ya había en España 897 televisiones locales (*El País*, 9/X/02, pág. 33).

Estas emisoras de televisión permiten que algunos acontecimientos que no aparecen en los medios nacionales sean recogidos por ellas. Muchas poblaciones pequeñas sólo aparecen en los grandes medios de comunicación cuando ocurre algún suceso en ellas, mientras que todas las otras actividades sociales que se realizan —conciertos, manifestaciones culturales o políticas, teatro, etc.— sólo tienen cabida en las emisoras locales de televisión. Es decir, estas emisoras dan visibilidad mediática a ciertos acontecimientos que no aparecerán en las televisiones autonómicas o estatales.

Esta situación de la televisión yo creo que es ilustrativa, en parte, de las tendencias que se producen en el ecosistema comunicativo y cultural. Por un lado, tenemos lo que se denomina la globalización; por otro lado, por contra, la reivindicación de lo autóctono, de lo local, y por último tenemos la aparición de la revalorización de lo étnico, entendido como lo autóctono ajeno. Estas tres tendencias se dan al unísono con imbricaciones y contraposiciones que aún hay que analizar con cuidado.

2.3. El mercado de la noticia

Como apunta Hall (1981, pág. 366), «el mercado representa un sistema que requiere producción e intercambio como si consistiese sólo en intercambio». En el mercado de la información la producción informativa es también la cara oculta de la Luna. Los medios de comunicación se presentan como meros transmisores de información. La transmisión se significa como la totalidad de la actuación comunicativa de los *mass media*. Así, mediante un efecto de ocultamiento, la producción desaparece de la vista del consumidor. También, por ello, he dedicado mucha mayor atención al apartado de la producción que al de la circulación. Hay que recordar, sin embargo, que en ocasiones los medios de comunicación muestran algunos aspectos de su sistema productivo. Por ejemplo, cuando consideran que alguna circunstancia altera el habitual desarrollo de su labor periodística. Así, durante la invasión de Irak de 2004 apareció la figura del periodista «empotrado» (*embedded*), que se integraba en las unidades militares británicas y estadounidenses. Esta circunstancia planteó la polémica de hasta qué punto dichos periodistas no estaban condicionados en su labor informativa, precisamente por esta adscripción militar.

Burgelin (1974) dedica la primera parte de su obra al mercado de la noticia. Con ánimo muy estricto de síntesis recojo algunos de los puntos más destacados.

Distinguiendo entre la demanda y la oferta, este autor nos recuerda que la acción de la demanda es muy eficaz en el campo de la comunicación de masas. Tengamos en cuenta que «todo hombre es, en un momento u otro de su vida, consumidor de mensajes, y esto en cualquier sociedad. Desde que aparecen, en el seno de la división del trabajo, profesionales de la comunicación, trovadores, narradores o comediantes, esta demanda recibe una expresión económica. La originalidad de la sociedad industrial avanzada, en relación a la demanda de mensajes, no reside, pues, en esto, sino simplemente en el carácter masivo de la demanda que se hace diariamente» (Burgelin, 1974, pág. 26).

En este mercado cultural de la información se descubren dos tendencias opuestas, consecuencia de la masificación de la industria de la información. Por un lado, se da una tendencia a la dispersión cultural, a la diversidad. Cada grupo social, cada nacionalidad, etc., tiene formas culturales diferentes. Pero frente a estas fuerzas centrífugas se da la tendencia centrípeta de unidad y homogeneidad de la demanda. «Por fuertes que sean las barreras lingüísticas y las diferencias entre las culturas nacionales, el desarrollo de un consumo cultural común confirma la existencia de una demanda común, incluso si la oferta aparece como un factor más decisivo que la demanda» (Burgelin, 1974, pág. 30). Es decir, las fuerzas centrípetas tienden a la homogeneización, mientras que las centrífugas provocan la diferenciación.

Por otro lado, las nuevas tecnologías no parecen haber roto esta disyuntiva entre la centralización y la descentralización (Mc Hale, 1981, págs. 108-109), como hemos visto en el apartado dedicado a la sociedad de la información.

Burgelin señala la libertad de elección en el mercado como una de sus características, aunque luego recoge las críticas al mismo. «La libertad en las elecciones individuales se ejerce, en particular, a la vista del oponente en el intercambio, del objeto a intercambiar, del coste, y, en fin, del momento del intercambio o, más concretamente, de la recepción del mensaje» (Burgelin, 1974, pág. 30). Como puede apreciarse, hay bastantes condicionantes que intervienen en la elección. Desarrollemos las críticas a la libertad de mercado que hace este autor:

1. La elección de la otra parte en el intercambio es ilusoria si la otra parte es siempre la misma. Así pues, la concentración empresarial mediática limita la elección.
2. La elección de contenido no es real, a menos que los contenidos sean realmente distintos y no basen sus diferencias sólo en elementos superficiales. En el sistema de los medios de comunicación el mimetismo, como

hemos apuntado, es bastante frecuente. Así, cuando un producto comunicativo genera beneficios económicos, en seguida aparecen otros programas que imitan la fórmula.

3. La libertad con relación al precio desaparece si el consumidor no está en condiciones de controlar su gasto energético. Los *mass media* serían una especie de «opio del pueblo». Desde nuestro punto de vista ésta es una de las críticas más débiles. Sin embargo, sí que puede apreciarse quizá en el público un cierto cansancio por el gasto existencial que supone el consumo de los *mass media*, y, más concretamente, de la televisión. Una noticia en el diario *El País* (5/IV/1986) recogía los resultados más espectaculares del sondeo encargado por la revista francesa *Télérama*. Según este sondeo, uno de cada dos televidentes franceses desearía que no hubiese televisión al menos durante un día a la semana, para contribuir a curarse de lo que considera como un vicio tan malo como el tabaco o el alcohol. La idea de que la televisión es un electrodoméstico perjudicial va resurgiendo periódicamente. Así, Sartori (1998) llega a apuntar el paso del *homo sapiens* al *homo videns* gracias a la televisión. Esta primacía de la imagen sobre la palabra hablada, del ver sobre el entender, lo ilustra en el uso de la televisión, y de Internet, que hace el niño, o lo que denomina el «vídeo-niño». Si contemplamos algunos de los programas que las televisiones nos ofrecen es difícil no estar de acuerdo con el autor cuando afirma que la televisión propicia una cultura de la incultura. Sartori también se plantea el poder político de la televisión al teledirigir la opinión pública. La política se transforma así en vídeo-política. En definitiva, cada vez hay menos información y más desinformación. La idea básica de este autor es que la televisión empobrece el entendimiento.

4. La libertad con respecto al momento del intercambio implica, de una parte, un mínimo de actividad por par-

te del consumidor, de otra, un mínimo de duración de la mercancía cultural (Burgelin, 1974, págs. 60-61). La interactividad que las nuevas tecnologías de la información y comunicación iban a propiciar todavía no está muy desarrollada. Es decir, si no entramos en el aspecto interpretativo, la pasividad del receptor sigue siendo notable. El grado de duración de la mercancía cultural puede ser variable, pero la lógica del sistema fomenta el cambio acelerado del consumo cultural. Las propuestas se suceden unas a otras, a veces sin dejar el tiempo necesario para su comprensión.

En relación a la oferta, este autor plasma la situación oligopólica. Aunque «la sensibilidad del oligopolio ante el mercado es extrema, su poder tecnológico le permite adaptarse muy rápidamente a la evolución de este mercado que, en sí mismo, refleja la evolución técnica a través de la oferta y la evolución sociocultural a través de la demanda» (Burgelin, 1974, pág. 36).

A pesar de que este autor se refiera principalmente al caso francés, la situación oligopólica se puede aplicar prácticamente a todo el sistema comunicativo liberal como su tendencia natural. Por lo que respecta a España es clara la tendencia oligopólica del sistema comunicativo (Bustamante, 1982 y Gifreu, 1983). La revista *Temas para el Debate* (nº 5, abril de 1995, págs. 19-24), de orientación socialista, señala como características del sistema informativo español de los años noventa:

1. Tendencia a la formación de grandes conglomerados multimedia. Los cuatro principales grupos de comunicación del país (Prisa, Correo, Zeta y Godó) concentran cerca del 40 por 100 del mercado de diarios, más del 50 por 100 de la audiencia de radio y en torno al 60 por 100 del mercado de la televisión privada.
2. Conexiones entre empresas de comunicación y grupos económicos, industriales y financieros.

3. Mecanismos financieros para la ocultación de la propiedad e incumplimiento de la legalidad.
4. Tendencia a la politización partidista en algunos medios de comunicación.
5. Fuerte presencia de intereses extranjeros en los grupos multimedia españoles.

No voy a profundizar en este punto, dotado de un grado de obsolescencia muy elevado. Apuntemos que aunque cambian algunos actores la tendencia sigue, a principios del siglo XXI, siendo la misma.

De la industria informativa me interesa destacar también el efecto social que produce la noticia. Como señala Eco (1978, pág. 29), «la industria de la información, por el puro razonamiento del beneficio, lleva a magnificar acontecimientos minoritarios para hacer noticias excepcionales y a repudiar hechos continuos y repetitivos como antiperiodísticos. Por otra parte, la misma naturaleza del medio (un periódico tiene cada día el mismo número de páginas, haya pasado o no alguna cosa interesante) impone a la industria de la información crear acontecimientos aun cuando no existen».

Es decir, que mientras que, por un lado, la industria de la información desarrolla una serie de productores con estas características, por otro lado los receptores llevan a cabo una actividad comunicativa con unos efectos determinados. Como apunta Burgelin (1974, pág. 29), aunque no haga excesivo hincapié en ello, «queda claro que la lectura del diario procura, al menos a ciertos lectores, la sensación de una participación imaginaria en los acontecimientos del universo». Desde esta perspectiva, el consumo de información se torna un ritual en sí. Así, podríamos decir que la comunicación como fenómeno de información es menos significativa que como participación ritual del público.

2.4. Sistema político y comunicación

A la hora de determinar la circulación de la información en una sociedad es inevitable concretar claramente las características de esta sociedad en relación al sistema informativo.

En este sentido, Marletti (1985) establece distintos cuadros por lo que hace referencia a las características de los sistemas políticos, que darán lugar a relaciones diferentes entre los medios y el gobierno de la nación (ibíd., pág. 49).

	Relaciones entre gobierno y medios
Sistemas políticos poco diferenciados	El medio es un monopolio del ámbito gubernamental y existen pocos canales alternativos
Sistemas polarizados	Los medios están en aparatos ideológicos contrapuestos
Sistemas diferenciados o complejos	Hay una interacción y competencia entre los medios y los aparatos políticos en los procesos de tematización

Como puede suponerse, en España nos encontramos ante un sistema diferenciado y complejo, aunque en ocasiones hay una tendencia a la polarización. Como afirma Octavio Paz (*El País*, 10/IV/1983), «la idea de la sociedad como un sistema de comunicaciones debería modificarse introduciendo las nociones de diversidad y contradicción: cada sociedad es un conjunto de sistemas que conversan y polemizan entre ellos. [...] La discusión política en la plaza pública corresponde a la democracia ateniense; la homilía desde el púlpito, a la liturgia católica; la mesa redonda televisada, a la sociedad contemporánea. En cada uno de estos tipos de comunicación la relación entre los que llevan la voz cantante y el público es radicalmente distinta. [...] Aunque los medios de comunicación no son sistemas de significación como los lenguajes, sí podemos decir que su sentido [...] está inscrito en la estructura misma de la sociedad a que pertenecen. Su forma reproduce el carácter de la sociedad, su saber y su técnica, los antagonismos que la dividen y las creencias que comparten sus grupos e individuos. Los medios no son el lenguaje: son la sociedad». Quizá deberíamos matizar estas palabras. Los medios no espejan la sociedad, más bien la representan. En esta representación no todos los actores sociales reciben el mismo tratamiento, en cantidad y en calidad, periodístico.

Pero también hay que tener en cuenta que según las características sociopolíticas en que estén insertos los medios se darán unas relaciones distintas en la producción de la noticia. De hecho, los medios en la mayoría de las sociedades son, según las características del sistema, homogéneos o complejos. Incluso el control y el uso simbólico de los acontecimientos también difieren, como pone de relieve Marletti (1985, pág. 58) en el siguiente cuadro:

	Sistemas poco diferenciados con bajo *feedback* hacia los acontecimientos	Sistemas muy diferenciados con *feedback* relativamente alto
Orientación de la comunicación al control político del acontecimiento	Fenómenos de *blackout* periodísticos «oficiosos»	Producción de acontecimientos accesorios a través de la política
Orientación de la comunicación al uso simbólico del acontecimiento	Campaña alarmista *law and order* con la función de manipulación de las relaciones sociales	Producción del acontecimiento espectáculo por parte de los medios y los políticos

Los sistemas diferenciados hacen pensar que, como apunta Octavio Paz (*El País*, 11/IV/1986), «la palabra de la sociedad no es un discurso único y homogéneo, sino múltiple y heterogéneo. Los medios de comunicación pueden ocultar a esta palabra original con la máscara de la unanimidad o, al contrario, pueden rescatarla y mostrarnos, en las mil versiones siempre nuevas que nos entrega la literatura, la vieja imagen del hombre-criatura a un tiempo singular y universal, único y común».

Si bien estoy, en parte, de acuerdo con Octavio Paz, no conviene olvidar las características de la producción de la noticia. La lógica del sistema de la producción de la información en el mundo occidental nos lleva a establecer, como resultado del mismo, un discurso homogéneo. Si bien es posible que cada medio, de acuerdo con su política editorial, dé una visión diferenciada de los asuntos, los asuntos que tratan los distintos medios son prácticamente los mismos, con lo que se consigue crear esta imagen de realidad única. Pero si analizamos el comportamiento comunicativo no de los medios de comunicación, sino de los individuos, hay que señalar que los *mass media* no son más que uno, quizá el más importante, de los canales posibles a los que el individuo tiene acceso.

2.5. Los canales de comunicación

Umberto Eco y Paolo Fabbri (1978) establecieron, a finales de los años setenta, las características de la información ambiental que rodea al individuo y lo circunscribieron al modelo urbanístico en la civilización occidental avanzada. Distinguían Eco y Fabbri (1978, págs. 556-557) dos tipos de comunicación:

1. Comunicación estrepitosa:
    a) Prensa nacional.
    b) Televisión y radio de difusión nacional.
    c) Publicidad de difusión nacional.
    d) Cine.
    e) Teatro.
    f) Música reproducida.
    g) Objetos y mercancías.
    h) Prensa local.

    i)   Radio y televisión locales.
    j)   Publicidad local.
    k) Señalización vial.
    l)   Comunicaciones verbales institucionalizadas y colectivas (prédica, etc.).
    m) Fiesta que tenga características de comunicación estrepitosa.
    n)   Octavillas y otro material de propaganda política (pintada, murales, etc.).
    o)   Imágenes no-estándar (cuadros, estatuas).

2. Comunicación discreta:
    a)   Mercancías y objetos estandarizados en cuanto significan estatus social o modalidad de uso.
    b)   Mercancías y objetos artesanos.
    c)   Estructura y uso del espacio.
    d)   Fiestas y ceremonias rituales.
    e)   Comportamientos verbales.
    f)   Comportamientos gestuales, fisonómicos y posturas corporales.
    g)   Moda y usos del vestir.
    h)   Comportamientos asociativos.
    i)   Música producida artesanalmente.

Como puede apreciarse, esta clasificación es parcial ya que en cada momento histórico aparecen nuevos canales de comunicación, que van acompañados de nuevas formas expresivas y que, a su vez, potencian nuevas prácticas comunicativas que van modificando la sociedad. Esto puede apreciarse especialmente con la denominada «sociedad de la información». En este punto hay que recordar la importante obra de Manuel Castells *La era de la información*. En el primer volumen Castells (1997) propone la metáfora de la sociedad red para describir la sociedad actual. A partir de la revolución de las tecnologías de la información muestra cómo se producen una serie de cambios en la economía y cómo se reorganizan las empresas y los sistemas de producción. Asimismo, plantea cómo se transforman los sistemas laborales. Aunque la globalización descrita en la obra tiene un fuerte componente económico, también analiza los cambios que sufre la cultura e incluso las coordenadas espacio-temporales que hasta ahora han definido cualquier acontecimiento.

Como apuntamos anteriormente, la tendencia del sistema informativo hacia la situación oligopólica parece una tendencia constante. Pero esto no debe hacernos olvidar el hecho de que nos encontramos, en la actualidad, ante un sistema de gran complejidad y mutabilidad (Bustamante, 2002).

Sin embargo, a pesar de esta complejidad y de los cambios permanentes, siguen siendo válidas las puntualizaciones que hacen Eco y Fabbri (1978, págs. 570-571):

a) El destinatario no recibe mensajes sino conjuntos textuales.

b) El destinatario no remite el mensaje a un código sino a un conjunto de prácticas textuales depositadas.

c) El destinatario no recibe nunca un solo mensaje, sino muchos, ya sea en sentido:

— sincrónico: un mismo acontecimiento puede venir transmitido por la radio, TV, prensa..., o bien:
— diacrónico: el mismo tipo de información es redundante, pero de un modo distinto, porque más que repetición es acumulación y variación.

Estas precisiones de Eco y Fabbri me parecen extremadamente interesantes. Pero, para avanzar en la utilización de la información por los ciudadanos, hay que centrarse en el uso de la comunicación social.

2.6. El uso de la comunicación

En este punto nada mejor que comentar la obra de Manuel Martín Serrano (1982), que ha estudiado precisamente este aspecto de la comunicación de masas. Dada la amplitud del estudio, sólo recojo algunos de los datos más interesantes.

Una constatación primera es que no todos los medios tienen la misma consideración social. No todos los medios son sólo medios de información. Martín Serrano (1982, pág. 43) puntualiza que en España la televisión y la radio cumplen la función de refuerzo de la identidad social. Esta función se da cuando el hecho de que el medio comunique significa que el mundo sigue funcionando regularmente, independientemente del contenido de los medios. Martín Serrano (1985, pág. 45) sigue distinguiendo esta función en la televisión y en la radio: «El funcionamiento de la televisión ofrece la seguridad emocional de que el mundo cotidiano permanece; el funcionamiento de la radio, la seguridad emocional complementaria de que el mundo por venir se va construyendo por sus pasos, y no será demasiado diferente respecto al presente».

Por otro lado es clara y conocida la preferencia del público por los medios audiovisuales en detrimento de los impresos. Además de las conocidas razones de este tipo: el medio impreso no impone su presencia y los audiovisuales sí, o el mayor esfuerzo de la lectura, Martín Serrano (1982, pág. 46) apunta: «A nuestro juicio, el problema de los efectos negativos que sobre la audiencia de los medios impresos ha tenido la generalización de los medios audiovisuales podría comprenderse en términos de las tasas mínimas de información que un grupo social necesita manejar para desenvolverse en sus relaciones cotidianas».

Sin embargo, Martín Serrano (1982, pág. 49) constata que hay un mayor interés por la prensa que en el pasado. Además las relaciones de uso entre medios impresos y audiovisuales no son siempre excluyentes. «Quienes ahora dedican más tiempo a la lectura de prensa y revistas coinciden muy frecuentemente con quienes más tiempo dedican a la audiencia de televisión y radio. [...] Cabe incluso afirmar que una atención intensa a los medios impresos es un factor generador de atención más intensa a todos los otros medios. En cambio, lo contrario no es verdadero. [...] Si se desease aumentar el tiempo consumido por la población en informarse se debería de estimular la lectura de prensa, como factor multiplicador de los otros consumos; en tanto que estimular el consumo de televisión y radio no transformaría las cosas» (Martín Serrano, 1982, pág. 50).

Sin embargo, se pueden apreciar claras diferencias entre distintos usuarios de los medios: «La preferencia por la televisión es un indicador de la estabilidad social, de las vidas ya hechas y de la vida en el hogar; la radio se muestra como la preferencia de aquellos que todavía están construyendo su universo social. La preferencia por la prensa diaria denota que este medio cumple todavía una función de estatus (se asocia con un nivel cultural más alto) y de diferenciación de rol (se asocia con intereses masculinos)...» (ibíd., págs. 53-54).

Otros datos interesantes son los que determinan la dedicación a un medio. Es lógico que en una oferta comunicativa rica y, en principio, plural se dé una selección de los medios utilizados por los ciudadanos. Este dato es de capital importancia para comprender, por ejemplo, el efecto de eco o de adición que van a ejercer los temas de importancia en los individuos. La exposición a un solo medio le otorgaría a éste un gran poder, mientras que si la exposición es plural será precisamente la lógica del sistema de la producción de la noticia la que determinará los temas importantes recogidos como tales por una pluralidad de medios.

Martín Serrano (1982, pág. 139) apunta: «Es muy raro que se produzca la falta de exposición, o la exposición a un único medio. Pero este hecho se debe a la presencia de la televisión, y, en menor medida, de la radio. Es claro pues que, de hecho, se produce una exposición a varios medios de comunicación, con lo que se puede claramente plantear un efecto de adición de los distintos medios. Como señalamos anteriormente, será precisamente este efecto de orquestación del sistema comunicativo el que determinará la construcción de los temas de debates públicos».

Cuanto más se informa un individuo, más canales utiliza. «La dedicación de un mayor tiempo de audiencia a un medio suele asociarse con la mayor dedicación a otros en proporciones elevadas de la audiencia. El estudio contradice una hipótesis bastante géneralizada según la cual quienes dedican más tiempo a los media impresos, dedican menos a los audiovisuales» (ibíd., pág. 140).

Finalmente recojo algunas de las conclusiones del estudio de Martín Serrano (1982, pág. 77 y sigs.). Por lo que respecta a las funciones de los medios de comunicación afirma que la sociedad española está muy mediatizada, tanto en su organización como en su desenvolvimiento, por los medios de comunicación de masas. Por un lado, los *mass media* condicionan la forma de organización social participando en las propuestas y en la evaluación de un modelo determinado de diferenciaciones sociales. El modelo social que transmiten los *mass media* no tiene por qué ser totalmente verdadero, pero es lo que se ofrece como tal a los usuarios de la comunicación.

Por otro lado, la población le suele dedicar un tiempo apreciable a proveerse de la información de los *mass media*. «Este hábito indica que en nuestra sociedad es muy difícil desenvolverse como un ser social desconociendo la imagen del entorno que ofrecen los medios. [...] Las formas de vida actuales son propias de una sociedad que, para funcionar, depende cada vez más de la mediación social que se encomienda a las instituciones comunicativas; a su vez, la creciente importancia de la mediación de masas en la vida cotidiana señala la existencia de una sociedad cada vez más compleja y más organizada, la cual ya no puede satisfacer las necesidades de participación social de sus miembros con las vías que ofrece la comunicación directa...» (ibíd., págs. 78-79).

Por su parte, Hall (1981, págs. 384-386) recoge tres funciones ideológicas de los *mass media*:

1. «El suministro y construcción selectiva del *conocimiento social*, de la imaginería social por cuyo medio percibimos los "mundos", las "realidades vividas" de los otros y reconstruimos imaginariamente sus vidas y las nuestras en un "mundo global", inteligible, en una

"totalidad vivida"» (Hall, 1981, pág. 384). Es decir, los medios de comunicación suministran discursos a partir de los cuales los grupos o las clases construyen una imagen de las vidas, significados, prácticas y valores de otros grupos o clases sociales y sobre su situación en relación a la globalidad.

2. «La segunda función de los modernos medios de comunicación es la de reflejar y *reflejarse en esta pluralidad*; suministrar un inventario constante de los léxicos, estilos de vida e ideologías que son objetivados allí» (ibíd., pág. 384). Los medios de comunicación sitúan, califican y clasifican los acontecimientos de acuerdo con un mapa de la realidad social. Estas clasificaciones son evaluativas y normativas. Es decir, determinan qué realidades son aceptables y cuáles son rechazables.

3. «La tercera función de los medios de comunicación [...] es la de organizar, orquestar y *unir* lo que se ha representado y clasificado selectivamente» (ibíd., pág. 385). Lo que se ha clasificado y representado se sitúa dentro de un orden reconocido. Se trata de ir produciendo un consenso y de ir construyendo una legitimidad. Esto se hace de forma dinámica y dialéctica, ya que el consenso y la legitimidad se van adaptando a las circunstancias históricas y a los grupos emergentes.

En relación al uso de los contenidos de los medios hay que recordar que los mediadores son los que establecen los temas. «Sin embargo, la mayor parte de las audiencias adoptan una actitud activa frente a la oferta de comunicación a la que tienen acceso, eligiendo los medios y los temas de acuerdo con criterios propios, los cuales pueden o no coincidir con los criterios que ha tomado en cuenta el mediador» (Martín Serrano, 1982, pág. 291).

«Las audiencias españolas se sirven de los medios y de los contenidos que ofrecen para obtener una información sobre su entorno que sea confiable; [...] En segundo lugar, los usuarios están interesados en que la comunicación social les capacite para manejar su entorno cotidiano. [...] En tercer lugar, los públicos esperan que la comunicación que les ofrecen los medios sea accesible para ellos, es decir, que pueda ser fácilmente comprendida, que les distraiga y les ayude a evadirse de las preocupaciones cotidianas. En cuarto lugar, las audiencias desean que la comunicación les sirva para el día. [...] Finalmente, los usuarios desean que la comunicación sea económica, es decir, que no repercuta sobre sus gastos cotidianos de manera apreciable» (ibíd., pág. 298).

2.7. Notas sobre los distintos canales

No voy a entrar, a continuación, a pormenorizar las características peculiares de cada uno de estos medios. Pero no puedo dejar de señalar, por ejemplo, el papel que desempeña la televisión como una institución cultural central de nuestra sociedad que vehicula un discurso, según algún autor (Silverstone, 1981), mítico que construye una realidad social. Sin embargo, dadas las características tecnológicas del medio televisivo, el informador debe probar con imágenes lo que está diciendo. Las imágenes de los acontecimientos hacen más difícil el control de éstos por parte del mediador. Estamos ante lo que Martín Serrano (1977) denomina *media index*, que son medios icónicos sincrónicos, y que utilizan códigos generales, por lo que producen mensajes cuyos referentes se resisten al control del mediador.

Violette Morin (1978), en un interesante artículo, recoge precisamente esta relación dialéctica que se establece en el discurso televisivo entre lo visto y lo dicho. Esta autora establece la cuadratura del discurso televisivo a partir de la cual estudia pormenorizadamente esta relación dialéctica.

La radio también construye su discurso mediante los instrumentos significativos que le son propios (Rodrigo, 1995, págs. 112-117). Pero más que entrar en las características semióticas de la radio, veamos algunas de sus características comunicativas en general. A partir de un estudio comparativo

(Hermelin, 1983b) de las noticias radiofónicas y periodísticas se establecieron las siguientes conclusiones:

1. Extrema rapidez de aparición y desaparición de la mayoría de las noticias. Una vez emitida, la noticia se devalúa, sin que merezca ni citación ni revitalización.
2. Si vemos las características de las noticias más repetidas, son las que tienen la capacidad de renovarse y evolucionar hora por hora.
3. Las noticias que aparecen poco son las que aparecen y se olvidan rápidamente y las que son noticias finales de la jornada anterior.
4. La información radiofónica está basada en el instante. La información del periódico es menos efímera que la de la radio.
5. La radio aborda muchos menos temas de los que puede abordar el periódico.
6. Por su rapidez es posible que la información radiofónica sea incierta y cambiante, lo que da lugar a varias rectificaciones y desmentidos.

En relación a la prensa recordemos en primer lugar, los contenidos que según la audiencia trata mejor. La prensa (Martín Serrano, 1982, pág. 207) tiene la imagen de ser el medio que mejor trata los contenidos políticos y el acontecer social (cartelera, espectáculos, etc.). Es decir, la gente sigue considerándola como un medio especializado en informar de los acontecimientos de nuestro entorno. «Nuevamente se pone en evidencia que la imagen de un medio no es el reflejo mecánico de sus peculiaridades tecnológicas, sino *la expresión del uso social que le confiere la comunidad*» (ibíd., pág. 207) (las cursivas son mías). Esta constatación de Martín Serrano me parece esencial para comprender precisamente la importancia de la prensa frente a los medios audiovisuales. El uso social del medio es el que le confiere sentido.

«Las audiencias asignan a la prensa el tratamiento de los temas del ciclo corto, aquellos en los cuales el cambio se acelera, porque son inestables; aconteceres cuyo tratamiento no puede programar el medio con antelación. [...] Este comportamiento puede venir motivado por la esperanza de que la prensa va a ofrecer más información, expectativa que se basa en la imagen que posee de medio informativo...» (ibíd., págs. 207-208).

Por otro lado, desde una perspectiva semiótica podemos señalar que el periódico, como los demás *mass media*, es una instancia de producción de lo real. Aunque, como señala Imbert (1984c), el sentido varía según la materia significante (código de escritura periodística, etc.) y el carácter plural del sujeto de la enunciación. En relación a este último punto, mientras que el discurso individual está condicionado por la alteridad, en el plural se ponen en juego instancias de legitimación.

Imbert (1984b) establece el estatuto actancial colectivo con competencia emisora. El periódico tiene una imagen de marca que lo define como dotado de una identidad pública. Por otro lado, el hacer del periódico es un hacer programado: la construcción social de la realidad cotidiana. Construcción social que está basada en una producción reglamentada. Además, esta codificación normativa del acontecer también está reglada por el libro de estilo que algunos diarios establecen. Por último, la identidad del periódico también está definida por un poder, basado en su estructura financiera, y por un querer, que es la vocación social y política del mismo. Éstas son las modalidades, sigue Imbert, constitutivas de la competencia del periódico. De ellas dependerá la actuación, el hacer ser del periódico.

Para finalizar, habría que dejar constancia del papel de la comunicación interpersonal, no ya en los procesos de influencia de los medios de comunicación (Katz y Lazarsfeld, 1979), sino en la circulación de noticias. Al respecto, podría señalar que, si bien es lógico pensar que los *mass media* son el principal productor de noticias, no siempre se reciben, en primer lugar, las mismas a través de dichos canales. La comunicación interpersonal puede llegar a desempeñar, en determinadas circunstancias, un papel importante.

Recordemos el modelo propuesto por Greenberg «Person-to-person communication in the diffusion of new events», *Journalism Quaterly*, nº 41, 1964. Greenberg (citado por Mc Quail y Windahl, 1984, págs. 115-121) señala que los acontecimientos que van a producir las noticias son de tres tipos:

Tipo I. Los acontecimientos que tienen poca importancia general, pero que son muy significativos para unos pocos. Estos acontecimientos no tienen un tratamiento importante por parte de los *mass media*. Sin embargo, para la minoría interesada serán acontecimientos importantes, y una proporción bastante alta de esta minoría se enterará por la comunicación interpersonal con los otros interesados.

Tipo II. Son los acontecimientos a los que los *mass media* les dan una importancia pública general por lo que consiguen un tratamiento de importancia, y son advertidos directamente por la mayoría del público. Estas informaciones probablemente no serán difundidas por canales interpersonales, aunque es posible que se hable sobre ellos.

Tipo III. Los acontecimientos muy urgentes, importantes, que reciben mucha y rápida atención por parte de los *mass media*. Sin embargo, hay que señalar que una gran proporción de personas recibirá esta información a través de canales interpersonales.

De acuerdo con este modelo se puede señalar que, en primer lugar, hay una audiencia primaria de los medios de comunicación de masas que reciben la información directamente de éstos. En segundo lugar, hay una audiencia secundaria que recibe la información a través de canales interpersonales de personas que directa o indirectamente recibieron la información a través de los *mass media*.

Para corroborar lo que acabo de exponer recojo los datos del estudio 1.280 del Centro de Investigaciones Sociológicas, que no ha sido publicado. Dicho estudio es una encuesta que hace referencia al «Asalto al Banco Central» de Barcelona que se produjo el 23 de mayo de1981.

A la pregunta de la encuesta «¿A través de qué medio tuvo la primera noticia?» el resultado es: TV 40,3 %, radio 37,2 %, periódico 1,6 %, conversación con amigos 18,1 %, no recuerda 2,4 % y no contesta 0,3 %. Como puede apreciarse, el porcentaje que recibe la primera noticia por vía de la comunicación interpersonal es bastante alto.

Así pues, la relación interpersonal no sólo es un elemento importante en la reinterpretación de los mensajes compartidos colectivamente, sino también como canal de información. De hecho, en los acontecimientos muy importantes, ambos canales funcionan prácticamente al unísono. Así, mientras Edgar Morin (1964) describe el asesinato del presidente Kennedy como una tele-tragedia planetaria, también se ha señalado, por el contrario, que la mitad del público norteamericano recibió la noticia por canales interpersonales.

En la actualidad, las nuevas tecnologías de la información y la comunicación abren nuevos canales que van teniendo, poco a poco, mayor importancia. Aunque quizá habría que decir que algunas de estas nuevas tecnologías lo que hacen es ampliar la extensión de los canales ya existentes. Así, por ejemplo, los mensajes SMS de los móviles serían una extensión de la comunicación telefónica. En España, los días que siguieron al 11 de marzo de 2004 fueron un ejemplo de utilización de estos nuevos canales. Así, a través de mensajes SMS, se convocaron distintas manifestaciones, seguramente a causa de la mala gestión comunicativa, por parte del gobierno, de la crisis que los atentados terroristas de Madrid provocaron (Consell de l'Audiovisual de Catalunya, 2004) (Tripodos Extra, 2004).

En relación a los medios de comunicación de masas, como ya hemos apuntado en un apartado anterior, Internet amplía a otros canales las funciones que los medios tenían. Un fenómeno interesante, que habrá que seguir con atención, es el de los *blogs*. Los *blogs* (o *weblogs*) son páginas *web* en las que una persona pone información (hay muchos tipos de contenidos distintos), *links* (enlaces) con otras páginas *web* y que está abierto a la opinión de los internautas. Los *blogs* se suelen actualizar frecuentemente, por ello algunas traducciones que se proponen son: «diario interactivo personal» o «cuaderno de bitácora» (*logbook*).

Algunas informaciones (*El País*, 8/X/2004, pág. 6) apuntan que, frente a la pérdida de credibilidad de los clásicos medios de comunicación, los *blogs* se están convirtiendo en un tipo de información alternativa.

3. El consumo de la noticia

En el proceso de la construcción social de la realidad informativa el consumo de la noticia es, en una concepción lineal del mismo, la última fase. ¿Cuáles son los efectos de este consumo informativo? La respuesta no puede ser contundente. Las respuestas que se han dado a lo largo de la historia han sido muy distintas. Además, como apunta Mc Quail (1985, pág. 260), «resulta casi imposible hacer una apreciación válida de hasta qué punto ocurren en realidad los efectos que postulan la teoría y la investigación. En primer lugar, las pruebas sobre el contenido son incompletas y algunas veces se refieren a un único medio de comunicación. En segundo lugar, realmente no está demostrado que los medios de comunicación de ningún país occidental ofrezcan una ideología muy coherente, aunque existan elementos significativos de coherencia tanto en la orientación como en la ideología. En tercer lugar, hemos de aceptar que muchos de los procesamientos, sobre todo los que seleccionan el uso y la percepción, gracias a los cuales la gente ignora o se resiste a la propaganda, actúan en este contexto lo mismo que en las campañas, aun cuando sea más difícil resistirse a lo que no se presenta específicamente como propaganda y tampoco sea más fácil optar por lo que no comparece». Sin embargo, el tema de los efectos de la comunicación es, sin duda, uno de los de mayor trascendencia en el estudio de los medios de comunicación.

3.1. Los efectos de la comunicación de masas

La historia de la *Mass Communication Research* está dominada por el aforismo positivista: «Saber para prever, prever para poder». Por ello, desde sus orígenes, una de sus áreas de estudio privilegiada ha sido la teoría de los efectos. Conocer cuáles eran las reacciones del público al recibir los mensajes massmediáticos ha sido una de las metas de las investigaciones de la comunicación de masas, obteniendo así el supuesto poder de conducir el comportamiento colectivo.

Afortunadamente, la historia de la comunicación nos demuestra, tanto a nivel teórico como empírico, que las predicciones no han sido siempre acertadas. La determinación del poder de los *mass media* ha fluctuado de la omnipotencia a la minimización.

En un interesante artículo Bonfantini (1984), para estudiar la interacción entre los *mass media* y la opinión pública, establecía una tipología de modalidades de impacto de los *mass media*, criticando, asimismo, las insuficiencias de cada una.

1. Los *mass media* pertenecen a la esfera estructural de la economía. Las noticias son mercancías fabricadas y distribuidas según la lógica del mercado.
2. Los *mass media* son objeto de recepción-fruición según las modalidades específicas de cada medio. Estos medios modelan y canalizan la fruición: a) incidiendo en ciertas formas determinadas de organizar directa o indirectamente la percepción; b) estructurando y distribuyendo; c) interaccionando con la comunicación in-

terpersonal y, en general, ocupando cierto tiempo mediante la imposición de hábitos que tienen su reflejo en el resto de las actividades.

3. Los *mass media* tienen un contenido que interpreta, según explícitas o implícitas concepciones del mundo o ideológicas, la realidad social representada.

Estas tres formas de impacto, señala Bonfantini, se han analizado y discutido ampliamente. Pero, como señala este autor (1984, pág. 169), esto se ha hecho de forma separada, de modo que no se ha entendido la interdependencia y la complementariedad de estas tres modalidades.

Otro error está en la sobrevaloración de cada una de estas funciones por los expertos. Los defensores de la noticia como mercancía se olvidan de que existen otras mercancías. Lo mismo sucede con la perspectiva de la recepción-fruición, ya que se olvidan de que la comunicación interpersonal incide claramente en aquélla. Los que privilegian el contenido del sentido de los media no tienen en cuenta que las opciones y los hábitos ideológicos también son producto de la práctica social.

De estos errores se deriva la deshistorización de la realidad de la comunicación de masas. Bonfantini (1984, págs. 170-171) establece tres fases de los *mass media* en el mundo occidental:

1. En los años cincuenta la economía imperialista es muy sólida, el contenido de los *mass media* son mercancías privilegiadas que triunfan como productos de la industria cultural.

2. En los años sesenta se da la intervención del estado benefactor (*Welfare State*), los *mass media* cumplen la función de espectacularización de la política.

3. Los años setenta son los de la crisis del sistema, que tiene sus inicios a finales de los sesenta. Aparece la información alternativa, la contrainformación.

Por otra parte hay que recordar que en cada período histórico ha existido una concepción de los efectos de los medios de comunicación dominante. Este hecho de la asunción social del poder de los *mass media* me parece suficientemente importante como para hacer un breve recordatorio de las distintas teorías.

3.2. Las primeras teorías: la omnipotencia de los medios

En los años veinte, el miedo a la manipulación massmediática era la característica dominante que definía la concepción del poder de los primeros *mass media*. Se consideraba que los medios «bombardeaban» a una audiencia pasiva, homogénea y masificada, sin capacidad de respuesta personal a los mensajes. La consideración de una audiencia con estas características es fundamental para el sostenimiento de la teoría del poder de los medios.

Tengamos en cuenta que, a finales del siglo XIX e inicios del XX, la imagen de la sociedad va variando. Se produce el paso de la sociedad tradicional a la sociedad de masas. Desde la concepción orgánica de la sociedad de Comte y de Spencer hasta los análisis de Durkheim sobre la división del trabajo se fueron definiendo los rasgos de la nueva sociedad de masas. Las masas se constituyen en un nuevo objeto de estudio (Le Bon, 1983) y la sociedad de masas se caracteriza porque en ella:

«1. Se supone que los individuos están en situación de aislamiento psicológico frente a los demás;
2. la impersonalidad prevalece en sus interacciones con los otros;
3. los individuos están relativamente libres de las exigencias planteadas por obligaciones sociales e informales vinculantes.» (De Fleur y Ball-Rokeach, 1982, pág. 216).

Con estos postulados es lógico que se pudiera colegir que el individuo era un ser indefenso ante los *mass media*.

Otro factor es que fue precisamente después de la Primera Guerra Mundial cuando la psicología empezó a consolidarse socialmente como ciencia (Miller, 1979, págs. 16-23). Ya en la Primera Guerra Mundial los psicólogos del ejército de Estados Unidos desarrollaron una serie de pruebas para medir la inteligencia de los adultos. De esta manera empezaron las pruebas a gran escala. El ejército comprendió lo útiles que podían ser los psicólogos para la clasificación de los individuos. El psicólogo pasó a formar parte de los equipos de instructores militares. La industria pronto se percató de que tenía intereses semejantes a los del ejército. Es decir, cómo seleccionar hombres que desempeñen con éxito diferentes empleos, y cómo adiestrarlos para hacer mejor el trabajo. La psicología industrial se consolidó como una disciplina importante. Además, con la aparición de los *mass media*, la industria se dio cuenta de que la psicología podía ser utilizada en la publicidad y en la política de ventas de la empresa. El psicólogo va interesándose por las técnicas de persuasión. Con el paso de la publicidad a la propaganda política, sólo se cambia el mundo de los negocios por el de la política. La Administración empieza a tener muy en cuenta los estudios de la opinión pública. El ejército, la industria, el poder político, en su maridaje con la psicología, la consolidarán como una ciencia socialmente útil para el poder.

En este contexto no es extraño que las primeras aproximaciones a los efectos de los *mass media* se hicieran a partir de una perspectiva biopsicológica. Se partió del principio de que la conducta del sujeto estaba regida en gran parte por mecanismos biológicos heredados que intervenían entre el estímulo y las reacciones. Sumando a estos mecanismos biológicos, cuya naturaleza se consideraba irracional y emocional, la concepción de la sociedad de masas antes apuntada es absolutamente congruente que se consideraran los *mass media* capaces de manipular a estos individuos.

Así se desarrolló la idea de la omnipotencia de los medios

a través de teorías que recibían distintas denominaciones: «teoría de la bala mágica», «teoría de la aguja hipodérmica», «teoría de la transmisión en cadena», etc. En todas ellas se partía de la idea básica de que los mensajes impactaban directamente sobre el individuo, y que estos estímulos eran recibidos de manera uniforme por todos los miembros del público, que reaccionaban inmediatamente a los mismos.

No se puede olvidar la incidencia, en estos postulados, del descubrimiento del mecanismo del reflejo condicionado de Pavlov, y en general de la corriente conductista, de clara impronta positivista.

Además, se tomaron como verificación de estas teorías los efectos de la propaganda nazifascista. Así, unas teorías, consideradas válidas a partir de unos supuestos teóricos generales, se vieron supuestamente confirmadas por la acción de la propaganda bélica (Tchakhotine, 1952).

Uno de los elementos que caracterizó a estas teorías era su preocupación por el emisor. Lo que se trataba de averiguar eran las estrategias utilizadas por el emisor para llevar a cabo la manipulación de los receptores. Como apunta Domenach (1963, pág. 43), «la aportación de Hitler y Goebbels a la propaganda moderna ha sido enorme». Los estudios se centraban en la determinación de las características de los estímulos que iban a incidir directamente en los receptores.

Desde esta perspectiva, los *mass media* se consideraban como maquinarias omnipotentes y terribles de manipulación. Se produce pues una maximización de la influencia de los *mass media* en los primeros estudios sobre la comunicación de masas.

Empero, hay que tener en cuenta que la *Mass Communication Research* estaba en sus inicios y como afirman De Fleur y Ball-Rokeach (1982, pág. 229), «el primer conjunto de creencias sobre la naturaleza y el poder de las comunicaciones de masas no fue formulado de hecho en su momento por ningún estudioso de las comunicaciones».

3.3. El estudio de la audiencia: la minimización de los efectos

En los años cuarenta ya se comenzó a sospechar que la perspectiva psicológica conductista era inadecuada para el estudio de los efectos de la comunicación de masas. Así se empezaron a contraponer los estudios sistemáticos sobre la influencia de determinados contenidos en personas específicas a las meras especulaciones sobre los efectos de los *mass media*. Aunque hay que tener en cuenta los condicionamientos ideológicos de la investigación en comunicación norteamericana (Rodrigo, 1995, págs. 52-53).

Hay también un deslizamiento de la perspectiva científica. Se pasa de los presupuestos teóricos de la psicología conductista a los estudios empíricos de la psicología experimental y a la psicología social con una marcada tendencia hacia la sociología.

Mientras que en la etapa anterior el objeto de preocupación era el comportamiento del emisor, se desvía su centro de atención hacia la audiencia. Este paso, por así decirlo, del emisor al receptor tiene unas repercusiones fundamentales.

En los años veinte, a la pregunta ¿cómo es el público?, se hubiera afirmado que era una masa compuesta de individuos aislados psicológicamente y pasivos. Estas características serán sucesivamente descartadas. Pronto se demuestra que el público no es una masa informe. Se empezó a cuestionar que la conducta humana estuviera basada primordialmente en instintos heredados. La dialéctica entre lo innato y lo adquirido empezó a decantarse por esto último. El aprendizaje de la conducta se configuró como fuente de las diferencias individuales. Se inició la perspectiva de las diferencias individuales (De Fleur y Ball Rokeach, 1982, págs. 249-254). Se afirma que cada miembro de la audiencia tiene sus propias características. Se descubre el individuo diferenciado, cuya conducta es distinta según su personalidad. De acuerdo con estos postulados, la concepción del poder de los *mass media* sufrió importantes modificaciones. Por ejemplo, se formuló el principio de la exposición, percepción y retención selectivas. Los individuos tienden a exponerse a las comunicaciones que concuerdan con sus opiniones e intereses. Además, interpretan los mensajes de acuerdo con sus predisposiciones. Por último, los individuos recuerdan predominantemente aquellos mensajes que les son favorables. La teoría del supuesto impacto directo de los mensajes massmediáticos es, obviamente, descartada.

Por otra parte, Leon Festinger aportó, asimismo, una mayor luz en esta conducta selectiva del receptor. En 1957, Festinger (1982) exponía la teoría de la disonancia cognitiva. Según ésta, el individuo se caracteriza por cierto estado de coherencia interna; sus actitudes, sus principios, sus conocimientos y sus acciones tienen cierta congruencia. Así, cuando se ve enfrentado a un mensaje que rompe esta coherencia, se crea la disonancia cognitiva. Por lo que el individuo va a intentar restablecer el equilibrio, por ejemplo rechazando la información o interpretándola en un sentido más conforme a sus opciones.

En el estudio de la audiencia, otra perspectiva que se estableció fue la de las categorías sociales (De Fleur y Ball-Rokeach, 1982, págs. 254-257). Teniendo en cuenta la anterior diferenciación de los miembros de la audiencia, se pretende ver las similitudes de conducta de individuos en situaciones sociales análogas. En definitiva, la teoría de las categorías sociales afirma que personas con características sociales semejantes mostrarán un comportamiento similar ante los mensajes de los *mass media*.

Se habían descubierto las características personales y sociales del público. Pero, indudablemente, un hito importante fue el hallazgo de la influencia del grupo. Diferentes investigadores se preocuparon por su estudio. Jacob Levy Moreno fue el inventor de la sociometría. Kurt Lewin se interesó por las relaciones personales en los grupos pequeños y la influencia y la comunicación en el grupo.

Sin embargo, en el ámbito específico de la *Mass Communication Research* hay que remitirse a la conocida investigación de Paul F. Lazarsfeld, Bernard Berelson y Hazel Gaudet,

The People's Choice. En este estudio, realizado en 1940, se constata la influencia del grupo, que se concretará en la famosa «teoría de los dos escalones de la comunicación». En ella se evidenció la importancia de los llamados «líderes de opinión» en sus mecanismos de influencia interpersonal (Katz y Lazarsfeld, 1979).

Por consiguiente, para la teoría de la comunicación la audiencia no es homogénea, ni el individuo se encuentra aislado psicológicamente. Además hay que apuntar que, posteriormente, la característica de pasividad del público fue definitivamente descartada por la más reciente «teoría de los usos y gratificaciones» (Katz, Blumler y Gurevitch, 1982). Esta teoría sostiene que la interacción de las personas con los *mass media* puede explicarse por el uso que los individuos hacen del contenido de los medios masivos y las gratificaciones que los mismos reciben.

La imagen todopoderosa de los medios fue derrumbándose a medida que se avanzaba en el estudio de las características de la audiencia.

En 1960, Joseph T. Klapper publicó su libro *The effects of mass communication* en el que se desarrollaba la teoría de los efectos limitados de los *mass media*. Klapper amplía el marco del esquema estímulo-respuesta introduciendo una serie de factores intermedios que condicionan el efecto del estímulo en el receptor. Los postulados básicos de esta teoría son los siguientes:

«1. Las comunicaciones de masas no constituyen, normalmente, causa necesaria y suficiente de los efectos que producen sobre el público, sino que actúan dentro y a través de un conjunto de otros factores e influencias.

2. Los factores intermedios son tales que convierten típicamente las comunicaciones de masas en agente cooperador, pero no en causa única, en el proceso de refuerzo de las condiciones existentes [...].

3. En las ocasiones en que las comunicaciones de masas favorecen los cambios, probablemente se dará una de estas dos condiciones:

a) los factores intermedios serán inoperantes y el efecto de los medios de comunicación de masas directo, o bien

b) los factores intermedios, que normalmente refuerzan las condiciones existentes, estarán en esta ocasión actuando a favor del cambio...» (Klapper, 1974, págs. 9-10).

Estos postulados vienen a consolidar la creencia en la ineficacia relativa de los medios de comunicación.

En este contexto teórico de la *Mass Communication Research* se da también el desarrollo del mito de la objetividad periodística. Frente a la posible manipulación del emisor, en los años sesenta, en la literatura sociológica se reafirma el rol profesional del periodista como transmisor de mensajes objetivos. Con esto se refuerza la idea de la minimización de la influencia de los *mass media*. Empero, como señala Böckelmann (1983, pág. 102), «la debilidad principal del modelo de causalidad reside en que induce a tratar separadamente la cuestión de las motivaciones, preferencias, forma de organización y de trabajo de los comunicantes (o de la producción organizada de los estímulos) y la cuestión de las disposiciones y "deseos" de los receptores».

3.4. La redefinición de los efectos: la construcción del temario

Desde hace ya bastantes años, aunque no se pone en duda la influencia de las relaciones interpersonales en la formación de las opiniones, se empieza a cuestionar la exclusividad del grupo como productor, promotor y legitimador de las decisiones. Böckelmann (1983, págs. 138-143) apunta algunas razones:

1. Los mensajes de actualidad importantes llegan a los receptores casi exclusivamente a través del contacto directo con los *mass media*. Aunque con posterioridad

sean objeto de discusión en el seno del grupo, los temas de discusión llegan desde fuera del grupo.

2. Dos fenómenos históricos, que no se daban en los años cuarenta, relativizan la importancia de las relaciones grupales. Estos fenómenos son la televisión y la movilidad social horizontal (las cambios de país, residencia, etc.).

3. Los temas públicamente institucionalizados son el objeto de las relaciones interpersonales de formación de opinión. Es decir, los procesos interpersonales son la continuación de los procesos públicos de influencia.

4. Hay una dependencia de los grupos primarios (familia, amigos, etc.) con respecto a las organizaciones formales (partidos políticos, iglesias, etc.).

Esta desmitificación del rol de los grupos no supone una rehabilitación del modelo estímulo-respuesta, sino que se cuestiona la teoría de los efectos limitados, por lo que se infiere una vuelta a la importancia de los *mass media* en los procesos de influencia.

A partir de los años setenta, algunos estudiosos se plantean la revisión del estudio del impacto. Es lo que Mazzoleni (1979) denomina *New Look*, en la que se incluye autores como Blumler (1979 y 1980), Tuchman (1981), Mc Quail (1985) y Noelle-Neumann (1977 y 1979), entre otros. Para definir básicamente su postura bastará recoger la siguiente cita: «Resumiendo la tesis de Blumler, se puede decir que la televisión, la radio y la prensa poseen un notable poder en el campo del conocimiento, dada su enorme capacidad de influir en la formación de la "visión del mundo" de los sujetos, y al nivel institucional, gracias al enorme público que tienen, y con el que los políticos deben contar» (Mazzoleni, 1979, pág. 65).

Empero, donde el nuevo enfoque de la influencia de los medios se concreta mucho más claramente es en el modelo integrador de la «teoría de la construcción del temario» (*agenda-setting*).

Predominantemente la teoría de la construcción del temario se basa en la investigación de las relaciones entre los temas que han sido enfatizados como destacados por los *mass media* y los temas que son importantes para el público. Se afirma que existe una relación directa y causal entre el contenido de los medios y la percepción por parte del público de lo que es el asunto más importante del día. Es muy posible que los *mass media* no tengan el poder de transmitirle a la gente cómo debe pensar, pero lo que sí consiguen es imponer al público lo que ha de pensar.

El artículo iniciador de dicha teoría fue el de Mc Combs y Shaw (1972) «The Agenda Setting Function of the *mass media*», publicado *Public Opinion Quarterly*. En los últimos años su impacto en el campo de la *Mass Communication Research* ha sido considerable. Han proliferado gran cantidad de trabajos, investigaciones, tesis doctorales, etc. Sin embargo este éxito tiene también su coste. La teoría de la construcción del temario ha dado lugar a docenas de subhipótesis, manifestándose una cierta tendencia al caos en el conjunto de las investigaciones. Como señala Valbuena (1997, págs. 555-568), la teoría de la construcción del temario ha cambiado mucho desde sus orígenes a la actualidad.

En cualquier caso, en el marco de la investigación podemos encontrar los siguientes componentes: el temario de los medios (*Media Agenda*), el temario del público (*Public Agenda*), el temario político (*Policy Agenda*) y el vínculo entre ellos. Por mi parte, en esta obra, me centraré en el temario de los medios.

Los medios de comunicación de masas hacen una cobertura de la actualidad a través de las noticias, destacando, además, algunas de estas noticias como las más importantes de la jornada. De acuerdo con la teoría de la construcción del temario, este temario de los medios va a tener su impacto en el temario del público. Pero a la hora de estudiar esta influencia nos encontramos con algunos elementos a tener en cuenta. Por ejemplo, ¿cuál es la influencia de los distintos medios? En su estudio inicial, Mc Combs y Shaw (1972) no diferenciaban el medio televisivo de la prensa, otorgándoles la misma eficacia. En otras investigaciones se ha pretendido diferenciarlos, aunque los resultados no parecen todavía demasiado convincentes. En algunos supuestos la televisión parece ser más efectiva que el periódico, mientras que en otros es a la inversa. Por ejemplo, en los asuntos locales los periódicos tienen una influencia más fuerte, mientras que en temas nacionales le corresponde a la televisión una mayor efectividad. En cualquier caso, es evidente que no es posible considerar todos los medios como iguales. Cada medio cumple dentro del ecosistema comunicativo una función propia. Quizá una de las mayores preocupaciones y de los más importantes retos para el futuro de la teoría de la comunicación sea la descripción y explicación de la estructura comunicativa de forma global y diferenciada. No hay que quedarse en simples aforismos intuitivos como el que afirma que la radio informa, la televisión ilustra y la prensa explica.

En mi opinión, a la hora de analizar el temario de los distintos medios se deben tener en cuenta tres elementos que están fuertemente relacionados:

1. La naturaleza tecnológica de cada medio. No es que el medio sea el mensaje, como sentenciaba McLuhan. Pero ciertamente, la naturaleza tecnológica del medio no sólo condiciona la morfología del mensaje, sino también el propio uso del medio. El lector del diario puede usarlo cuando y donde le apetezca, recreándose en la lectura, puede reexaminar una información, hacer su propio archivo, etcétera. El oyente de la radio tiene un tiempo establecido por la emisora para la información y la sucesión temporal de noticias impide la búsqueda directa y selectiva de una información. Aunque la radio permite un comportamiento paralelo a la escucha. El espectador de la televisión tiene que destinar un tiempo exclusivo a la recepción de información que se le brinda como una serie de noticias presentadas en rápida sucesión. El lector, el oyente y el espectador llevan a cabo comportamientos comunicativos distintos. Aunque también hay que tener en cuenta que con la digitalización de los medios este uso puede

cambiarse. Así, por ejemplo, el diario digital ancla el periódico a una pantalla.

2. Morfología y tipología de la información. La duración/espacio de la noticia, su situación en el co-texto informativo, la forma de presentarlo, la importancia otorgada por los *mass media*, etc., son elementos coadyuvantes en la creación de la agenda de los medios. Otro elemento es la naturaleza del tema. El tipo de información es una variable que no siempre ha recibido la consideración que debiera. Hay una serie de características que pueden condicionar la importancia del tema: la proximidad, la espectacularidad, la anormalidad, la imprevisibilidad, etc.

3. Modelos de uso de los medios. El uso de los *mass media* es sin duda una de las claves para la comprensión del proceso comunicativo.

La duración de la exposición, los hábitos de consumo informativo, etc., son circunstancias importantes. Sin embargo, el elemento fundamental para la aceptación del temario de los medios es la credibilidad. Aunque se podrían distinguir distintos niveles de credibilidad.

a) El contrato enunciativo. En la comunicación de masas se establece un contrato por el cual el usuario de la información la adquiere a cambio de un cierto desembolso económico y/o de su atención, que tiene su precio a través de los mecanismos publicitarios. En cualquier caso, en la adquisición de la información se debe producir una relación fiduciaria por la cual el usuario cree que los *mass media* venden una información fiable. Se propone un contrato pragmático fiduciario. En los regímenes en los que la censura está institucionalizada, la credibilidad de los *mass media* con los que se establece un contrato enunciativo es muy baja.

b) La enunciación. La información debe ser presentada en un co-texto y con una morfología que la haga creíble. En este apartado, el prestigio del sujeto de la enunciación (el medio de comunicación en concreto) desempeña un papel muy importante en la fiabilidad de la información.

c) El enunciado. La propia información, aunque sea extraordinaria y se desvíe de la normalidad, debe estar dentro de unos márgenes de credibilidad. Aunque hay que señalar que existen complejas relaciones entre los distintos niveles, que pueden producir compensaciones o desequilibrios.

3.4.1. La construcción del temario: problemas

No se puede decir que la teoría de la construcción del temario sea una teoría perfectamente acabada, quizá en los dos sentidos del término. Hay una serie de problemas no resueltos a los que ha de hacer frente. Sin ánimo de exhaustividad, mencionaré algunos de ellos.

Por lo que hace referencia al estudio de la audiencia se pueden señalar distintos problemas. Uno de los principales es el de la individualidad, ya que nos encontramos que lo que una persona percibe como importante otra lo puede ver como muy poco importante.

Otro elemento es la relación entre la comunicación interpersonal y la construcción del temario. En este punto sigue habiendo polémica entre los distintos autores. Unos afirman que la comunicación interpersonal tiende a filtrar o a reducir la influencia de los media, de forma que la construcción del temario decrece cuando la comunicación interpersonal crece. Mc Combs y Shaw (1972) se inclinan más bien hacia esta postura.

Otros autores, por su parte, señalan que la comunicación interpersonal facilita o incluso es la que lleva a cabo el efecto del temario. Para ellos es en las discusiones interpersonales donde se lleva a efecto precisamente la función de la construcción del temario.

A la hora de estudiar la audiencia también es importante el

tipo de exposición a los *mass media* a la que se somete el individuo. Por una parte, obviamente, el efecto aumenta cuanto mayor es la exposición. Aunque en muchos casos no es adecuado emparejar estrictamente la totalidad del temario de los medios con la totalidad del temario del público. Es necesario especificar tanto la fuente de la información como el nivel de exposición. En una ponencia presentada en la convención anual 1978 de la Midwest Association for Public Opinion Research, titulada «Voters' Need of Orientation and Choice of Candidates: *mass media* and Electoral Decision Making», y cuyos autores son Weaver, Becker y Mc Combs (Winter, 1982), se distinguían: a) individuos que están relacionados con la información política principalmente a través del periódico; b) individuos que utilizan preferentemente la televisión; c) aquellos que usan igualmente ambos medios. La cantidad, preferencia y pluralidad del tipo de exposición es pues un elemento sustancial en el estudio de la audiencia.

Otro elemento importante en la utilización de la información por parte de la audiencia es la necesidad de orientación del público. Los individuos tienen el deseo de controlar lo que sucede en el mundo y sienten la necesidad de información útil para la vida diaria. Los *mass media* van a cubrir, en parte, esta necesidad de orientación tanto a nivel particular como general. Otras variables son, por ejemplo, la experiencia previa que tenga el individuo sobre el tema o el nivel de interés que tenga por el mismo.

Como se ha podido apreciar, uno de los problemas metodológicos a los que se enfrenta la teoría de la construcción del temario es la multiplicidad de variables que pueden entrar en juego. Tanto por lo que hace referencia a las características de los medios como a las de la audiencia, el número de elementos contingentes (Winter, 1982, pág. 237 y sigs.) es bastante elevado.

Pero quizá el problema fundamental no sea éste, sino como apunta Eyal (1982, pág. 226), las distintas metodologías y conceptualizaciones en las diferentes investigaciones. A guisa de ejemplo, recojo las dificultades a la hora de establecer el lapso de tiempo óptimo en la construcción del temario. Se han utilizado distintas marcas temporales en las investigaciones (Eyal, Winter y De George, 1982). En dicha teoría podemos distinguir cinco momentos:

1. El marco temporal total del período considerado desde el comienzo hasta completar el proceso de la construcción del temario.
2. El lapso de tiempo entre la variable independiente, el temario de los medios, y la variable dependiente, el temario del público. Es decir, el intervalo entre la construcción del temario de los medios y el temario del público.
3. Duración del temario de los medios es el tiempo de la medida en que se considera que los medios crean su temario.
4. Duración del temario del público es el lapso del tiempo de duración de la medida del temario del público que se ha recogido.
5. El efecto del lapso óptimo, que es el intervalo desde el punto de mayor énfasis en el temario de los medios y el apogeo del asunto en el público.

Además de la problemática que plantea el efecto de la propia naturaleza de los asuntos o de los distintos medios de comunicación, surgen varias dudas metodológicas. Por ejemplo, ¿cuánto tiempo necesitan los *mass media* para conducir los asuntos al dominio público? ¿Es acumulativo el efecto de los media a través del tiempo?

Recordemos que Mc Combs y Shaw (1972) establecieron un marco temporal de tres semanas y media, siendo la media de la duración del temario de los medios de tres semanas y media. La duración del temario del público, por el contrario, era de dos semanas y media, coincidiendo éstas con las dos semanas y media últimas del temario de los medios. Sin embargo, ha habido muchas variaciones por lo que respecta a estos plazos.

Estas diferencias metodológicas son también fruto de las múltiples investigaciones que se han realizado en el marco de esta teoría. El impacto de la teoría de la construcción del temario (*agenda-setting*) en la *Mass Communication Research* ha sido considerable, por lo que han proliferado gran cantidad de trabajos (Rogers y Dearing, 1988). También es cierto que ha recibido numerosas críticas (Saperas, 1987, págs. 81-87). Además, con el paso de los años, se ha producido una reformulación de la teoría. Los propios Mc Combs y Shaw (1993) apuntan un segundo nivel de la teoría. Así se señala que los medios no sólo establecen el temario sobre lo que se va a pensar, sino que también establecen cómo se va a pensar sobre algo. Como veremos en la segunda parte de esta obra, los medios hacen una propuesta de interpretación del mundo.

A pesar de los años y las críticas, hay que convenir que la teoría de la construcción del temario sigue siendo recogida cuando se hace un compendio de las principales teorías de la comunicación (Valbuena, 1997, págs. 555-568) (Igartua y Humanes, 2004, págs. 243-266). Además, me gustaría quedarme con dos apreciaciones de las primeras propuestas de la construcción del temario:

a) Lo que no aparece en los medios difícilmente aparecerá en el temario del público. Como señala Mc Combs (1976, pág. 3): «Esta noción básica y primitiva de la *agenda-setting* es una verdad manifiesta. Si los medios no nos dicen nada sobre un tema o un acontecimiento, en la mayoría de los casos simplemente no existirá en nuestro temario personal o en nuestro espacio cotidiano».

b) «La construcción del temario no es una influencia universal que afecta a todos los temas, a todas las personas y en cualquier época» (Mc Combs, 1981, pág. 125). Esta prevención me parece una muy saludable contextualización del conocimiento. Inevitablemente las investigaciones se limitan a unos tiempos y a unos lugares. Así, sus resultados hacen referencia a estos contextos específicos, por ello la extrapolación de las teorías, fruto de dichas investigaciones, debe ser muy prudente.

3.4.2. LA CONSTRUCCIÓN DEL TEMARIO: VENTAJAS

En mi opinión, la teoría de la construcción del temario sigue siendo un instrumento útil en el estudio de la influencia de los medios de comunicación. Además, este paso que ha hecho del qué dicen los medios al cómo lo dicen me parece muy enriquecedor, ya que apunta hacia la variabilidad del tratamiento de los temas por parte de los medios de comunicación, por un lado, y, por otro lado, señala cómo los medios van a proponer/imponer un tipo de lectura preferente de la realidad social.

De todas maneras, uno de los elementos esenciales de la teoría se mantiene, como es la interrelación entre el polo emisor y el receptor. Entre ambos polos podemos decir que se produce un cierto equilibrio inestable. No sólo hay un flujo comunicativo del emisor al receptor sino que es una interrelación entre los *mass media* y los individuos de su audiencia, aunque Böckelmann (1983, págs. 189-192) critica el modelo transaccional de Baüer, que establece un modelo de proceso de influencia de dos carriles. Baüer apunta que el público, si bien depende de la oferta existente de productos comunicativos, a su vez decide el rol del comunicante a través de sus expectativas y de sus sanciones. La crítica de Böckelmann se cimenta en la apreciación de asimetría en la relación entre los *mass media* y el público. A pesar de que la puntualización de este autor es acertada, no se puede dejar de reconocer que el contenido de los *mass media* es, de alguna manera, resultado de un contrato entre dos participantes: los *mass media* y la audiencia (Mc Combs, 1981, pág. 133). El problema estaría en dilucidar cómo se aplica el contrato.

Por otro lado, la mayor virtud de la teoría de la construcción del temario es que es una teoría integradora de otras teorías. En el estudio del temario del público podemos incluir, por ejemplo, tanto los problemas de la comunicación grupal como el impacto directo en la audiencia, las teorías clásicas de los dos escalones de la comunicación o la de los usos y gratificaciones.

Pero no sólo se pueden integrar los estudios específicos de la teoría de la comunicación de masas. En el estudio del temario intrapersonal cabe plantearse el procesamiento humano de la información, el estudio de los tipos de memoria, etc., que ha desarrollado la psicología cognitiva.

Además, el estudio del temario de los medios nos permite cuestionar el concepto de noticia y el valor que ésta tiene. Con ello podemos plantear perfectamente, dentro de la teoría de la construcción del temario, las actuales teorías sobre la construcción de la realidad social, y en concreto la construcción de la noticia. Quizá uno de los puntos débiles de esta teoría es que, en este ámbito, se ha centrado principalmente en la idea del seleccionador (*gatekeeper*).

Las últimas aportaciones de la sociología del conocimiento, la microsociología, la etnometodología, los estudios culturales, etc., pueden también incardinarse en la teoría de la construcción del temario. Yo me atrevería a afirmar incluso que es imprescindible su colaboración, ya que los planteamientos son idénticos: «La comunicación social de masas no legitima las opciones y las actitudes, sino la importancia de los temas sancionados y la irrelevancia de los previamente descartados» (Böckelmann, 1983, pág. 49).

3.5. Los efectos de la noticia

Como apunta Foucault (1981, pág. 143): «Cada sociedad tiene su régimen de verdad, "su política general" de la verdad: es decir, los tipos de discurso que acoge y hace funcionar como verdaderos o falsos, el modo en que sancionan unos y otros; las técnicas y los procedimientos que están valorizados para la obtención de la verdad; el estatuto de quienes están a cargo de decir lo que funciona como verdadero».

En nuestras sociedades los *mass media* son, en gran parte, los constructores de realidad social (Altheide, 1976 y 1985). Pero hay que tener en cuenta que no nos encontramos ante un proceso unilateral, sino que se produce un reconocimiento de esta función por el receptor del discurso. Las noticias ayudan a construir la sociedad como un fenómeno social compartido, puesto que en el proceso de describir un hecho relevante la noticia lo define como tal y le da forma.

Para que los *mass media* puedan desarrollar esta función es imprescindible que posean sobre todo un elemento: credibilidad. La credibilidad depende de múltiples factores (Marhuenda, 1979), pero podríamos intentar explicitar los distintos niveles en que actúa:

a) El sistema mediático. Hay personas que expresan su desconfianza hacia el sistema informativo en general. La idea sería que todos los periodistas mienten. En un sistema democrático y plural es difícil sostener este principio. En las dictaduras es más comprensible que la credibilidad de los medios en general, pero sobre todo en relación a determinados temas, sea muy poca.

b) Algunos medios. En este caso nos encontramos con una credibilidad selectiva. Se da credibilidad a algunos medios, programas o comunicadores, mientras que se niega a otros.

c) Algunos relatos. En este caso, aunque el medio tiene credibilidad, el relato que hace el medio de un acontecimiento le resta credibilidad. Así, el lector puede considerar que el diario es muy creíble en general, pero en relación a determinados temas su credibilidad puede disminuir.

En cualquier caso no me interesa tanto discriminar qué medio posee una mayor credibilidad como destacar la necesidad de su existencia para que las noticias tengan algún efecto.

Pero ¿cuáles son pues los efectos de las noticias? Ya Park (citado por Gouldner, 1978, pág. 159), en 1940, apuntaba que las noticias son la fuente principal para definir la realidad social en el mundo moderno: «La mera "publicación" de noticias, con relatos que contienen nombres reales, fechas y lugares específicos, genera la impresión de que "es posible verificarlas por cualquier interesado en ello...", y, por ende, da origen a un supuesto no verificado a favor de su verdad. Park examinó expresamente el proceso por el cual el periodismo construye una descripción convincente de la realidad social: "La noticia queda más o menos autentificada por el hecho de que ha sido expuesta al examen crítico del público al que se dirige y a cuyos intereses concierne... El público... por consentimiento común o ausencia de protestas, pone su sello de aprobación a un informe publicado"».

Este efecto de realidad y la construcción del temario me parecen incuestionables: «Si los medios de comunicación son capaces de transmitir una apreciación de las prioridades y de dirigir la atención selectivamente entre los temas y problemas es que puede hacer mucho más. El paso que va del proceso de clasificación al de formación de opiniones generales no es grande y la teoría de la socialización de los medios de comunicación incluye ese elemento» (Mc Quail, 1985, pág. 251).

En la formación de opiniones nos encontramos con la conocida teoría de Noelle-Neumann (1977 y 1995) de la espiral del silencio. Los periodistas pueden establecer el «clima de opinión» que hay en un momento dado sobre un tema concreto y que la audiencia buscará sumarse a la tendencia mayoritaria.

Como ya he apuntado, es realmente difícil el establecer con seguridad cuáles son los efectos de los medios de comunicación. Los *mass media* no son omnipotentes ni impotentes. Su influencia dependerá de distintos y múltiples elementos contingentes. Si se me permite una postura ecléctica, yo diría que la influencia de los *mass media* está en el poder que le otorgue el individuo a partir del uso que haga de ellos. Una credibilidad ciega en un medio de comunicación le otorga mucho poder.

Por otro lado, en las futuras investigaciones sobre los efectos de los medios de comunicación se han de tener en cuenta una serie de circunstancias condicionantes.

En primer lugar tenemos la existencia de nuevos medios de comunicación. Pero antes de entrar en el ámbito de las nuevas tecnologías de la información y la comunicación hay que reseñar el papel de la televisión en algunas de las más célebres teorías sobre los efectos. Algunas de estas teorías no tuvieron en cuenta el medio televisivo. Por ejemplo, el modelo de los dos escalones de la comunicación se formuló en los años cuarenta, antes de que la televisión llegara a ser un medio de masas. Recordemos que hasta 1960 no había en Estados Unidos un televisor por hogar. Por ello la crítica que se hace de esta teoría es que el papel del líder de opinión funcionaba en una situación comunicativa en la que la televisión no participaba. Con la expansión de este medio se da una reducción de la influencia interpersonal y un aumento de la influencia de los *mass media*.

Incluso Böckelmann (1983, pág. 133 y sigs.) no propone un flujo comunicativo de dos escalones (*two-step-flow*), sino por múltiples etapas (*multi-step-flow*). Es decir, que partiendo de los *mass media* hay múltiples escalones intermedios, formados por líderes de opinión que también buscan consejo de otros líderes. Se produce un cambio constante de papeles entre los productores y los consumidores de información.

Otro hecho incontestable es el aumento del uso del medio televisivo en los países industrializados. A pesar de las nuevas tecnologías, el televisor sigue siendo, en general, el medio que concita mayor atención. Según un estudio del Centro de Investigaciones Sociológicas, «los niños comienzan a ver la televisión en torno a los dos años y medio y le dedican, según ellos mismos, dos horas en los días laborables y tres en los festivos. Con estos datos se calcula que un niño, cuando cumple 15 años, habrá visionado aproximadamente 12.000 horas de televisión: 17 meses viendo televisión día y noche» (*El Mundo*, 20/VII/2003, pág. 60). En principio, el tiempo que le dedicamos al televisor supone la reducción de otras actividades.

Por lo que hace referencia a las nuevas tecnologías, qué duda cabe de que la nueva sociedad de la información supondrá un cambio muy importante en el uso de los medios de comunicación. Es lógico pensar que se producirá una notable alteración en el ecosistema comunicativo.

Hay opiniones divergentes. Por un lado, se apunta (Mosco, 1986) que las nuevas tecnologías se van a utilizar para justificar la continuación de la dominación del capitalismo transnacional. Por otra parte, se habla de una computopía (Masuda, 1984) como una fase superadora del capitalismo actual.

De hecho, nos encontramos de nuevo con la vieja disyuntiva entre las posibilidades comunicativas de los medios y el control de uso y político al que están sometidos. Enzensberger (1974, pág. 43) establecía un resumen sobre el uso represivo y emancipador de los medios:

Uso represivo de los medios	Uso emancipador de los medios
Programa de control central	Programas descentralizados
Un transmisor, muchos receptores	Cada receptor, un transmisor en potencia
Inmovilización de individuos aislados	Movilización de las masas
Conducta de abstención pasiva respecto al consumo	Interacción de los participantes, *feedback*
Proceso de despolitización	Proceso de aprendizaje político
Producción por especialistas	Producción colectiva
Control por propietarios o burócratas	Control socializador por organizaciones autogestoras

Hay que señalar que esta diferenciación, que tiene más de 20 años, sigue siendo, *mutatis mutandis*, válida. En este aspecto las nuevas tecnologías no han modificado la posibilidad de usos comunicativos contrapuestos. De hecho, la paradoja es que cuanto más cerca estamos de la utopía comunicacional (Vázquez Montalbán, 1979) mayor y más perfeccionado se hace el control (Romano, 1993).

Curiosamente, las prospectivas que se hacían hace 20 años parecen confirmarse. Así se apuntaba que con las nuevas tecnologías las diferencias entre los poseedores de información y los no poseedores aumentarían. Mc Hale (1981, pág. 44) recogía los posibles impactos positivos y negativos de las nuevas tecnologías sobre los individuos:

Positivos
1. Ampliación de las capacidades sensoriales.
2. Mayor mantenimiento de los rasgos personales en la comunicación.
3. Mejora de las posibilidades de diálogo interpersonales y entre grupos.
4. Acceso más flexible e igualitario al conocimiento disponible.
5. Capacidad de utilizar el proceso informativo en orden a:
   a) conocer más y llegar a ser más uno mismo,
   b) permitir elecciones más libres y voluntarias,
   c) incorporar nuevas formas en el proceso social,
   d) evitar trabajos y costes innecesarios de experiencias haciendo uso de la simulación.

Negativos
1. Sobrecarga de información.
2. Invasión de la vida privada de diversas formas.
3. Manipulación adversa del contenido de la información y de los medios para controlar las noticias y modular las corrientes de opinión.
4. Mayor vigilancia y control de los datos personales en aras del «interés común de la sociedad».
5. Menor cohesión social con mayor fragmentación de actitudes y motivaciones.
6. Aumento de la discriminación por desigualdades en las posibilidades de acceso a las técnicas necesarias para un uso efectivo de las informaciones y comunicaciones.

Invito al lector a que busque ejemplos de estos posibles efectos de las nuevas tecnologías. Algunos los podrá encontrar a lo largo de esta obra. Pero ¿cómo se han de dibujar estas previsiones en la sociedad de la información actual? Aunque Castells (1997, págs. 390-397) reconoce que hay pocos datos empíricos, señala algunas características de la sociedad de la información.

En primer lugar, la comunicación por ordenador no es un medio de comunicación general que pueda equipararse con la televisión todavía y durante muchos años, aunque puede dar lugar a un sistema multimedia. Como señalaba, hace ya algunos años, Bill Gates (*El País*, 15/V/1995, pág. 66), «cuando la televisión se haga interactiva, la gente podrá solicitar siempre que quiera cualquier programa de actualidad, reestreno o película. Verá los telediarios de Milán o el primer episodio de *Star Trek* o revivirá la transmisión de Neil Armstrong cuando puso el pie en la Luna. Los programas de televisión que sobreviven actualmente sólo gracias a que no se enfrentan a una fuerte competencia durante su franja horaria podrían desaparecer, ya que todos los programas competirán continuamente con todos los programas».

En relación a los usuarios, para Castells (1997, pág. 393), «aunque la comunicación a través del ordenador está revolucionando sin duda el proceso de comunicación, y por su mediación la cultura en general, es una revolución que se está desarrollando en oleadas concéntricas, iniciadas en los niveles más elevados de educación y riqueza, y probablemente incapaz de alcanzar a grandes segmentos de las masas incultas y los países pobres». El uso de la comunicación por ordenador produce comunidades virtuales, por éstas «suele entenderse una red electrónica autodefinida de comunicación interactiva, organizada en torno a un interés o propósito compartido, aunque a veces la comunicación se convierte en sí misma en la meta» (Castells, 1997, pág. 395).

Como apunta Castells (1997, pág. 396) en relación a la comunicación a través de ordenador, «según los escasos estudios sobre el tema, no sustituye a los otros medios de comunicación, ni crea nuevas redes: refuerza los modelos sociales ya existentes. [...] Como el acceso a la comunicación a través de ordenador es restrictivo cultural, educacional y económicamente, y lo será durante mucho tiempo, su efecto cultural más importante podría ser en potencia el reforzamiento de las redes sociales culturalmente dominantes, así como el aumento de su cosmopolitismo y globalización».

En esta misma línea, al analizar el modelo social/cultural de los multimedia Castells (1997, págs. 403-405) señala que tiene las siguientes características:

1. Se produce una diferenciación social y cultural que supone la segmentación de las audiencias.
2. Hay una estratificación social creciente entre los usuarios. «Así pues, el mundo multimedia será habitado por dos poblaciones muy distintas: los interactuantes y los interactuados, es decir, aquellos capaces de seleccionar sus circuitos de comunicación multidireccionales y aquellos a los que se les proporciona un número limitado de opciones preempaquetadas» (Castells, 1997, pág. 404).
3. Se produce la integración de todos los mensajes en un modelo cognitivo común. «Desde la perspectiva del medio, los modos diferentes de comunicación tienden a tomar los códigos unos de otros: los programas educativos parecen videojuegos; las noticias se construyen como espectáculos audiovisuales; los juicios se emiten como culebrones; la música pop se compone para la televisión multimedia; las competiciones deportivas son coreografiadas para sus espectadores a distancia, de tal modo que los mensajes se vuelven cada vez menos distinguibles de las películas de acción; y otras cosas por el estilo» (ibíd., pág. 404).
4. Finalmente, para Castells (1997, pág. 405) «quizá el rasgo más importante del multimedia sea que captura dentro de sus dominios la mayor parte de las expresiones culturales en toda su diversidad. Su advenimiento equivale a poner fin a la separación, e incluso a la distinción, entre medios audiovisuales e impresos, cultura popular y erudita, entretenimiento e información, educación y persuasión».

Todos los indicios apuntan que sigue existiendo lo que se conoce como brecha digital, que es los desniveles entre las posibilidades de acceso, uso, control y conocimiento que las tecnologías de la información y la comunicación proporcionan a unos y a otros. En esta misma línea otra teoría precursora es la teoría de la diferencia de conocimientos (*knowledge gap*). Así, hacia los años setenta se iniciaron unas investigaciones sobre el conocimiento en distintos grupos sociales. La hipótesis de partida era que en un sistema social los más instruidos y/o con un *status* socioeconómico superior serán capaces de asimilar mejor la información que las personas con un estatus o nivel de formación más bajo. La idea es que quien más tiene cada vez tendrá más y quien menos, menos. Aunque en nuestra sociedad hay un gran crecimiento de la información, también hay una distribución dispar de la misma (Donohue, Tichenor y Olien, 1980, pág. 22). Es decir, sólo es una minoría la que tiene una gran cantidad de información importante.

Otro de los elementos que, en segundo lugar, se ha de tener en cuenta al estudiar los efectos de los medios es el contexto sociopolítico y cultural. La sociedad actual se enfrenta a unos retos muy importantes. No pretendo hacer una disección pormenorizada de los mismos. Castells (1998b, págs. 369-370) apunta que el panorama actual proviene de tres procesos independientes de finales de los sesenta y mediados de los noventa, a saber: la revolución de las tecnologías de la información, las crisis económicas del estatismo y del capitalismo y sus subsiguientes reestructuraciones y el florecimiento de movimientos sociales y culturales.

Por mi parte, a modo de ejemplo, me circunscribiré a otros tres elementos, aunque están relacionados con algunos de los procesos que apunta Castells. En primer lugar, muy ligado a las nuevas tecnologías de la información y la comunicación, hablaré de la globalización. En segundo lugar, me centraré en las migraciones, un fenómeno que en España es relativamente reciente y que tiene importantes repercusiones sociales y culturales. Por último, resumiré los cambios que para la epistemología ha supuesto el giro cultural en las ciencias sociales.

Si consideramos los climas de opinión actuales no podemos dejar de hablar de la globalización. La otra cara de la globalización económica y tecnológica es la interculturalidad (García Canclini, 1999). Pero la globalización no supone inevitablemente uniformidad. Hoy en día, aparecen reivindicaciones identitarias en todo el planeta (Castells, 1988a). Esto puede parecer contradictorio con los fenómenos de mundialización, pero, como afirma Maalouf (1999, pág. 112), «así, la época actual transcurre bajo el doble signo de la armonización y la disonancia. Nunca los seres humanos han tenido tantas cosas en común, tantos conocimientos comunes, tantas referencias comunes, tantas imágenes y palabras, nunca han compartido tantos instrumentos, pero ello mueve a unos y otros a afirmar con más fuerza su diferencia». En ocasiones uno tiene la sospecha de que, como dice Maalouf (1999, pág. 125), «en realidad, si afirmamos con tanta pasión nuestras diferencias es precisamente porque somos cada vez menos diferentes». En cualquier caso, sea como fuere, se está produciendo una creciente visibilización del otro. Los contactos entre personas de distintas culturas aumentan. El interés y la preocupación por la interculturalidad es cada día mayor. Además, la interculturalidad, fruto de la globalización, no se da solamente en los contactos interpersonales, se manifiesta sobre todo a través de las industrias culturales. Precisamente si en un lugar se produce de manera clara la actual tensión entre lo global y lo local, éste es lo que en Latinoamérica han etiquetado como «la audiovisualidad» (Bayardo y Lacarrieu, 1999, págs. 215-286). Los productos audiovisuales son un lugar clave de la comunicación intercultural mediática. Los públicos se apropian, a partir de sus patrones culturales locales, de productos transnacionales creados, frecuentemente, a partir de referentes culturales distintos.

Uno de los aspectos más llamativos en Europa, y que es el gran reto del siglo xxi, son los fenómenos migratorios que vivimos actualmente. Hace unos años Jacques Le Goff (*El País Babelia*, 30-VIII-1997, pág. 12) declaraba: «Ahora somos conscientes de que uno de los grandes problemas del siglo xxi será el de las relaciones entre las culturas, siendo éste uno de los aspectos más trascendentes de lo que se ha dado en llamar "la mundialización". Los movimientos migratorios y

los contactos entre las culturas, hecho que empezó en el siglo
XVI, están a punto de acelerarse. Afortunadamente, las oleadas
migratorias son menos agresivas, menos guerreras que en el
pasado, pero pueden llegar a originar situaciones peligrosas
y dramáticas. Éste será, sin duda, un fenómeno esencial. Y si
queremos solucionar este problema, si queremos evitar la in-
comprensión, la guerra, el genocidio, es preciso que prepare-
mos a los pueblos y a las culturas para la única vía de paz y
justicia en nuestro mundo que no es otra que la del mestizaje».
Antes de entrar en la faceta cultural de este fenómeno hay que
hacer una advertencia previa. No todos los emigrantes son
acogidos de forma igual en la sociedad receptora. En ocasiones las relaciones con los emigrantes no son, fundamentalmente, un asunto de interculturalidad sino que se caracterizan,
sobre todo, por la explotación de la pobreza y la vulneración
de los más elementales derechos humanos.

De todas formas, hay que señalar que muchas políticas
públicas sobre las migraciones parten de una concepción de la
cultura que no hace más que convertir en problemas las relaciones interculturales. Creo que se podrían abordar más fácilmente si se descartara una concepción estática y esencialista
de la cultura. Tanto las políticas asimilacionistas, que pretenden disolver las culturas minoritarias en la dominante, como
el multiculturalismo separatista, que propugna la guetización
de las culturas en espacios diferenciados, ponen el énfasis en
la cultura como un fenómeno fijo, inmutable y esencial. Por el
contrario, la cultura es un proceso cambiante, complejo y creativo. Frente a una mentalidad que valora la pureza, la autenti-
cidad de una cultura, considero que hay que defender el sin-
cretismo y mestizaje de la mayoría de las culturas. Venimos
de una sociedad intercultural y vamos hacia una sociedad intercultural. Desde una perspectiva esencialista se suele olvidar
que en los orígenes de la mayoría de las culturas está la interculturalidad. Lo intercultural es lo constitutivo de lo cultural.
Es decir, que la interculturalidad no es simplemente un objetivo sino que debe ser vista como un origen. Este cambio de
punto de vista debería facilitarnos la aproximación a las per-

sonas procedentes de distintas culturas. Por lo que hace referencia a las políticas públicas ni el asimilacionismo y el multiculturalismo radical (Sartori, 2001) parecen ser la solución. Por el contrario, creo que la aproximación intercultural es mucho más interesante. A nivel político la base podría ser lo que Martiniello (1998, pág. 102) propone como democracia multicultural que «supone, pues, un cuerpo de ciudadanos activos con los mismos derechos y deberes, que comparten el mismo espacio público y un proyecto democrático común, con respecto a la ley y a los procedimientos jurídicos y políticos. Estos ciudadanos pueden tener distintas identidades y prácticas culturales, tanto privadas como públicas. Estas opciones de cultura e identidad no afectan a su posición en el orden social, económico y político». A nivel cultural, como las prácticas culturales no se reducen al ámbito privado sino que tienen visibilidad pública, la interculturalidad será inevitable y cada vez más frecuente. Así pues, se producirán intercambios, mezclas, hibridaciones, mestizajes. En esta visibilización el papel de los medios de comunicación, como puede suponerse, es fundamental (Rodrigo, 2004).

Por último, quisiera comentar el giro cultural que se ha producido. La cultura ha irrumpido con gran fuerza en las ciencias sociales. Como afirma Morin (1994a, págs. 73-74), «la cultura, que es lo propio de la sociedad humana, está organizada y es organizadora por el vehículo cognitivo que es el lenguaje, a partir del capital cognitivo colectivo de los conocimientos adquiridos, de las habilidades aprendidas, de las experiencias vividas, de la memoria histórica, de las creencias míticas de una sociedad. Así se manifiestan las "representaciones colectivas", la "conciencia colectiva", la "imaginación colectiva". Y a partir de su capital cognitivo, la cultura instituye las reglas/normas que organizan la sociedad y gobiernan los comportamientos individuales. Las reglas/normas culturales generan procesos sociales y regeneran globalmente la complejidad social adquirida por esa misma cultura». Además, esta irrupción ha modificado la propia teoría del conocimiento. «La ciencia, los procesos culturales y la subjetividad

humana están socialmente construidos, recursivamente inter-
conectados: constituyen un sistema abierto. Precisamente, de
estas interfases, de sus descentramientos y conflictos surgen
aquellas configuraciones científico-culturales complejas que
conforman el espíritu que atraviesa una época» (Fried Schnitman, 1994, pág. 18).

Creo que se puede aceptar que en las ciencias sociales estamos en una situación pluriparadigmática. Se produce la coexistencia de teorías alternativas que no son necesariamente complementarias, pueden ser incluso contradictorias. Todo lo dicho
no resta valor a las teorías y los paradigmas clásicos, yo diría
que simplemente les resta su valor absolutista. Incluso se habla
de un nuevo paradigma: el paradigma de la complejidad. De todas las maneras, cuando se habla del paradigma de la complejidad no hay que pensar en una revolución científica kuhniana.
Como ya señalamos, Morin (1997, pág. 143) afirma, en primer
lugar, «para mí, la complejidad es el desafío, no la respuesta».
Sigamos recordando con Morin (1994b, pág. 440) que «el pensamiento complejo no es el pensamiento omnisciente. Por el
contrario, es el pensamiento que sabe que siempre es local, ubicado en un tiempo y en un momento. El pensamiento complejo
no es un pensamiento completo...». Lo que se pretende con el
paradigma de la complejidad no es un conocimiento universal
ni una teoría omnicomprensiva. Se trata más bien de hacer una
aproximación que nos muestre la diversidad y la complejidad
de la realidad.

Para finalizar hay que recordar que el estudio de los efectos de los medios de comunicación también estará condicionado por los nuevos modelos y teorías de la investigación en
comunicación. Recordemos que «los modelos son en todo
caso construcciones racionales, o constructos, que fundamentalmente se forman apriorísticamente a partir de otros conceptos y no directamente de la observación de la realidad» (Sierra
Bravo, 1984, pág. 130). De hecho un modelo es una descripción esquematizada que destaca las relaciones significativas
de un fenómeno o proceso determinado. Evidentemente, la determinación por el investigador de cuáles son los elementos

significativos condicionará notablemente el carácter del modelo (Rodrigo, 1995).

Lo primero que tendríamos que hacer los investigadores de la comunicación es ser críticos con nuestro propio trabajo. En esta línea Kivikuru (1998, págs. 7-11) da una visión muy crítica de la actitud de la investigación en comunicación a la que considera más conformista que pluralista. Sus argumentos son los siguientes:

a) Los investigadores adoptamos el confortable rol de espectadores. Nos aproximamos al objeto de estudio como simples observadores desapasionados y distantes y no como actores de la vida social. Aunque declaramos que estudiamos la vida cotidiana, la vida cotidiana que estudiamos es una construcción artificial, hecha según nuestras necesidades.

b) El segundo motivo del conformismo es nuestra preocupación por el método a expensas de la comprensión o de la teoría. Ha habido una tendencia en la investigación de la comunicación de pasar de las ciencias sociales hacia una aproximación a las humanidades. Esto ha llevado también a que se pasara de los métodos cuantitativos a los métodos cualitativos. Esto dibuja un paisaje ecléctico en el campo de la investigación en comunicación. De los tres elementos fundamentales de la investigación: el objeto de la investigación, la teoría aplicable y el método, el problema más importante se plantea con el primero. El objeto de la investigación es el mundo con sus ingentes fenómenos. Aunque es legítimo compartimentarlo en pequeñas áreas, parece que lo más apropiado sería una aproximación multifacética.

c) La tercera fuente de conformismo es que generalmente todos leemos los mismos libros. Nuestros hábitos de trabajo están muy rutinizados. Siempre citamos a los mismos autores. «Construimos nuestros marcos teóricos de referencia con estos familiares ingredientes. El mundo del conocimiento está hipertextualizado y globalizado...» (Kivikuru, 1998, pág. 9). La influencia de la literatura norteamericana y europea es muy grande. También hay que tener en cuenta la lengua de la pro-

ducción intelectual. Como afirma Kivikuru (1998, pág. 9),
«hoy en día sólo con el inglés se da carta de naturaleza a la literatura extranjera». Aparte de algunos autores latinoamerica-
nos la mayoría de autores citados son europeos o norteamericanos. Quizá en España la influencia de Latinoamérica es
mayor que en el resto de Europa, pero qué duda cabe que este
dominio del inglés también se da. No creo que se utilicen de-
masiados autores africanos o asiáticos.

d) La cuarta fuente de conformismo es nuestra determinación de no tratar temas sociales o morales. A la hora de escoger nuestros objetos de estudio estamos condicionados por
los fondos para la investigación. Pero no sólo esto, también tenemos la tendencia a seguir las modas imperantes en nuestro
campo de estudio.

e) La última fuente de conformismo es que hacemos todo
lo posible para evitar las discusiones y los debates. Así, Kivikuru (1998, pág. 10) muestra que tenemos la pueril tendencia
a no mirar los fenómenos que no se ajustan a nuestro habitual
esquema de pensamiento. Como mucho se producen las clásicas discusiones entre las visiones más teóricas y las más apli-
cadas al mundo de la comunicación.

Para Saperas (1998, pág. 22) las dos tendencias que se
apuntan en la futura actividad investigadora son:

a) «Nos encontramos en la necesidad de renovar los modelos teóricos con la voluntad de alcanzar un conocimiento cierto,
verosímil o con conciencia crítica de la realidad social e histori-
ca en la que nos movemos mediante todo tipo de procedimientos explicativos, comprensivos, predictivos o experimentales.

b) »[...] todavía no hemos sido capaces de superar una
formulación de las ciencias sociales que tan sólo nos ofrece
respuestas parciales y provisionales a los grandes retos de
nuestra época histórica. [...] La modestia se impone como criterio central del científico sometido a los vaivenes de nuestro
azaroso siglo: actualmente es prioritario plantearnos problemas concretos que generen respuestas factibles y plantear como

horizonte de conocimiento la descripción de las grandes tendencias que impulsan nuestra sociedad.»

Por su parte, Moragas (1997) en un informe sobre el estado de la investigación de la comunicación en Catalunya apunta a los siguientes retos de futuro:

a) Saber interpretar la naturaleza y el alcance de la nueva sociedad de la información. Esto implica pasar del estudio de los medios de comunicación a la sociedad de la información. Esto nos obligará a una visión más globalizadora. Para ello será necesaria una teoría social que sea capaz de interpretar los cambios en el ecosistema comunicativo. Así pues habrá que profundizar en los nuevos medios de comunicación: sistemas multimedia, navegación por Internet, etc.

b) La tensión entre globalidad y localismo plantea problemas universales que afectan a toda la comunidad internacional de investigadores. Como señala Kivikuru (1998, pág. 10), «el mundo y la gente que vive en él está globalizada, es local y global, la gente usa teléfonos móviles, Internet y televisión transnacional, pero todavía vive en un sitio específico, pasa el tiempo con sus amigos, come patatas y compra ropa, exactamente como lo ha hecho siempre».

c) Harán falta estudios pluridisciplinares. «La pluridisciplinariedad no surgirá solamente de los planteamientos epistemológicos sino también de las sinergias que se observan en la sociedad: por tanto, será necesario integrar estudios culturales y de antropología y sociología de la cultura con los de comunicación. Y los de telecomunicaciones con los de comunicación política y social» (Moragas, 1997, pág. 16).

d) En relación a los temas de investigación, no sólo hay que abrirse a temas de interés transnacional sino que hay que analizar la propia sociedad en términos que interesen a la comunidad internacional. Esto implica romper con las rutinas académicas y revisar críticamente los habituales temas de estudio.

La situación de la investigación en comunicación es compleja y difícil (Rodrigo, 2001), porque no tiene la consolidación de otras disciplinas más antiguas. Pero es precisamente en esta situación donde las teorías de la comunicación podrían vertebrar la investigación interdisciplinar de la comunicación. Es decir, precisamente por su historia reciente y sus características de pluralidad las teorías de la comunicación podrían ser el mortero o la argamasa que permita relacionar disciplinas más consolidadas, pero por ello con menor flexibilidad. Así las teorías de la comunicación, rellenando los intersticios de otras disciplinas y al mismo tiempo poniéndolas en contacto, podrían ser el elemento conglomerante que una vez fraguado diera consistencia a las investigaciones interdisciplinarias. El reto está servido.

Segunda parte

La producción de la noticia

1. El acontecimiento

La producción de la noticia es un proceso complejo que se inicia con un acontecimiento. Pero no hay que entender el acontecimiento como algo ajeno a la construcción social de la realidad por parte del sujeto. Como apunta Stuart Hall (1981, pág. 364), «dar sentido es localizarse uno mismo en los discursos...». Como afirma Said (2003, pág. 9) en el prólogo de la edición española de su obra *Orientalismo*: «Mi libro se publicó originalmente en Estados Unidos y poco después fue traducido a numerosas lenguas de todo el mundo, incluido el español, pero como era de esperar, en cada país se leyó de manera diferente». No hay lectura de la realidad que sea descontextualizada y desubjetivizada. Es el sujeto observador el que da sentido al acontecimiento. Es decir, que los acontecimientos estarían formados por aquellos elementos exteriores al sujeto a partir de los cuales este mismo va a reconocer, a construir, el acontecimiento. Bernardo Atxaga (1997, págs. 10-11) recoge un breve cuento muy ilustrativo al respecto: «Pues resulta que a mediados del siglo XIII se produjo una nova, es decir, que nació una de estas estrellas que ahora mismo vemos desde aquí. [...] Nació además, al igual que las demás estrellas, tras violentas explosiones, provocando la aparición de señales luminosas en el cielo; señales que, por lo visto, suelen ser perfectamente visibles desde la Tierra sin ayuda de instrumento alguno. Pues bien: los astrónomos chinos observaron el fenómeno y dejaron constancia de él en sus anales, cosa que también hicieron, según han comprobado los historiadores, los astrónomos persas y los aztecas. ¿Y los astrónomos europeos? ¿Qué hicieron los astrónomos de Florencia o de París? Pues no hicieron absolutamente nada. No dejaron constancia del fenómeno. No vieron las señales, o no concedieron importancia a las que habían visto. ¿Por qué razón? Pues a causa del prejuicio que tenían. Ellos, los astrónomos europeos, eran aristotélicos, seguidores de la Física de Aristóteles, y estaban convencidos por ello de la inmutabilidad de las estrellas: las estrellas estaban rodeadas de una sustancia incorruptible llamada éter y eran fijas, estaban como clavadas en el cielo. En lo que a ellas se refería, ningún movimiento o cambio de estado era posible. Cegados por ese prejuicio, o esa previsión, no repararon en nada. Y, colorín colorado, este cuento se ha acabado». Para los astrónomos europeos del siglo XIII se trataba de un acontecimiento imposible, por consiguiente no fue un acontecimiento. Así pues, podemos dejar sentadas las siguientes premisas:

1. Los acontecimientos se generan mediante fenómenos externos al sujeto.
2. Pero los acontecimientos no tienen sentido al margen de los sujetos, ya que son éstos los que les dan el sentido.
3. Los fenómenos externos percibidos por el sujeto se convierten en acontecimientos por la acción de éste sobre aquéllos. Los acontecimientos están compuestos por los caracteres de los elementos externos a los que el sujeto aplica su conocimiento.

Algunas apreciaciones de Berger y Luckmann (1979) me permitirán corroborar lo apuntado hasta ahora. En relación al primer punto (existencia de elementos externos al sujeto), recordemos que para estos autores la construcción social de la realidad se establece a partir de la relación entre la realidad y el conocimiento. Para Berger y Luckmann (1979, pág. 13) la realidad es «una cualidad propia de los fenómenos que reconocemos como independientes de nuestra propia volición» y el conocimiento es «la certidumbre de que los fenómenos son reales y de que poseen características específicas».

Otro concepto que también corrobora las premisas establecidas es el de facticidad en Berger (1981, pág. 18). Este autor apunta que existen cosas que se presentan al individuo como realidades, «facticidades» exteriores, independientes de su propia actividad y que el individuo va a objetivizar. Según Berger será un proceso (interiorización) lo que le permitirá al sujeto transformar esta facticidad objetiva en una estructura subjetiva de sentido. Desde esta perspectiva se refuerza la segunda premisa establecida.

Por último, la interrelación entre fenómenos e individuos es el corolario de las dos anteriores premisas. Como apunta Berger (1981, pág. 15), «la sociedad deviene una realidad *sui generis* a través de la objetivación, y el hombre es un producto de la sociedad a través de la interiorización».

El acontecimiento es un fenómeno social y, tal como veremos a continuación, determinado histórica y también culturalmente. Evidentemente cada sistema cultural concretará qué fenómenos merecen ser considerados acontecimientos y cuáles pasan desapercibidos. Es sabido que toda forma de ver es una forma de ocultar. Como nos recuerda Edward T. Hall (1978, pág. 80), «la cultura decide a qué prestamos atención y qué ignoramos. Esta función de pantalla proporciona una estructura al mundo y protege al sistema nervioso de la *sobrecarga de información*» (cursiva en el original). No se puede considerar todo lo que nos rodea significativo ya que no seríamos capaces de procesar tanta información. «Lo que un individuo elige recoger, sea consciente o inconscientemente, es lo que da estructura y significación a su mundo» (Hall, 1978, pág. 83). En esta obra no trataré de las diferencias culturales

(Rodrigo, 1999) sino que nos centraremos en las variaciones históricas en la cultura occidental.

Además, en la determinación de los acontecimientos se da un ineludible proceso de intertextualidad. «El acontecimiento es el resultado de la brutal puesta en relación de un hecho con otros hechos, anteriormente aislados los unos de los otros, por medio de la información» (Lempen, 1980, pág. 50).

Se ha planteado que tanto los textos como, sobre todo, las interpretaciones de los mismos producen inevitables relaciones intertextuales. Un libro académico como éste es sin duda un ejercicio de intertextualidad pero también, por ejemplo, *El Quijote* nos remite a los libros de caballerías. La lectura de un texto puede, incluso, dar lugar a relaciones intertextuales que el autor del mismo no sospecha. Es posible que al lector de este libro, mientras lo lee, le venga a la memoria un artículo que acaba de leer en la prensa sobre los acontecimientos periodísticos, y así relaciona este texto con otro del que, como es obvio, yo no tengo noticia en este momento.

Una vez sentadas estas premisas se puede seguir hablando de acontecimientos como algo externo a un sistema determinado, si bien construido por el sistema en cuestión. Esto lleva a plantear la incidencia del sistema en el acontecimiento o, mejor dicho, cómo lo que se podría denominar «el sistema de la comunicación institucionalizada» ha otorgado selectivamente el carácter de acontecimientos a diferentes fenómenos según las épocas.

1.1. Evolución histórica del acontecimiento

No siempre a lo largo de la historia de la comunicación los medios de comunicación han tenido en cuenta el mismo tipo de acontecimientos sociales.

Sierra Bravo (1984, pág. 197) señala que «se puede entender como acontecimientos sociales los hechos de trascendencia social que acaecen en un momento determinado del tiempo. Se diferencian, pues, de los acontecimientos en general en la necesidad de que presenten una trascendencia social». El problema se plantea a la hora de definir qué se entiende por «trascendencia social» o, más concretamente, quién tiene la legitimidad para determinar que un acontecimiento tiene trascendencia social. La trascendencia social puede darse por el sujeto protagonista del acontecimiento o por el objeto del desarrollo del acontecimiento. Ambos, o al menos uno de ellos, deben tener trascendencia social; y, además, recordemos que uno de los elementos necesarios para la construcción de la noticia es su publicación. Si el público no recibe una noticia sobre un hecho, éste no podrá ser considerado como acontecimiento con trascendencia social.

Otro problema para definir lo que se entiende por trascendencia social es que cada formación política social, cada sociedad histórica, tiene sus propios parámetros para determinar el grado de trascendencia de los acontecimientos. Así, lo que es un acontecimiento social en la cultura occidental no es exactamente aplicable a otras culturas. Incluso en la propia cultura occidental el acontecimiento no ha sido una categoría inmutable a lo largo del tiempo.

Tudesq (1973) apunta el carácter subjetivo de lo que en el marco de la comunicación se entiende por «acontecimiento», y cómo a lo largo de la historia de la comunicación se modifica la naturaleza misma del acontecimiento. Este autor diferencia tres períodos que son:

a) El acontecimiento antes de la prensa de masas.

b) El acontecimiento durante la hegemonía de la prensa de masas.

c) El acontecimiento en la actualidad.

Como señala Vázquez Montalbán (1980, pág. 169): «Según el esquema tradicional de los historiadores de la "información", la comunicación social en el siglo XIX se divide en tres grandes períodos, si nos ceñimos a las coordenadas europeas: 1. Un período en el que se lucha por la libertad de prensa aplastada por la contrarrevolución de la Santa Alianza; 2.

Un período en el que aparece la "gran prensa", o diarios que ejercen ya una poderosa influencia doctrinal sobre sectores determinantes de la población; 3. Un período en el que se organiza la "prensa de información", con las características básicas de la prensa actual».

También Fernand Terrou (1970) al explicar la evolución de los medios de comunicación distingue tres períodos:

1. Desde sus orígenes hasta 1815: las primeras edades de la prensa.
2. De 1815 a 1914: impulso y apogeo de la prensa.
3. De 1914 hasta nuestros días: la información moderna.

Por mi parte soy consciente de la convencionalidad de la datación histórica. Por supuesto que hay fechas históricas que son fáciles de determinar. Por ejemplo, no hay discusión en que el general Franco falleció el 20 de noviembre de 1975, pero puede haber discrepancias sobre cuándo acabó el franquismo. Las dataciones históricas pueden ser, en ocasiones, muy controvertidas. En relación a esto Toulmin (2001, pág. 27) señala: «Unos fechan el origen de la modernidad en 1436, año en que Gutenberg adoptó la imprenta de tipos móviles; otros, en 1520, año de la rebelión de Lutero contra la autoridad de la Iglesia; otros, en 1648, al finalizar la Guerra de los Treinta Años; otros en 1776 y 1789, los años en que estallaron las revoluciones americana y francesa respectivamente; mientras que, para unos pocos, los tiempos modernos no empiezan hasta 1895, con *La interpretación de los sueños* de Freud y el auge del "modernismo" en bellas artes y literatura».

Por mi parte, inspirándome en los autores citados anteriormente he establecido, teniendo en cuenta que el criterio es las variaciones en los acontecimientos públicos, tres períodos:

1. Los acontecimientos antes de la prensa de masas (de mediados del siglo xv a mediados del xix).
2. Los acontecimientos durante la prensa de masas (de mediados del siglo xix a mediados del xx).

3. Los acontecimientos con la comunicación de masas (de mediados del siglo XX a la actualidad).

1.1.1. ANTES DE LA PRENSA DE MASAS

El conocimiento del acontecer era un privilegio de las clases dominantes y de aquellas que, para la consolidación de su incipiente dominio, necesitaban la información. Antes de la invención de la imprenta, comerciantes y banqueros europeos recibían informaciones manuscritas sobre el tráfico marítimo, eventos políticos, etc.; el tipo de información tenía una función comercial-financiera. Otro de los «clientes» fijos que recibían noticias será el estrato de los nobles que no habitaban en la capital. Siendo las monarquías renacentistas esencialmente centralistas, los nobles alejados de la Corte eran demandantes de información sobre los acontecimientos políticos de la capital. La aparición de la imprenta no supuso un gran cambio en el espectro de los usuarios de la información. El nivel de analfabetismo era muy alto, de ahí la pequeñez del mercado potencial de la información escrita. También hay que recordar que «a comienzos de la Europa moderna, como en otros sitios y períodos, el cambio cultural se dio a menudo por agregación y no por sustitución, sobre todo en las primeras etapas de la innovación. [...] En los comienzos de la Europa moderna los viejos medios de comunicación oral y manuscrita coexistieron e interactuaron con el nuevo medio de la imprenta» (Briggs y Burke, 2002, pág. 83).

Así pues, se puede decir que el conocimiento de los acontecimientos es un privilegio de las clases dominantes; la gran masa debe contentarse con el rumor o con el acontecimiento local. La distancia condicionaba fundamentalmente el conocimiento de los hechos. El pueblo llano sólo podía dominar los acontecimientos que estaban al alcance de su comunidad geográfica, pueblo, ciudad, etc. y que se transmitían oralmente. A medida que aumentaba la distancia, este dominio disminuía. Eran las clases dominantes las que pasaban a dominar el acon-

tecimiento. Aunque el acontecimiento tenía otro condicionamiento: el temporal. El acontecimiento lejano llegaba con
gran retraso con relación al hecho que lo motivaba.

Sin embargo, en el dominio del acontecimiento no sólo intervenían los factores espacio-temporales, sino que el acontecimiento estaba constreñido por el poder político, en su intento de controlarlo. Aunque ésta podríamos decir que es una de
las constantes del poder: la de ejercer el control sobre el acontecimiento. Como afirma Pierre Nora (1972, pág. 167), «los
poderes instituidos, las religiones establecidas tienden a eliminar la novedad, a reducir su poder corrosivo, a digerirlo por el
rito. Todas las sociedades establecidas buscan así perpetuarse
por un sistema de noticias que tienen como finalidad última
negar el acontecimiento, ya que el acontecimiento es precisamente la ruptura que pondría en cuestión el equilibrio sobre el
cual ellas se fundamentan. Como la verdad, el acontecimiento
es siempre revolucionario».

No sé si se puede decir que se pretende negar el acontecimiento en sí, pero lo que parece una constante en la historia es
el control del acontecimiento. Un caso bastante claro es el
caso de los acontecimientos terroristas (Rodrigo, 1991).

Con la aparición de la imprenta el poder se dio todavía
más cuenta de la importancia de la información. Aunque,
como señala Mc Quail (2000, pág. 45), «pasaron casi doscien-
tos años entre la aparición de la imprenta y la de lo que ahora
reconocemos como periódico prototípico, distintos de las oc-
tavillas, panfletos y boletines de finales del siglo XVI y principios del XVII». Lo que distinguiría los periódicos de estos
otros impresos sería su publicación regular. Sin embargo,
como nos recuerdan Briggs y Burke (2002, págs. 44-45):
«... la Europa moderna era en su fase inicial una sociedad de
alfabetización restringida en la que sólo una minoría de la población (sobre todo varones, urbanos y protestantes) sabían
leer y, en menor número aún, escribir».

En relación a la imprenta hay una discusión de interés que
simplemente apuntaré. Habitualmente se consideraba que la
imprenta supuso una revolución en el mundo de las comuni-

caciones. Briggs y Burke (2002, págs. 82-89) recogen una revisión crítica con esta idea: «Los críticos de la tesis de la revolución sostienen a menudo que la imprenta no es un agente, sino un medio tecnológico que emplearon individuos y grupos con diferentes finalidades en distintos sitios. Por esta razón, recomiendan el estudio de los usos de la imprenta en diferentes contextos sociales o culturales».

En principio, se podría pensar que la imprenta era un instrumento de desarrollo de la cultura y el comercio, pero pronto se convirtió en un instrumento de las luchas de religión. Recordemos que el primer libro impreso fue la Biblia.

Al adquirir importancia política la información pasó a ser celosamente controlada por el poder religioso y civil. Aquí cabría recordar la teoría autoritaria de la prensa en la que se justifica la censura previa, ya que se considera que los medios deben subordinarse a la autoridad establecida y no publicar nada que la pueda perturbar. Es decir, se defiende un control total de los medios de comunicación.

Pero este control no sólo hay que entenderlo como la censura de determinados acontecimientos, sino también como elemento capital en la creación de acontecimientos «convenientes». Como afirma Vázquez Montalbán (1980, pág. 90), ya en el siglo xv, «la importancia de la simple información fue inmediatamente captada. Los Tudor hicieron imprimir noticias que les ayudaran a crearse una "imagen pública": bodas, funerales, gestas de príncipes de la familia». La construcción del acontecimiento, como podemos apreciar, no es sólo una estrategia de dominio de los actuales *mass media*. En este mismo sentido, Briggs y Burke (2002, pág. 84) recuerdan que, siglos más tarde, «no era poco lo que debía a la imprenta la reputación de Luis XIV, su "gloria", como él la llamaba. Durante su reinado se pusieron en circulación varios centenares de grabados del rey».

Con los avances técnicos los condicionamientos espacio-temporales del acontecimiento disminuyen, pero se consolidan los políticos. Es curioso señalar que hay gran tolerancia por lo que respecta a los acontecimientos del exterior de la nación, mientras se ejerce un severo control del acontecer interior. Esta tendencia, en determinados temas como el terrorismo, también se da en la actualidad. Así, la paradoja propiciada por el poder es que la proximidad no lleva pareja una mayor información. Como podemos apreciar, la contradicción entre las posibilidades tecnológicas, los fines institucionales y los usos sociales tampoco es una característica exclusiva de la comunicación de masas, sino que ya estaba en los orígenes de la prensa.

Un ejemplo ilustrativo del control del acontecimiento son las características políticas (Vázquez Montalbán, 1980, pág. 103) de la *Gazette de France*, periódico del siglo XVII controlado por el cardenal Richelieu:

1. Se practica todo el ocultismo posible sobre lo que ocurre en el propio país.
2. Se transmiten las razones de Estado en todo lo que afecta a la política internacional.
3. Se crean unos criterios históricos de valoración de los hechos, sobre todo en lo que se refieren a la vida de la comunidad nacional.
4. Se mitifica todo lo que da «la imagen del poder», desde el estado de buena esperanza de la reina hasta el anecdotario galante de los cortesanos.

Pero, ya en el siglo XVII, se van poniendo las bases de la ideología de la prensa liberal. Como afirma Tuchman (1983, pág. 180), «varias presunciones de este modelo resultan claves para comprender la aplicabilidad a las condiciones contemporáneas. Primera: en el siglo XVIII, el término "público" connotaba todavía una responsabilidad general ante la comunidad de sus propios intereses. Segunda: aquellos que se suscribían a los periódicos de opinión y, congruentemente, aquellos que constituían la comunidad y eran responsables de la evaluación de la verdad eran en su mayoría la élite mercantil. Tercera: el modelo racionalista de determinar la verdad se basaba en la presunción de la Ilustración de que los métodos del discurso científico que tenían por meta la determinación de la verdad podían ser extendidos a los fenómenos sociales y políticos». Aquí también hay que recordar la teoría liberal de la prensa. Esta teoría señala que las publicaciones no deben sufrir ninguna censura previa. Se propicia que los medios sean críticos con el poder y puedan publicar informaciones comprometidas para las autoridades.

Por otra parte, a mediados del siglo XIX el tipo de acontecimiento de este período se define por la importancia de las personas a las que conciernen (jefes, monarcas, etc.), por la preponderancia del acontecimiento político, por el interés real, o supuesto, por acontecimientos del extranjero y porque el comentario del hecho hace también de acontecimiento.

Un ejemplo que ilustra la concepción de acontecimiento de la época es un artículo aparecido el 1 de agosto de 1848 en un periódico en el que participaba Victor Hugo, y que tenía por título, precisamente, *L'Événement* (Hermelin, 1983a): «Daremos el lugar más visible al acontecimiento del día, tal como sea, que proceda de la región del alma que sea o del mundo. [...] Iniciaremos nuestro periódico por el acto principal del género humano. [...] Si, en estos días inesperados, llega un día ordinario, que sería el más extraordinario de todos, si, por imposibilidad, el acontecimiento nos fallara una vez, esta vez reuniríamos en el mismo número, y como una constelación deslumbrante, todos los nombres ilustres que estrellan nuestra redacción, e intentaríamos este día que nuestro periódico fuera él mismo el acontecimiento».

De este manifiesto de intenciones hay que destacar algunas ideas interesantes:

a) «El acontecimiento del día»; de todos los hechos uno será conceptuado como el acontecimiento del día. Es decir, que no sólo se definen una serie de fenómenos como acontecimientos y se seleccionan para su publicación, sino también se valoran estos acontecimientos hasta establecer el que se considera más importante del día.

b) Se recoge el mito panóptico de los medios. Los medios

de comunicación son capaces de ver todo lo que pasa «proceda de la región del alma que sea o del mundo...». Se considera que los medios de comunicación tienen la capacidad para ver todo lo que pasa en el mundo y en el más allá, así se podría colegir que si no aparece en los medios es que no ha ocurrido o que habiendo sucedido no se ha considerado que fuera un acontecimiento seleccionable.

c) En el caso que no haya ningún acontecimiento considerado suficientemente importante se intentará que «nuestro periódico fuera el mismo acontecimiento». Es decir, siempre tiene que haber algún acontecimiento importante, ya sea un hecho ajeno al diario o ya sea la opinión de algunos de los articulistas del diario. El acontecimiento se sigue construyendo...

1.1.2. EN LA ÉPOCA DE LA GRAN PRENSA DE MASAS

A mediados del siglo XIX ya se puede hablar de medios de comunicación de masas. La prensa se ha convertido para los ciudadanos en la principal fuente de transmisión de acontecimientos. Además, frente a los acontecimientos sociales, la prensa adopta una postura más activa; ya no se trata de recibir la información y comentarla, sino que hay que descubrir el acontecimiento. Tudesq (1973) apunta una evolución paralela entre la noción de acontecimiento y los cambios que sufre la propia sociedad. Frente a la democratización de las sociedades hay una politización del acontecimiento. La explicación del acontecimiento se hará en función de una ideología explícita. Es el gran momento de la prensa de partido. Por ejemplo, el diario catalán *La Vanguardia* era un *Diario político y de avisos y noticias. Órgano del Partido Constitucional de la provincia.*

Hay que recordar la teoría soviética de los medios de comunicación que señala que los medios son un instrumento más de la revolución, por ello deben servir a los intereses de la clase obrera y ser controlados por el partido.

En la prensa política el comentario es muy importante, sin embargo con la gran prensa de masas el acontecimiento es el elemento central de la mercancía informativa. Hay una gran demanda de acontecimientos, esto hace que sea frecuente la exageración o incluso la falsificación del acontecimiento. Lo importante es vender más periódicos. Estamos en la época del nacimiento del periodismo sensacionalista.

Con el urbanismo y la mecanización el acontecimiento se abre a hechos nuevos, por ejemplo los avances técnicos y científicos. Sin embargo, un elemento importante en las sociedades capitalistas de la época es que la noción de acontecimiento es antropocéntrica. El ser humano es el centro del acontecimiento. Pero no sólo el personaje socialmente importante, como anteriormente, sino la persona anónima cuyas circunstancias puedan ser utilizadas por la prensa para la construcción del acontecimiento.

Si en la época anterior un personaje, por su importancia social, era objeto de atención de los medios de comunicación, ahora, además, cualquier persona se puede convertir en personaje por la atención de que es objeto por los medios. La trascendencia social pasa de ser el requisito previo constitutivo del acontecimiento a dejar de serlo y, en algunos casos, pasa a ser sólo el efecto del mismo. Es decir, que los medios de comunicación se convierten en generadores de trascendencia social. Se trata de la conocida función de otorgamiento de estatus.

Como concretan De Fleur y Ball-Rokeach (1982, pág. 60), con la aparición de la prensa sensacionalista hay una redefinición del acontecimiento: «Hasta ese momento las "noticias", generalmente, se limitaban a notas sobre hechos sociales o políticos de genuina importancia, o de ciertos sucesos que tuvieran significado para un público amplio. Sin embargo Benjamin Day llenó su periódico [se refieren al *Sun*] con noticias de otro carácter —relatos de delitos, historias de pecado, catástrofe o desastre— que la gente de la calle consideraba excitantes, entretenidas o divertidas». El paradigma de este tipo de acontecimientos es el suceso.

Como señala Schudson (1978, pág. 88 y sigs.) en 1890, en

Estados Unidos, podemos distinguir dos tipos de periodismo: el periodismo como entretenimiento representado por el *Sun* o el *New York World*, de Joseph Pulitzer, y el periodismo como información, en el que tienen cabida periódicos del tipo del *New York Times*.

Sunkel (1985) pone de manifiesto que estos dos tipos de periodismo parten de matrices de sentido distintas. La prensa de sucesos que desarrolla la prensa popular y que estaría relacionada con las narrativas tradicionales se basa en la matriz simbólico-dramática. Frente a esta matriz (Sunkel, págs. 46-51) contrapone las narraciones de matriz racional-iluminística, que se centraría más en la razón y correspondería a las informaciones políticas o económicas de los diarios más elitistas.

En el marco liberal de la prensa, los excesos de la prensa sensacionalista y el temor de la intervención estatal para controlarlos hacen que los propios editores reaccionen. La aparición de la radio es un importante hito comunicativo en el período de entreguerras. La prensa y la radio son instrumentos para lo mejor y lo peor: medios de información y cultura o medios para la manipulación. La utilización de los medios para la propaganda adquiere en este período una gran importancia. En 1939, Serge Tchakhotine (1985) publica su obra *La violación de las masas por la propaganda política*. El título ilustra suficientemente sobre una cierta concepción de los medios dominante en esta época. Téngase en cuenta que la propaganda política ocupa un lugar central en las estrategias de los regímenes fascistas europeos y del soviético. Además, el conductismo en Estados Unidos y los estudios de Pavlov en la URSS aportan la explicación científica a la manipulación de los medios de comunicación. El psicoanálisis, por su parte, muestra la posibilidad de utilizar mecanismos que, dirigidos directamente al inconsciente, burlen la actuación consciente de las personas. Los individuos están sometidos a fuerzas que no pueden controlar. La Escuela de Francfort denuncia el ascenso de la irracionalidad nazi por la capacidad de condicionamiento de los nuevos mecanismos de la propaganda. La industrialización también alcanza a la cultura, mercantilizando los productos y reduciendo su calidad al masificarlos. Cuando, en 1938, Orson Welles consiguió asustar a millares de norteamericanos (Cantril, 1985), con la adaptación radiofónica de la novela de H. G. Wells *La guerra de los mundos*, simplemente vino a confirmar la idea que se tenía de la gran influencia de los medios de comunicación (cine, radio y prensa). Esta concepción de la omnipotencia de los medios creaba un estado de opinión que propicia la necesidad del control o del autocontrol de los medios.

Se gesta así, a partir de los propios productores de la información, la teoría de la responsabilidad social de la prensa, que se desarrolla en el siglo XX en los países democráticos liberales. La teoría de la responsabilidad social sostiene que los medios tienen obligaciones con la sociedad. Deben intervenir por el interés público. Los medios de comunicación son libres, pero deben autorregularse a partir de códigos éticos y deontológicos.

1.1.3. El acontecimiento y la comunicación de masas

La sociedad de los media se podría definir como una sociedad «acontecedora». Ha habido una multiplicación de los acontecimientos tanto en la cantidad como en el tipo. Tudesq (1973) afirma que esta multiplicación se manifiesta en tres aspectos:

a) La rapidez de información acelera el proceso morfológico del acontecimiento; esto hace, según este autor, que la opinión de la información actúe sobre el propio acontecimiento. En numerosas ocasiones la opinión, de una personalidad relevante, sobre un acontecimiento se convierte en un nuevo acontecimiento, que si bien está vinculado al primero lo puede llegar a eclipsar.

b) La rapidez de la información también tiene un efecto espacial, ya que se amplía al nivel mundial. El acontecimiento puede hacer referencia a cualquier parte del mundo. La metáfora de la aldea global de McLuhan parecería que con la aparición de Internet se hace aún más realidad. Sin embargo, hay que recordar que aunque pronto se puede llegar a la cifra de 600 millones de internautas, esto, si se me permite la metáfora, es más un barrio residencial que una aldea global, ya que sólo representa el 10 % de la población mundial.

c) Se da asimismo una diversificación de tipos de acontecimientos: deportivos, económicos, de sucesos, de ecología, de sexualidad, sanitarios, de tecnología, científicos, informáticos, etcétera.

Sin embargo, frente a esta diversidad temática se da una tendencia hacia la homogeneidad formal. El acontecimiento, en general, se aproxima al tipo de acontecimiento de sucesos. El acontecimiento ha pertenecido a una categoría histórica bien determinada: el acontecimiento político, social, literario, científico, etc. Es decir, el acontecimiento viene definido por la importancia del mensaje. En cambio, el suceso ocupa un lugar opuesto dentro de las categorías de importancia. El suceso nos remite a unas convenciones sociales que han sido vulneradas. Se produce la ruptura de la lógica de lo cotidiano. Un conocido aforismo periodístico señala que el acontecimiento es que un hombre muerda a un perro y no a la inversa.

Auclair (1970, pág. 11) sigue distinguiendo, por su parte, dos tipos de acontecimientos:

a) Los relativos a la *res publica*, que suponen un cambio, por mínimo que sea, del cuerpo social. Se inscriben en una continuidad histórica.

b) Los relativos a la esfera privada, que afectan a personas privadas. Son hechos contingentes que podrían haberse producido tanto ayer como hoy y que no pasan a formar parte de la historia.

Un ejemplo que pone de manifiesto esta diferencia es las informaciones sobre el terrorismo. El terrorismo nos remite a hechos anteriores al propio acto delictivo (Rodrigo, 1991). Por mucho que se quiera equiparar la delincuencia común con el terrorismo nunca se consigue una identidad perfecta. De hecho, se produce un discurso paradójico. El sistema político pretende despolitizar el terrorismo y para ello le niega su característica de *res publica* y lo sitúa en la esfera delictiva privada. Sin embargo, cuando el sistema político trata un tema determinado lo convierte en un asunto político. Por ello, cuando más el sistema político niega el carácter político del terrorismo más lo refuerza.

Sin embargo, para otros autores, en la sociedad de masas esta diferencia teórica se diluye. No es que aún no haya distinciones entre ambos, pero, como apunta Nora (1972, pág. 165), «en todo acontecimiento en el sentido moderno de la palabra, lo imaginario de las masas quiere poder incorporar alguna cosa de los sucesos, su drama, su magia, su misterio, su rareza, su poesía, su tragicomedia, su poder de compensación y de identificación, el sentimiento de fatalidad que tiene, su lujo y su gratuidad». Se produce, por consiguiente, un desplazamiento del contenido narrativo a sus virtualidades imaginarias.

El acontecimiento es lo maravilloso de las sociedades democráticas. Mediante la retransmisión en directo de los principales acontecimientos se les arranca a éstos su específico carácter histórico para proyectarlos a las vivencias cotidianas de las masas. Paralela a la democratización del acontecimiento, se amplían los criterios del acontecer social y se produce una espectacularización del mismo. Se impone a los acontecimientos la totalitaria ley del espectáculo. Debemos recordar que la televisión no entró en la Cámara de los Comunes británica hasta 1989, después de que se hubiera rechazado en numerosas ocasiones su presencia en el Parlamento británico. La argumentación esgrimida era que si la televisión entraba en el Parlamento éste se iba a convertir en un plató de televisión. Además, los destinatarios de los discursos parlamentarios cambiarían, ya no serían los otros parlamentarios sino el público que viera el programa de televisión. De esta forma el propio discurso parlamentario cambiaría. Así pues, la televisión puede cambiar incluso el carácter de un acontecimiento. Por ejemplo, hay que recordar la invasión de Somalia por Estados Unidos, en 1992. El diario *El País* (10/XII/1992, pág. 64) narraba así el desembarco de los 1.800 marines: «Parecía más un circo o el rodaje de una película de guerra que una verdadera operación militar. Los periodistas, según se pudo seguir en vivo desde las cadenas norteamericanas, rodeaban a cada soldado que bajaba de las lanchas y le extendían el micrófono para recoger sus declaraciones o su aliento cansado». El diario *La Vanguardia. Revista* (10/XII/1992, pág. 5) empezaba la crónica del acontecimiento con estas palabras: «Al amanecer los "marines" saltaron de las lanchas de desembarco y con el agua a la cintura pisaron las playas empuñando sus armas equipadas con infrarrojos y tomaron posiciones de acuerdo a lo previsto. El enemigo podría estar detrás de cualquier duna. "Oiga, ¿le importaría volver a saltar de la lancha? Es que no teníamos las luces preparadas y nos hemos perdido el momento." Era el enemigo: un equipo de la CBS que llevaba horas dándose codazos con otros 300 reporteros en la playa cercana al aeropuerto de Mogadiscio para conseguir las mejores tomas».

El a la sazón vicepresidente de la CNN, Ted Turner, afirmaba que era absurdo pensar que no habría periodistas en el desembarco cuando se había anunciado, *urbi et orbi*, con 48 horas de antelación (*La Vanguardia. Revista*, 10/XII/1992, pág. 5).

En la actualidad todavía se ha ido más lejos. Los acontecimientos se someten a los dictados de la televisión. Así los Juegos Olímpicos, por ejemplo, están pensados más en el público de la televisión que en los asistentes a las pruebas, que curiosamente forman también parte del espectáculo televisivo. Hay que recordar, asimismo, que en los partidos de baloncesto de la N.B.A. hay un tiempo muerto de la televisión. Es decir, el medio televisivo tiene la potestad de pedir un tiempo muerto y así detener el juego para poder dar paso a la publicidad. Más dramático es el caso de un periodista brasileño que al pedir en su programa fondos para pagar el rescate de un secuestro consiguió que los secuestradores aumentaran sus demandas, al darse cuenta de que la televisión iniciaba una campaña para pedir dinero (*El País*, 20/III/1999, pág. 35).

Como afirma Baudrillard (1978a, pág. 13), «las masas se resisten escandalosamente a este imperativo de la comunicación racional. Se les da sentido, quieren espectáculo».

En relación con la historia, los media arrancan a determinados acontecimientos su específico carácter histórico. Pero, por otro lado, el acontecimiento aproxima la historia al individuo. Lo hace «partícipe» de la historia de modo inmediato. De hecho, lo que no aparece en los medios no existe para mucha gente. Los medios dan visibilidad a los hechos. Un ejemplo paradigmático es la información sobre una huelga de fotógrafos en París que es ilustrada por una fotografía en que se ve a los fotógrafos con sus cámaras en el suelo para no hacer fotos (*El País*, 25/IX/1997, pág. 6). Evidentemente alguien no secundó la huelga, pero seguramente era imprescindible la existencia de un fotógrafo supuestamente insolidario para que la huelga fuera noticia.

Pero no sólo esto, además los *mass media* aproximan al individuo a la realidad de una forma especial. La representación por parte de los media de la realidad va mucho más allá de la propia realidad perceptible. Es decir, el ojo electrónico llega donde no puede llegar el ojo humano. Un caso paradigmático es el uso de distintas tecnologías en los programas deportivos de televisión. Es el ojo electrónico el que nos va a permitir dilucidar lo que no pudimos ver en la realidad. Los *mass media* nos aproximan así a los acontecimientos de una forma absolutamente distinta para el individuo.

Como nos recuerda Gubern (1974, pág. 111), «la resistencia a adoptar el primer plano se debió, principalmente, como queda dicho, al desasosiego y extrañeza provocados en el público. Tal desasosiego era producto de su novedad como fenómeno de percepción más que como fenómeno de creación artística». Es decir, el rechazo que los primeros espectadores del cine tenían a los primeros planos, los que hacía Griffith, era debido a que mostraban una forma nueva de aproximarse a los acontecimientos totalmente distinta. Era un modo distinto de ver.

Los medios de comunicación no sólo nos muestran acontecimientos en los que no podríamos participar, sino que, incluso en los que hemos participado, nos aproximan a los hechos de una forma nueva, más completa porque ofrecen distintos puntos de vista (de las distintas cámaras de televisión) y una aproximación (gracias al *zoom*) que el ojo humano no permite.

Además, los *mass media* operan en otro sentido sobre los acontecimientos. Los acontecimientos, que de por sí son evanescentes, se convierten a través de su representación en los media en manifestaciones perdurables, en documentos. Los *mass media* convierten los acontecimientos en un material de posible consumo repetitivo.

Por último, se establece en el público de la televisión la sensación de participar en el acontecimiento. Se produce una participación afectiva. Sin embargo, de hecho, es una participación alienada, ajena al acontecimiento en sí.

En este sentido Thompson (1998, págs. 115-159) distingue tres tipos de interacciones: las interacciones cara a cara, las mediáticas y las casi-mediáticas. Estas últimas son las que se establecen con la comunicación de masas. En las interacciones casi-mediáticas los discursos son producidos para un indefinido abanico de posibles receptores y se trata de relaciones monológicas, es decir, el flujo comunicativo es, sobre todo, unidireccional. Además, para Thompson (1998, págs. 129-130) este tipo de interacción produce una experiencia de discontinuidad espacio-temporal. Es decir, «los individuos que miran la televisión deben, en cierta medida, suspender la estructura espacio-temporal de sus vidas cotidianas y orientarse temporalmente hacia un grupo de coordenadas espacio-temporales diferentes; se convierten en viajantes espacio-temporales ocupados en la negociación entre estructuras espacio-temporales distintas y en relacionar de nuevo su experiencia mediática de otros tiempos y lugares con el contexto de su vida cotidiana». Esta capacidad de vivir nuevos acontecimientos y experimentar mundos variados es una de la característcas de los medios de comunicación de masas.

Esto me lleva a plantear hasta qué punto hay acontecimientos falsos y verdaderos. Pensemos que el artificio es la verdad del sistema. Es conocido por cualquier radiofonista que el ruido del fuego es mucho más efectivo, se aproxima mucho más a la «realidad», mediante un efecto especial que mediante la grabación en directo de un fuego. La verdad del acontecimiento quizá no es tan pertinente. La representación es la realidad del sistema mediático.

Pero esto no significa que los acontecimientos sean lo irreal. Muy al contrario, por un lado, los acontecimientos transmiten el imaginario colectivo: emociones, hábitos, representaciones, etcétera. Por otro lado, es el *continuum* de acontecimientos la expresión superficial de una sociedad, el lugar de proyecciones sociales y de conflictos latentes.

De alguna manera, los acontecimientos van a definir una sociedad. El sistema de valoración del acontecer quedará implícito en la transmisión de determinados acontecimientos. ¿Qué valores hay que respetar en la visibilización de la realidad? Por ejemplo, en este sentido, el Consell de l'Audiovisual de Catalunya (2002, págs. 63-67) establece una serie de recomendaciones acerca del tratamiento informativo sobre la inmigración. Los acontecimientos serán la imagen que dará la propia sociedad de sí misma y de las otras sociedades, y a su vez cada sociedad vendrá a definir lo que es acontecimiento, con lo que implícitamente establecer sus parámetros de la trascendencia social.

Tengamos en cuenta que los medios de comunicación diseñan un horizonte espacial cognitivo y emotivo por el que se establecen unas fronteras que marcan los límites entre el «nosotros» y el «ellos». Es decir, los medios de comunicación llevan a cabo procesos de construcción identitaria (Rodrigo, 2000a). Antes de entrar en este último punto me gustaría recordar que sólo hay que dar una ojeada a los periódicos de distintos países para apreciar que tienen un diferente horizonte espacial cognitivo y emotivo. Es decir, que todo tipo de información se hace a partir de una perspectiva identitaria determinada. Así se instituye un «espacio mental» y un «espacio sentimental» (Rodrigo, 1992) que son el anverso y el reverso de una misma construcción cultural. El «espacio mental» establecerá la frontera que nos separará de «los otros», dará por sentado o racionalizará el sentido de pertenencia. El «espacio mental» establecerá la *mismidad* o identidad y la *otredad* o alteridad, mientras que el «espacio sentimental» llenará esta *mismidad* y *otredad* de valores. Así, por ejemplo, el «espacio sentimental» establecerá los límites de mi afiliación emocional y de mis procesos de identificación simbólica. Evidentemente, este establecimiento de la identidad/alteridad se hace inevitablemente desde un punto de vista etnocéntrico. Este etnocentrismo, que se puede apreciar en el lenguaje, forma parte del punto de vista que se adopta y del destinatario construido en la narración. La construcción de este «espacio mental» se hace necesaria ya que se narran los acontecimientos a un destinatario modelo determinado (Rodrigo, 1995, págs. 113-115). Quizá el mayor problema se puede plantear precisamente en la construcción del «espacio sentimental». Es decir, ¿cuál es el contenido de la identidad construida? ¿Qué valores se atribuyen a dicha identidad?

A partir de esta idea de que los medios de comunicación son constructores de identidades culturales se empieza a ver su importancia para la cultura de una comunidad. Así, en los años ochenta se propone la teoría desarrollista de los medios de comunicación, que postula la necesidad de políticas de comunicación y culturales para defender el patrimonio y la identidad cultural de las naciones. Por ello se establece la necesaria intervención del Estado en el sistema comunicativo para defender la cultura y las lenguas nacionales.

1.2. La naturaleza del acontecimiento

Para diferenciar el acontecimiento de la noticia hay que establecer en primer lugar el punto de referencia. Lo que es noticia para un sistema puede ser acontecimiento para otro. Podríamos diferenciar el acontecimiento de la noticia señalando que el acontecimiento es un mensaje recibido mientras que la noticia es un mensaje emitido. Es decir, el acontecimiento es un fenómeno de percepción del sistema, mientras que la noticia es un fenómeno de generación del sistema. Sin embargo, lo que para un sistema son noticias, para otro sistema son acontecimientos.

Por todo lo dicho podríamos considerar a los *mass media* un sistema que funciona con unos *inputs*, los acontecimientos, y que produce unos *outputs* que transmiten: las noticias. Y estas noticias son recibidas como acontecimientos por los individuos receptores de la información. Es decir, todo *output* puede ser a su vez un *input* de otro sistema, y todo *input* puede haber sido también un *output* de un sistema anterior. Por consiguiente, el punto de referencia a partir del cual podemos definir un acontecimiento o una noticia es el sistema con el que está relacionado. Como señala Edgar Morin (1972c, pág. 173), «la noción de acontecimiento sólo tiene sentido con relación al sistema al que afecta».

Como corrobora Böckelmann (1983, págs. 42-43), «los límites de sentido de un sistema se fijan mediante sus estructuras y se definen mediante la relevancia y/o irrelevancia de las acciones respecto al sistema, en el plano de las expectativas de conducta sancionadas que pueden ser mantenidas constantes por un tiempo determinado facilitando de esta manera la orientación. (Los sistemas sociales no constan de personas, sino de acciones, que se ponen de manifiesto en tanto que intercambio de "roles".)».

Por ello, para estudiar los acontecimientos en los media hay que investigar la estructura funcional de las instituciones comunicativas. Edgar Morin (1972c, págs. 178-180) establece una distinción interesante para comprender el papel del sistema en relación al acontecimiento. Aunque Morin se refiere fundamentalmente al procesamiento humano de la información, creo que es perfectamente extrapolable a lo que podríamos llamar el «procesamiento institucional de la información», procesamiento que es llevado a cabo por los *mass media*.

Morin hace una distinción entre sistema abierto y sistema cerrado. La nota diferencial está en que el primero necesita el ecosistema para funcionar. A los sistemas abiertos los denomina también sistemas autoorganizadores y se caracterizan por ser sistemas complejos que implican múltiples subsistemas y elementos diferenciados y jerarquizados. El estudio de la institución comunicativa de los media nos va a permitir descubrir el complejo proceso de elaboración de la noticia a partir de los acontecimientos. El sistema de los *mass media* es un sistema abierto.

La nota más característica de los sistemas autoorganizadores es su relación con el ecosistema: «Todo *input* es potencialmente acontecimiento para el sistema, todo *output* es potencialmente acontecimiento para el ecosistema» (Morin 1972c, pág. 179). Es decir, todo hecho social es potencialmente acontecimiento para los *mass media* y toda noticia es potencialmente un acontecimiento para la sociedad. A partir de esta perspectiva podemos comprender mucho mejor la interacción entre *mass media* y sociedad. Los medios utilizan como materia prima unos acontecimientos sociales y, a su vez, construyen y transmiten un producto que puede llegar a convertirse en acontecimiento social.

Según Morin (1972c, pág. 180), la aptitud de los sistemas autoorganizados o abiertos para regular su relación con el acontecimiento/entorno (mundo exterior) se basa en el doble principio de la relación ecosistémica:

1. El sistema opone su determinismo al azar del mundo exterior.
    a) Por homeostasis: el sistema tiende a amortiguar las variaciones del mundo exterior y a imponer en su interior su propias constantes.
    b) Por equifinalidad: el sistema tiende a imponer su determinismo sobre el mundo exterior a pesar de las condiciones desfavorables. Un estado final del

sistema puede alcanzarse en condiciones iniciales diferentes y según vías diferentes.

2. El sistema opone una variabilidad aleatoria (su libertad de determinar el acontecer) al determinismo del mundo exterior.

La relación del sistema con el ecosistema (mundo exterior) es dialéctica, y en ella cada uno intenta imponer su determinismo sobre el otro.

Evidentemente, como señala Moles (1972, pág. 90), los acontecimientos son «tipos de variaciones perceptibles del entorno que no han sido previstas por el ocupante del centro de este entorno». Es decir, que el azar del ecosistema es un elemento esencial del acontecimiento; sin embargo, frente a este azar imprevisto el sistema controla o encauza el acontecimiento.

¿Cómo controla el acontecimiento el sistema mediático? La respuesta es simple: el sistema impone su determinismo sobre el acontecimiento del ecosistema en la construcción de la noticia. La noticia es producto de la mediación de la institución comunicativa.

Sin entrar a fondo en la cuestión de la mediación se puede recordar la definición de Martín Serrano (1977, pág. 54): «La mediación se define como la actividad que impone límites a lo que puede ser dicho y a las maneras de decirlo, por medio de un sistema de orden». Hay que decir que todo sistema supone un orden de por sí. Los *mass media* van a enmarcar los acontecimientos y de esta forma van a expresar una valoración del hecho. El control supondría aplicar al acontecimiento un marco determinado. En última instancia, la forma más clara de la imposición del determinismo del sistema se da cuando el acontecimiento es sencillamente excluido, aunque puede haber acontecimientos que lleguen a imponerse al sistema de los medios. Tengamos en cuenta que cada medio de comunicación está interrelacionado con otros medios de manera que entre todos forman un sistema comunicativo determinado dotado de una cierta homogeneidad. Un medio de comunicación en concreto no puede imponer sencillamente su libertad, en todos los casos, al determinismo del ecosistema. En un acontecimiento de cierta importancia es muy posible que su iniciativa de no recoger el acontecimiento no fuera seguida, en la estructura comunicativa occidental, por otros medios del sistema comunicativo institucionalizado. Ante esta circunstancia, su silencio sería mucho más significativo que la propia publicación.

En esta línea, siguiendo en parte a Luhmann (2000, págs. 4-8), podríamos decir que los medios de comunicación transmiten dos tipos de realidades. La primera sería los acontecimientos del ecosistema, mientras que la segunda sería la propia actividad del sistema de los medios de comunicación. «De hecho los *media* comunican sobre algo: sobre algo distinto a ellos o sobre ellos mismos. Por consiguiente, se trata de un sistema que distingue entre la referencia a sí mismo (autorreferencia) y la referencia a lo otro (heterorreferencia)» (Luhmann 2000, pág. 7). Esta autorreferencialidad la veremos en el capítulo dedicado a las fuentes.

En principio podríamos decir que hay un cierto determinismo del ecosistema que se impone al sistema de los medios ya sea por la propia trascendencia del acontecimiento, ya sea por el comportamiento comunicativo de los *mass media* del sistema, aunque obviamente ambas circunstancias están interrelacionadas. Entre los *mass media* se produce una especie de relación de simpatía, en el sentido de la física, por la que, por ejemplo, una noticia que transmite la radio es un acontecimiento que puede ser recogido por la prensa y por la televisión. Por supuesto, no me refiero a todo tipo de noticias. Hay unos tipos de noticias que se imponen a los *mass media*, por ejemplo los atentados terroristas. Incluso, a pesar de las reuniones entre los responsables de los distintos medios para tratar el tema de la conveniencia de publicar los actos de terrorismo, el acontecimiento ha seguido imponiéndose a la libertad del sistema mediático. Se impone por la propia estructura del sistema y por el propio determinismo del ecosistema.

Un ejemplo ilustrativo es el caso del *blackout* (silencio o apagón informativo), que supondría no dar ninguna información sobre un acontecimiento determinado. Esto sólo puede darse por un verdadero pacto de silencio entre todos los medios de información o por una limitación de la libertad de información. En el primer caso es muy difícil en determinados acontecimientos. Además, si es difícil que los distintos medios de un país se pongan de acuerdo, hacerlo con los medios de otros países todavía es más difícil. Un ejemplo ilustrativo es el siguiente (Rodrigo, 1991, págs. 37-38): en septiembre de 1977 un grupo terrorista secuestró, en Alemania, a Hans-Martin Schleyer, presidente de la patronal alemana. Los medios de comunicación alemanes aceptaron, en aquella ocasión, un control gubernamental de la información. Incluso se dieron noticias falsas para confundir a los terroristas. Pero la aceptación por los medios de comunicación de las consignas de las autoridades no tuvo el efecto deseado porque los terroristas consultaban la prensa extranjera. Y eso que en aquellos años, en Europa, no existía Internet. En el caso del terrorismo (Rodrigo, 1991, págs. 57-59) el *blackout*, en los sistemas democráticos, cuando puede afectar a acontecimientos importantes es poco factible.

Por otro lado, en un estudio (Rodrigo, 1986) de la temática de las portadas de prensa he podido apreciar muy claramente lo apuntado hasta ahora. En primer lugar, hay una clara homogeneidad, a grandes rasgos, entre las portadas de los distintos diarios. Los puntos clave de la misma se podrían resumir en: 1) una mayor importancia del ámbito nacional (política, economía y terrorismo) sobre el internacional; 2) el acontecer político (sobre todo el nacional) como temática jerárquicamente superior y 3) importancia similar en todos los diarios de los temas de economía y terrorismo nacionales. Esto sería un indicio de cómo el determinismo del sistema mediático se impone al ecosistema.

Empero, el determinismo del ecosistema queda bien claro a partir del estudio de la desviación estándar y del coeficiente de variación. Salvo la temática de política nacional y la variable «varios» (debido sobre todo a la publicidad) en algún diario, no puede decirse que los diarios estudiados dediquen, *a priori*, un espacio determinado a los distintos temas en las portadas. Es decir, hay una clara dependencia de las características del acontecimiento a la hora de introducirlo en la portada. Esto reflejaría el determinismo del ecosistema.

Se establece, por consiguiente, una relación dialéctica entre el sistema y el ecosistema, en la que cada uno pretende establecer su predominio. Sin embargo, como señala Edgar Morin (1972c, pág. 180), el doble principio del sistema autoorganizador implica que los *mass media* utilizan como materia prima los acontecimientos sociales y, a su vez, son productores de noticias que se van a convertir en acontecimientos sociales. De hecho, estos principios también son recogidos por Carlo Marletti (1985, pág. 78) al estudiar la relación entre los acontecimientos y el sistema en los procesos de tematización.

1.3. Las características del acontecimiento

Hemos visto que lo que se considera acontecimiento informativo evoluciona a lo largo de la historia. Quizá el análisis diacrónico del acontecimiento nos pueda hacer pensar que su evolución se basa en las características de los destinatarios. Sin embargo, aunque sea en parte cierto, hay que tener en cuenta que los *mass media* son uno de los aparatos ideológicos de Estado. Althusser (1974) señala que el aparato ideológico de Estado dominante en las formaciones capitalistas avanzadas es el escolar. Empero, habría que tener en cuenta la importancia cada vez mayor de los *mass media* en los procesos de socialización de los individuos.

En cualquier caso, antes de entrar en las características del acontecimiento en el sistema comunicativo institucionalizado capitalista, voy a definir las características generales del acontecimiento.

1.3.1. CARACTERÍSTICAS GENERALES DEL ACONTECIMIENTO

Abraham Moles (1972, pág. 90) define el acontecimiento como tipos de variaciones perceptibles de un entorno que no ha sido previsto por el ocupante del centro del entorno. De esta definición podemos extraer, en principio, cinco elementos:

1. Un entorno o ecosistema.
2. Un ocupante del ecosistema.
3. Una variación en el ecosistema.
4. Perceptibilidad de la variación.
5. Imprevisibilidad de la variación.

De hecho, estos cinco elementos se podrían agrupar en dos. Así tendríamos: a) una variación perceptible del ecosistema o entorno y b) imprevisibilidad por el ocupante del ecosistema.

a) La variación del ecosistema supone la existencia de un ecosistema con unas normas establecidas que nos permitirán determinar cuándo se produce una variación. Toda variación precisa de un punto de referencia a partir del cual se pueda comparar el estado inicial con el estado final. A partir de la comparación se puede constatar la variación producida en el ecosistema. Pero esta variación requiere a su vez una circunstancia esencial para ser acontecimiento: debe ser perceptible. Por definición, cualquier variación no perceptible del ecosistema no será acontecimiento. Pero aquí habría que diferenciar entre secreto y no perceptible, es decir, no comunicado y no percibido. Porque para que se dé un acontecimiento social, la perceptibilidad del acontecimiento es condición necesaria, pero no suficiente: la variación debe ser comunicable. Si no, nos encontraríamos ante un tipo específico de acontecimiento, a saber, el acontecimiento secreto. Tanto la variación como la perceptibilidad se dan con relación al ecosistema.

b) En las siguientes características se produce una subjetivización. El sujeto, el ocupante del ecosistema, y por tanto conocedor de las normas, no prevé la variación producida en el mismo. Por consiguiente, el grado de previsión del sujeto por lo que respecta a la variación es lo que definirá la misma como acontecimiento.

Por lo que respecta al acontecimiento periodístico hay que señalar que la característica de imprevisibilidad no es imprescindible. Por ejemplo, hay acontecimientos absolutamente previsibles: visita de una autoridad, entrega de un premio, bodas de personalidades, etc.

Por su parte, Edgar Morin (1972c, pág. 177 y sigs.) establece la noción de acontecimiento a partir de dos características: a) es todo lo que sucede en el tiempo; b) es todo lo improbable, singular, accidental.

Sin embargo, el propio Morin recuerda también que el acontecimiento toma sentido con relación al ecosistema que afecta.

Por lo que respecta a la dimensión temporal del acontecimiento hay que apuntar que cualquier hecho es acontecimiento con relación al tiempo. Si tomamos el mundo como una situación de relativa estabilidad, acontecimiento es lo que aparece y desaparece en el seno de esta estabilidad.

Cuando se afirma que acontecimiento es lo improbable, lo singular, etc., se hace referencia a la separación del hecho con relación a la norma. A partir de esto se entiende el acontecimiento como lo anormal, lo desviado.

1.3.2. EL ACONTECIMIENTO EN LOS *MASS MEDIA*

El acontecimiento periodístico es toda variación comunicada del ecosistema por la cual los sujetos del mismo se pueden sentir implicados.

A partir de esta definición se pueden establecer como elementos esenciales del acontecimiento:

a) La variación en el ecosistema.

b) La comunicabilidad del hecho.
c) La implicación de los sujetos.

a) La variación en el ecosistema
Como ya he señalado anteriormente, todo acontecimiento lo es en relación a un ecosistema. El ecosistema sirve de punto de referencia a partir del cual podemos establecer la existencia de los acontecimientos. El ecosistema, o mejor dicho sus normas, es fundamental para definir un hecho como acontecimiento. Por ejemplo, entre un grupo étnico de la selva amazónica puede ser un acontecimiento importante la aparición de un avión. En un aeropuerto la aparición de un avión es la norma, por lo que no constituye un acontecimiento. Por otra parte la aparición de una boa es un acontecimiento en una ciudad occidental, pero no en una selva en la que las boas se reproducen normalmente.

Así pues, se puede afirmar que la variación en el ecosistema supone, en sentido amplio, la ruptura de la norma. Aunque al profundizar se pueden ir apreciando algunas de las posibles características de esta variación.

1. Toda variación se da con relación al tiempo: tiene un inicio y un final. Si la variación se prolonga mucho en el tiempo, puede llegar a perder su carácter de acontecimiento. Por ejemplo, el hundimiento progresivo de la ciudad de Venecia fue acontecimiento cuando se descubrió el mismo. En la actualidad el hundimiento es la norma. El nuevo acontecimiento sería el que se demostrara que Venecia ya no se hunde. Ésta sería una variación. Así pues, se puede concluir que toda variación del ecosistema que se da en el tiempo, o acaba por integrarse en el ecosistema como norma o desaparece restableciéndose el anterior estado de cosas. Esto me lleva a plantear la rapidez de la variación.

2. Como indiqué anteriormente, un acontecimiento que dure excesivamente en el tiempo pierde su categoría de acontecimiento. La rapidez del acontecimiento signifi-

ca que el mismo debe aparecer y variar rápidamente. El acontecimiento tiene un índice de caducidad, porque la variación, con el paso del tiempo, se transforma en «lo normal». Podríamos hablar de una transformación del acontecimiento en norma consuetudinaria. El grado de obsolescencia o caducidad de un acontecimiento variará según su importancia, espectacularidad, etc. No todos los acontecimientos tienen el mismo grado de obsolescencia; en ciertas ocasiones, un hecho mantiene su categoría de acontecimiento a raíz de las nuevas variaciones que se vayan introduciendo sobre el acontecimiento primigenio. Esta característica de los acontecimientos hace que realidades muy dramáticas, que duran desde hace muchísimo tiempo, no sean noticia. Así, por ejemplo, el hambre en el mundo no es noticia hasta que la FAO (Organización de las Naciones Unidas para la Agricultura y la Alimentación) da a conocer un informe en que denuncia que el hambre amenaza la vida de 800 millones de personas (*El País*, 2/III/ 2005, pág. 26).

3. Esta variación del sistema para obtener la categoría de acontecimiento debe ser espectacular. La espectacularidad es otra de las características de la variación. Un acontecimiento es algo extraordinario, es decir, un hecho que va más allá de lo ordinario, de la normalidad. Una variación supone una ruptura de la normalidad y cuanto mayor sea esta ruptura más espectacular será el acontecimiento.

4. Una categoría apriorística con relación al acontecimiento es la imprevisión. La variación del ecosistema puede ser prevista o imprevista por el sujeto. Si la variación es prevista, ésta deberá tener otras características para que pueda ser considerada acontecimiento, por ejemplo la espectacularidad: las Olimpiadas no por ser un espectáculo previsto dejan de ser un acontecimiento. Hay que señalar además que en cualquier variación, por muy prevista que sea, siempre hay un cier-

to grado de imprevisión. En las propias Olimpiadas no se sabe quién va a ganar las distintas pruebas.

Así pues, debe tenerse en cuenta que existen diferentes grados de imprevisibilidad según las características de cada acontecimiento. Si la variación es imprevista, como tal novedad ya puede pasar a formar parte de la categoría de acontecimiento. Esto siempre y cuando se den también las otras características del acontecimiento periodístico.

b) La comunicabilidad del hecho

En principio la comunicabilidad no es condición impres-cindible para determinar la categoría de acontecimiento desde un punto de vista general. Desde esta perspectiva, sólo sería necesaria la perceptibilidad. El acontecimiento tiene que ser percibido. Pero si tratamos del acontecimiento periodístico, la comunicabilidad del mismo es condición necesaria, sobre todo si consideramos el acontecimiento periodístico como un hecho social. Podemos establecer que, obviamente, un aconte-cimiento social no puede ser considerado como tal por la per-cepción de los sujetos individuales sino por su conocimiento público. Con lo cual se afirma que un acontecimiento no co-municable o secreto no sería en ningún caso, mientras mantu-viera esta característica, un acontecimiento periodístico.

Veamos el caso de una realidad que se intenta que sea no comunicable. En 1991, el periodista Javier Cuartas publicó, en la editorial Espasa Calpe, un libro titulado *Biografía de El Corte Inglés*. Este libro, de más de 800 páginas, en el que se hace una historia de estos grandes almacenes, nunca llegó a las librerías, aunque el autor recibió los derechos de autor de la venta de toda la primera edición (*Noticias de la comunica-ción*, 1991, nº 25, pág. 11). Un gigante económico puede in-tentar silenciar una realidad o, como mínimo, situarla en los márgenes de la comunicabilidad. A través de Internet se pue-den encontrar referencias de este trabajo de Javier Cuartas.

Si se afirma que un acontecimiento cobra sentido por su

relación con el ecosistema, su corolario es que el acontecimiento periodístico cobra sentido en el sistema comunicativo institucionalizado. El sistema de los medios de comunicación también cabría denominarlo ecosistema comunicativo (Rodrigo, 1995, págs. 120-123); sin embargo, para no provocar una posible confusión, en esta obra hablaré de sistema comunicativo. Por lo que hace referencia al sistema comunicativo, el acontecimiento debe ser comunicable, independientemente de si luego se comunica o no en forma de noticia. Para el sistema de los *mass media* el acontecimiento debe ser simplemente comunicable, si no no puede ser tenido en cuenta como tal acontecimiento para la construcción de la noticia.

Si se trata el acontecimiento desde el punto de vista del destinatario de la comunicación de masas, habría que hablar no de comunicabilidad, sino de publicidad. Para el individuo que capta los acontecimientos a partir de las noticias que recibe de los *mass media*, el acontecimiento debe ser publicado en forma de noticia. En ese caso la publicidad del mismo es condición indispensable, si bien hay que señalar que comunicabilidad y publicidad están interrelacionadas. Es decir, lo que no es comunicable no se publica, luego deja de ser acontecimiento tanto para el sistema de los *mass media* como para el público. Así, se podría decir que la llegada del hombre a la Luna fue un acontecimiento en China a partir de que fue comunicable y por ello publicado, y no antes, independientemente de que el hecho se produjera con anterioridad.

Esta característica de comunicabilidad plantea por extensión una serie de problemas.

Decía que el acontecimiento debe ser extraordinario, pero aquí se plantea si lo extraordinario hace el acontecimiento o si el acontecimiento hace lo extraordinario. Es decir, la disyuntiva es si la realidad extraordinaria pasa a ser acontecimiento o si lo que se da es un hecho presentado de forma extraordinaria como acontecimiento. Apunto algunos elementos con relación a este dilema.

Hay acontecimientos realizados exclusivamente para convertirse en noticia. El caso del terrorismo es un ejemplo claro

(Rodrigo, 1991), pero también es conocido el aforismo publicitario que dice «La mejor publicidad es la que no se paga». Recordemos las campañas de Benetton que, de la mano de Oliverio Toscani, se convertían en noticia por el impacto de sus imágenes. De forma más artesanal los ciudadanos particulares pueden seguir la misma estrategia. Por ejemplo, hemos visto en las retransmisiones televisivas de manifestaciones ciudadanas, en países de habla no inglesa, pancartas escritas en inglés. Cabe suponer que los destinatarios de estos mensajes no son los otros manifestantes, que posiblemente no todos entiendan el inglés, sino los medios de comunicación extranjeros y sus públicos.

Ya se vio anteriormente cómo desde el poder político se creaban acontecimientos, práctica que sigue siendo común hoy en día. Como señala Noam Chomsky (1986), por lo que hace referencia a las relaciones entre Estados Unidos y Nicaragua, «uno de los mejores medios de controlar las noticias era inundar los canales de noticias, de hechos, o lo que equivalía a información oficial...».

Así pues, normalmente se plantea si los *mass media* pueden crear el acontecimiento-noticia. Pero la pregunta debería ser: ¿los *mass media* pueden destruir el acontecimiento? Porque los *mass media* son los que crean los acontecimientos periodísticos:

1. Dándole publicidad, los *mass media* construyen, por definición el acontecimiento-noticia.
2. El acontecimiento-noticia es condición de existencia de los *mass media*, por lo que si no hay acontecimientos susceptibles de ser transformados en noticias, aparecen otros acontecimientos que se convierten en noticia a causa de falta de acontecimientos. Recordemos las llamadas «serpientes de verano», que son fenómenos variados que dan lugar a informaciones cuando hay escasez de noticias importantes. Esta circunstancia suele darse, frecuentemente, en verano.

La pregunta es, por consiguiente: ¿pueden los *mass media* eliminar el acontecimiento? La respuesta, en principio, debería ser afirmativa. Si se puede crear el acontecimiento también se puede destruir. Pero antes se debe contextualizar la respuesta.

En una sociedad autoritaria, cuyos medios de comunicación están bajo control estricto, es evidente que, en la práctica, cualquier acontecimiento puede ser censurado, eliminado. El desconocimiento social de un hecho lo descalifica como acontecimiento periodístico. Recordemos cómo bajo el régimen soviético algunas fotos históricas eran retocadas haciendo desaparecer de la imagen, de aquel momento histórico, personajes que no convenían.

Cabría pensar que los acontecimientos periodísticos pueden ser creados y destruidos por los *mass media*. Sin embargo, en un sistema en el cual los *mass media*, o al menos algunos de ellos, no están bajo el control directo de un único poder político, éstos no pueden destruir todos los acontecimientos. Hay acontecimientos que se imponen al propio sistema de comunicación institucionalizada al tener unas características determinadas. Además hay que tener en cuenta que una de las características del sistema mediático actual es una cierta porosidad. No es cierto que todo lo importante que pasa en el mundo sea noticia para todos los medios. Hay muchos puntos ciegos para, por ejemplo, los medios de comunicación occidentales. Pero lo que sí es cierto es que cuando determinados medios de referencia occidentales se hacen eco de un acontecimiento su difusión se multiplica fácilmente.

Así, otra característica de la comunicación del acontecimiento inserto en el sistema de los *mass media* es el de su redundancia. El acontecimiento periodístico es un eco. Un eco con diferentes voces. Si exceptuamos las exclusivas, el sistema de los *mass media* es temáticamente bastante homogéneo. Incluso en el caso de las exclusivas una parte de su éxito radica en que, al día siguiente, los otros medios hagan el seguimiento de la noticia. En relación a los asuntos que no son de interés para todos los medios hay que tener en cuenta que, de acuerdo a los destinatarios del medio, el grado de cobertura del acontecimiento variará. Por ejemplo, el pleno municipal de un pueblo será noticia para una radio local pero no para un diario de la capital del Estado. Sin embargo, la homogeneidad también se da en el ámbito local porque es muy posible que la televisión del municipio también recoja esta información. Así, teniendo en cuenta estos matices, se produce la repetición de la misma noticia en distintas empresas periodísticas. Que aparezcan las mismas noticias no significa que todos los medios hagan el mismo tratamiento periodístico. Como apunta Borrat (1989, págs. 113-116), aunque circunscrito al periodismo político, nos encontramos ante un discurso polifónico. De esta forma podría parecer que el sistema de comunicación institucionalizado reproduce un solo mundo con voces múltiples, pero no es exactamente así. No todos los actores sociales pueden entrar con la misma facilidad en el sistema mediático. En las noticias no siempre están todos los que son participantes del acontecimiento. Además, como señala Borrat (1989, págs. 114-115), a veces se da un trato desigual a los distintos actores de los relatos.

De todas formas, cuando un hecho es considerado acontecimiento por una multiplicidad de medios y se transmite en forma de noticia en el mercado comunicativo se produce un efecto multiplicador, de orquestación. El acontecimiento-noticia tiene como característica la de ser repetitivo. Así pues, cuando un acontecimiento es al mismo tiempo transmitido como noticia por un gran conjunto de medios, podemos valorar claramente la trascendencia social del mismo.

Dentro de este apartado de la comunicabilidad también debería incluirse la espectacularidad. Si bien hablamos de espectacularidad al tratar la variación en el ecosistema, debemos recogerla de nuevo aquí por lo que hace referencia al tratamiento espectacular de la variación. Es decir, cuando la espectacularidad no está en el hecho en sí, sino en la publicidad que se da al mismo.

Esto llevaría a tratar el tema clásico de la sociedad del espectáculo (Debord, 1976). La forma espectacular de comunicación del acontecimiento-noticia parece ser consustancial al sistema de los *mass media*. En ocasiones los medios de comunicación confunden lo interesante con lo importante. No siempre lo interesante es importante y viceversa. Es posible que las noticias de los récords Guinnes sean trivialidades interesantes, pero estaremos de acuerdo en que carecen de importancia. Lo importante es aquello que afecta a nuestra vida cotidiana y no sólo de una forma puntual y espúrea, sino que va a tener consecuencias perdurables. Es cierto también que, aunque suelen proponerse consensos sociales sobre lo que es sustantivo y lo que es adjetivo, la importancia con que cada uno vive un acontecimiento dependerá de la implicación de cada sujeto. De todas formas esta reducción de lo importante al individuo y no a la comunidad nos lleva a un casuística imposible de abordar por los medios de comunicación.

Por último, se debe señalar también, con relación a la comunicabilidad y publicidad de los acontecimientos, que el acontecimiento-noticia es un mensaje y como tal puede ser a su vez desencadenante de otros acontecimientos-noticia.

c) La implicación de los sujetos

Todo acto comunicativo se realiza para incidir sobre el destinatario. Pero para que se produzca esta incidencia hay que tener en cuenta la implicación del mensaje en el destinatario. Si éste no se siente implicado en absoluto, el efecto será nulo.

La implicación puede ser contemplada desde dos perspectivas distintas:

a) Implicación del destinatario de la noticia

Cada consumidor de comunicación de los *mass media*, subjetivamente, puede otorgar mayor implicación a unas noticias que a otras, a partir de múltiples peculiaridades personales. Evidentemente, cada acontecimiento-noticia tendrá un grado de implicación determinado. Los grados de mayor o menor implicación podrían ser:

1. Implicación directa y personal. Son aquellas noticias que afectan directamente a la vida cotidiana del individuo. Por ejemplo, el cierre de la empresa en que trabaja.
2. Implicación directa y no personal. Afecta directamente de forma emotiva o ideológica, pero no tiene una incidencia relevante en la vida cotidiana de la persona. Por ejemplo, la victoria del equipo de fútbol del que se es seguidor.
3. Implicación indirecta. No afecta directamente al individuo, que percibe la noticia como algo que sucede en otro tiempo o lugar y a otras personas. A veces se percibe la realidad mediática como algo que les pasa a los demás. El diario *El País* (25/III/1992, contraportada) recogía las declaraciones de un familiar de las víctimas de un accidente aéreo en Nueva York: «La hija de los Mitchell, Tracy, no podía ocultar su dolor ante las cámaras de televisión horas después: "Esto no debería pasarnos, nosotros somos gente normal"». Los medios son muy conscientes de esta implicación indirecta. Así, cuando se produce un accidente en el extranjero lo primero que señalan es si hay compatriotas o no.
4. No implicación. El individuo se siente indiferente a la información recibida. Por ejemplo, la baja de la cotización de Siemens en la Bolsa de Francfort.

Hay que advertir inmediatamente que todos estos grados de implicación se dan en relación a un sujeto específico. Así, un mismo hecho, en personas distintas, tiene grados de implicación diferentes. Por ejemplo, a una persona que ya tiene ofertas de trabajo en otras empresas no le afecta tanto el cierre de la suya, mientras que la baja de Siemens es de gran implicación para sus accionistas.

Sin embargo, para no caer en una casuística, podemos establecer que algunos ciudadanos perciben algunos temas como más importantes que otros. Como ha desarrollado la teoría de la construcción del temario (*agenda-setting*) el público establece un temario de los asuntos más importantes. Aunque hay una serie de características que pueden condicionar la importancia del tema —la proximidad, la espectacularidad, la anormalidad, la imprevisibilidad, etc.— Eyal, en su tesis doctoral (Mc Combs, 1981, pág. 132), distingue dos tipos de temas:

a) Los temas de los cuales los individuos tienen una experiencia directa y personal, y por los que se sienten mucho más implicados. Por ejemplo, el paro, el aumento del coste de la vida, etc.

b) Los temas que son casi dominio exclusivo de los *mass media* y en los que se da una menor implicación personal. Por ejemplo, los avances científicos para aquellos que no están relacionados con estos ámbitos.

El conocimiento de una realidad supone una mayor implicación. Por ejemplo, si uno conoce un determinado país extranjero o ha estado recientemente en él suele sentirse más implicado por las noticias del mismo. El reconocimiento de una realidad puede aumentar el interés por la misma y, consiguientemente, la implicación del sujeto.

Siguiendo con la teoría de la construcción del temario, el público crea su propio temario de los asuntos que considera importantes a partir, en gran medida, del temario que los medios han transmitido. En la transmisión de una noticia no sólo se da la información sobre el acontecimiento, sino también sobre la importancia del mismo. Se trata pues de investigar cómo lector/oyente/espectador construye su propio temario a partir de la información recibida. La teoría de la construcción del temario distingue tres tipos de temarios, por lo que hace referencia al público: el temario intrapersonal, el temario interpersonal y el temario comunitario.

El temario intrapersonal es lo que cada individuo considera personalmente como temas más importantes, independientemente de su contexto social.

El temario interpersonal es aquello de lo que cada individuo habla más a menudo con los otros. Es decir, aquello que tiene una mayor importancia en sus relaciones interpersonales. Algunos estudios han constatado que no siempre los asuntos públicos que nosotros consideramos más importantes son aquellos que discutimos más con otras personas.

El temario comunitario correspondería al ámbito de la opinión pública. Se trataría de examinar no lo que las personas piensan que es importante o lo que hablan entre sí, sino lo que las personas piensan que los otros establecen como más importante. Funkhouser (1973), al analizar los catorce temas más importantes de la década de los sesenta, comparando la cobertura de la prensa y las encuestas de opinión, demostró la convergencia entre lo que el público percibe como importante y lo que la prensa destacó como tal.

Así pues, es bastante claro el papel de los *mass media* al respecto. Por ello la implicación puede contemplarse desde una segunda perspectiva, como ya señalé.

b) Implicación que el productor de la noticia (los *mass media*) presupone al acontecimiento

El grado de implicación presupuesto por la institución de los *mass media* es determinante a la hora de categorizar el hecho como acontecimiento y de valorarlo como noticia. Por ejemplo, un periódico local recogerá como gran acontecimiento un atraco a una farmacia de la ciudad. Un periódico de ámbito nacional lo recogerá, quizá, sin darle excesiva importancia. Un periódico de otro país no lo considerará como acontecimiento digno de atención. En este sentido, el gran potencial comunicativo de los medios locales es que dan noticias que los medios de un ámbito geográfico mayor apenas recogen. Así, las poblaciones más pequeñas sólo aparecen en los medios nacionales cuando suceden, por ejemplo, desgracias naturales. Los ciudadanos de estas poblaciones apenas se ven reflejados, o sólo se ven representados a través de los sucesos. Por ello tienen, con los medios nacionales, una carencia de información periodística de su entorno más próximo.

La proximidad geográfica del hecho supone una mayor implicación, para el centro del mismo, que disminuye a medida que se agranda el círculo. Sin embargo, la implicación no funciona sólo a través de mecanismos tan simples como los topográficos. Funciona también a través de efectos psicológicos de identificación, implicación afectiva, etc. Sería el caso de los acontecimientos producidos por los famosos.

A la hora de determinar la posible implicación de un acontecimiento entran en juego diferentes elementos. No siempre el factor geográfico es determinante a la hora de establecer la implicación. Es mayor la implicación, para España, de un discurso sobre política internacional del presidente de Estados Unidos que del Consejo General Andorrano.

En principio se podría decir que cuanta más gente se sienta implicada por un acontecimiento, mayor será la importancia de éste. Sin embargo, tengamos en cuenta que son los *mass media* los que seleccionan los acontecimientos a partir del grado de implicación que presuponen. De ahí que podamos descubrir una estrategia de implicación de los *mass media*.

Esta estrategia pasa por establecer un temario en los propios medios de los asuntos más relevantes del día. Este punto quizá sea el más deficiente de la teoría de la construcción del temario (*agenda-setting*). Mc Combs (1982, págs. 210-221) señala los dos puntos de la estrategia teórica necesaria de la construcción del temario:

1. La relación directa y causal entre el contenido del temario de los medios y la subsiguiente percepción del público de lo que es el asunto más importante del día.
2. Descripción de cómo la gente organiza y estructura el mundo que le rodea.

Se refleja en ambos puntos una mayor preocupación por el proceso de construcción del temario del público que por la construcción del temario de los medios, y eso hasta el punto de que algunos autores (De George, 1982, pág. 219) llegan a afirmar que, por lo que respecta al temario de los medios, no hay ninguna controversia, mientras que toda la problemática está en determinar el temario del público. De George apunta que hay un consenso general en la determinación del temario de los medios a través del análisis de contenido. Según este autor, en los *mass media* está bastante claro la importancia que se otorga a un tema. Mientras se investiga la génesis del temario del público, el temario de los medios se toma como un hecho consumado cuyos mecanismos de producción apenas son explorados. El hecho de que el temario de los medios sea más manifiesto que el temario del público es un puro espejismo. Un análisis no tan superficial daría cuenta de los elementos que concurren en la construcción del temario de los medios.

La producción de la noticia será el objeto de una atención preferente en los próximos capítulos. En cualquier caso, hay que apuntar que el medio de comunicación se atribuye frecuentemente el rol de portavoz de la opinión pública (Landowski, 1980) y además establece una jerarquía de los asuntos que considera que son los más importantes para la sociedad.

2. Determinación del acontecimiento por los mass media

Como dijimos en el capítulo anterior, el acontecimiento no es un fenómeno exterior a un sistema determinado, sino que es éste el que otorga tal categoría a distintos fenómenos.

2.1. La relación acontecimiento-mass media

Hausser (1973, págs. 174-175), como conclusión a su estudio, llega a establecer que «el periódico no se adapta al acontecimiento, es el acontecimiento el que es llevado a adaptarse al periódico. Un estudio de la enunciación nos lleva a evaluar el grado de adecuación de un acontecimiento al comportamiento habitual de un periódico y no a la inversa». En mi opinión, la relación acontecimiento-*mass media* es más interactiva.

Centrándonos, pues, en el sistema de comunicación de masas de la sociedad liberal se pueden descubrir algunos elementos determinantes en el establecimiento del acontecimiento periodístico.

En primer lugar hay que señalar el carácter negociado de esta determinación de los acontecimientos. Cuando hablamos de la relación entre el entorno y el sistema ya indiqué esta interrelación entre ambos. Así pues, mediante esta negociación se establece una racionalidad, una lógica, que será en definitiva la del propio sistema informativo, que es la resultante de la necesidad productiva del sistema y de la aparición de unos determinados acontecimientos.

Para que esta relación negociada se lleve a efecto hay que determinar precisamente aquello que va a permitir que un acontecimiento sea noticia. Es lo que Wolf (1981, pág. 284) denomina «umbral de noticiabilidad», señalando que en su determinación, los factores estructurales y las rutinas productivas entran en juego con los valores de las noticias.

Tuchman (1983, pág. 51) también apunta muy claramente en este sentido: «En suma, la evaluación de la noticiabilidad es un fenómeno negociado, constituido por las actividades de una compleja burocracia diseñada para supervisar la red informativa».

Sin embargo, hay que decir que en ciertos casos los acontecimientos pueden imponerse a esta «compleja burocracia». Se trataría de los acontecimientos excepcionales. No hay que entender que estos hechos se imponen *per se*, sino que lo hacen por el carácter de excepcionalidad establecido socialmente. Recordemos que un acontecimiento excepcional lo es en función de una significación preexistente y que éste actualiza. Pensemos que un asesinato político no sería conceptuado como asesinato en una sociedad que no condenara tal acto como asesinato sino que lo aceptara como una forma de determinar el caudillaje.

Con relación a la producción informativa, Grossi (1981, pág. 73) considera que el caso excepcional «no es sólo el simple acontecimiento excepcional, el puro hecho-ruptura, sino un tipo particular de acontecimiento que es, además, políticamente relevante para la dinámica social de un determinado país, en tanto que por su gravedad y/o centralidad implica el problema del control social, de la lucha política, de la legitimación de las instituciones, de la identidad y de las imágenes colectivas». En esta misma definición puede apreciarse la incidencia de lo social en el acontecimiento.

Por ello se puede decir que, de hecho, la noticiabilidad de los acontecimientos es una valoración socialmente asumida, aunque no necesariamente compartida. Así lo afirma también Böckelmann (1983, pág. 63): «Que todos los individuos que toman parte en la comunicación de masas "reconozcan" las reglas institucionalizadas de la atención no significa que estén de acuerdo con ellas, que las justifiquen, etc. Pero lo que sí significa ciertamente es que "entienden" dichas reglas y seleccionan de acuerdo con ellas».

2.2. Las reglas de selección de los acontecimientos

La selección de los acontecimientos del sistema de comunicación de masas se basa, según Böckelmann (1983, pág. 65 y sigs.) en unas reglas de atención que resumo y comento seguidamente:

1. La referencia a lo personal, a lo privado y a lo íntimo. Esto hace referencia a las llamadas noticias de interés humano, en las que uno se puede sentir identificado con los protagonistas. Sin embargo, esta regla puede tener una derivación perversa. Uno de los fenómenos que se ha dado en la televisión es lo que se conoce con el nombre de «telebasura». En ella, como explica Imbert (2003, págs. 107-121), se produce una espectacularización del ámbito de lo privado, de la intimidad generalmente conflictiva.

2. Los síntomas del éxito personal, de la consecución del prestigio. Evidentemente los medios de comunicación transmiten una serie de valores sobre lo que se considera el éxito. A partir de estos modelos, determinados medios de comunicación recogen, especialmente, la vida de determinados actores: los triunfadores. Pero

muy relacionado con el fenómeno anterior de la telebasura nos encontramos que un síntoma del éxito es ser objeto de atención por los medios. Así los medios van realimentando su propia producción.

3. La novedad, la «modernidad» de los fenómenos, las últimas tendencias. Los medios se muestran muy atentos a las nuevas tendencias que van surgiendo en la sociedad. Así se suelen hacer eco de las últimas modas, que van reemplazándose unas a otras, y a las que los medios coadyuvan a darles carta de naturaleza.

4. Los síntomas del ejercicio del poder y su representación. El ejercicio del poder, político, económico, judicial, etc., es objeto de especial atención por parte de los medios de comunicación.

5. La distinción entre normalidad y anormalidad, acuerdo y discrepancia con respecto a la orientación de la conducta individual y su valoración. Aquellos acontecimientos en los que entran en juego valores sociales se plantean tanto para señalar valores no aceptables socialmente como para recoger la polémica sobre la aceptación de los mismos.

6. La violencia, la agresividad y el dolor. Los delitos, los accidentes, las catástrofes reciben una notable atención por parte de los medios de comunicación. Como recoge Gil Calvo (2003), parafraseando a McLuhan, el miedo es el mensaje. Este autor aborda la «particular interacción que se da entre el riesgo imprevisto por imprevisible que se deriva de la globalización y el visible riesgo que revelan y difunden los medios de comunicación» (Gil Calvo, 2003, pag. 36). Los medios visibilizan cierta violencia, de forma que si nos sintiéramos implicados por toda la violencia que sucede en nuestro mundo, no podríamos dejar de sentirnos constantemente amenazados.

7. La consideración de las formas de la competición bajo el aspecto de lucha con connotaciones afectivas de competencia de *status* y de rivalidad personal. Los me-

dios suelen presentar y fomentar la rivalidad, por ejemplo, de distintos equipos de fútbol. Así, si en un derbi no se escenifica la suficiente rivalidad, pueden llegar a adjetivarlo de «descafeinado».

8. Referencia al incremento de la propiedad en el aspecto de los ingresos y haberes personales y del enriquecimiento individual. No sólo suelen aparecer listas de las personas más ricas de un país o del mundo, sino que en ocasiones son objeto de reportaje personas a las que se les identifica como, por ejemplo, «la segunda mujer más rica del país». También inevitablemente, en España, la lotería de navidad llena páginas de información sobre los afortunados en el sorteo.

9. Las crisis y los síntomas de crisis. Seguramente las crisis sean una de las circunstancias que más atraigan a los medios de comunicación. Como nos recuerda Borrat (1989, págs. 14-37), en relación a la información política, una de las principales características del periódico es la de ser narrador, comentarista y participante de los conflictos.

10. La observación de lo extraordinario, de lo singular y de lo exótico. En las aproximaciones a la multiculturalidad, en ocasiones, los medios de comunicación se fijan precisamente en lo más chocante de las culturas ajenas. Pero recordemos que la reducción de los otros a lo exótico no es una característica sólo del discurso periodístico (Said, 2003).

Normalmente un asunto debe cumplir varias de estas reglas para su selección. Además entran en juego distintos factores contextuales y coyunturales variables. No voy a entrar a fondo en el comentario de estas reglas de atención de los medios, que el mismo Böckelmann considera un catálogo abierto a remodelaciones. Simplemente deseo dejar constancia de las mismas y recordar con Böckelmann (1983, págs. 72-80) que estas reglas de atención suponen implícitamente que otros temas apenas concitan la atención de la mayoría de los medios:

la violencia doméstica (hasta hace relativamente poco tiempo), el despilfarro en las sociedades ricas, el trabajo embrutecedor, la manipulación publicitaria, los engaños periodísticos (Burguet, 2004), las experiencias democráticas alternativas, la influencia de los grupos de presión sobre las distintas instituciones, la ausencia de igualdad, los intereses de la industria armamentista, la miopía sobre los efectos de las drogas legales, la explotación de los inmigrantes, la ausencia de recursos para las enfermedades no rentables porque los enfermos son pocos o son muchos pero sin recursos económicos, las cloacas de las democracias, etc.

Sin embargo, me parece obligado resaltar las consecuencias en la producción del sentido de estas reglas de atención. En un estudio de la producción televisiva Franco Rositi (1980) se pregunta por qué ésta tiene, a nivel explícito, el carácter de una enumeración sin nexos ni explicaciones. La respuesta la encuentra este autor en la concepción relativista de la ideología capitalista que sintetiza en las siguientes proposiciones:

«1. La realidad social global es el producto de innumerables acciones independientes.

2. Las grandes regularidades, las grandes agregaciones de intereses y las grandes reglas que se constatan en este producto tienen siempre raíz en el desarrollo espontáneo de estas innumerables acciones independientes y los significados que les atribuyen los actores.

3. En consecuencia, la definición y la interpretación de estas grandes regularidades, de estas grandes agregaciones de intereses y de estas grandes reglas coinciden con su misma producción; sólo los sujetos que las producen, o bien los sujetos en general, están autorizados a definirlas y a interpretarlas cada uno de ellos de manera subjetiva.

Para esta concepción fundamentalmente relativista, no es posible una interpretación objetiva, sólo se puede informar acerca de concretas acciones-acontecimientos o bien interpretar a partir de intereses o de "puntos de vista"» (Rositi, 1980, pág. 292).

Volviendo de nuevo a la determinación del acontecimiento en el sistema de los *mass media* se pueden recoger algunas de las condiciones que deben satisfacer los acontecimientos para ser noticias. La relación que recojo y comento, a continuación, es de Galtung y Ruge (1980, pág. 120) y está basada en la psicología de la percepción. Como podrá apreciarse, no se trata de temas como en el caso de Böckelmann, sino de una serie de factores que determinan la selección de las noticias. Éstos son:

1. Frecuencia. Si un acontecimiento se produce en un tiempo ajustado a la periodicidad del medio y a su tiempo de producción es más probable que se convierta en noticia. Así, por ejemplo, *El Periódico* (28/X/1997, pag. 17) explicaba el cronograma de su jornada productiva y en ella se señalaba que de 20 a 22 horas se cierra el contenido de las páginas del diario y de la portada. Por ello aquellos acontecimientos inesperados que se conozcan a última hora de la tarde tendrán más difícil ser noticia, ya que hacen cambiar la programación establecida por el medio. Es cierto que la radio y, en menor medida, la televisión (ya que necesita editar las imágenes), pueden tener un tiempo de producción menor, pero no dejan de necesitar un tiempo de producción. Estas diferencias en la frecuencia productiva produce que, por ejemplo, en la concesión de los premios Oscar de cinematografía un espectador español haya podido seguir de madrugada la retransmisión en directo por la televisión o que haya escuchado la crónica radiofónica, sobre los galardonados, al levantarse por la mañana, pero al comprar el periódico se encuentra que esta información no está en su diario. Por lo que hace a la prensa, quizá donde el tiempo de producción se pueda reducir es en la prensa electrónica, que puede ir actualizando sus contenidos a medida que se vayan produciendo los acontecimientos. Pero, en la actualidad,

hay que señalar que una cosa es la potencialidad comunicativa y otra la realidad de la prensa electrónica (Machado, 2000).

2. Umbral. Se percibe más un acontecimiento cuyo umbral de intensidad sea muy alto o si su nivel normal de significación tiene un aumento repentino. Por ejemplo, en un secuestro los momentos de mayor intensidad son el inicio del secuestro y su desenlace. Si durante estos dos momentos no se produce ninguna novedad o no aparece algún indicio significativo, su umbral de intensidad disminuye. Para un medio de comunicación, que en un acontecimiento todo siga igual, a la larga, le hará perder noticiabilidad.

3. Ausencia de ambigüedad. Cuanto menos ambiguo sea el significado de un acontecimiento es más probable que sea noticia. Un periodista está comprometido en dar significado a los fenómenos que percibe. En el caso de que no tenga claro ante qué tipo de acontecimiento se encuentra o si, por ejemplo, tiene miedo que una fuente lo esté intoxicando es muy posible que no conceda al dato la categoría de noticia, hasta que se cerciore mejor de su significado.

4. Significatividad. Ésta se puede dar por afinidad cultural o por relevancia del acontecimiento. Así, aumenta la posibilidad de selección si un acontecimiento conecta con los intereses y la cultura de una determinada comunidad. Todo periodista sabe que cuando gana el equipo local de fútbol se venden más diarios. En España, hace algunos años, el inicio del Ramadán no era significativo ya que la comunidad islámica era reducida. Actualmente, se trata de un acontecimiento suficientemente significativo para que algunos medios lo recojan como noticia.

5. Consonancia. Ante determinadas expectativas de la audiencia, un acontecimiento tendrá más posibilidades de ser seleccionado si se adecua a estas expectativas. El tema que aquí se plantea es si estas expectativas co-

rresponden a la audiencia o son inducidas por los medios de comunicación. Por ejemplo, en el caso de las informaciones sobre Lady Di (la Princesa de Gales, Diana Spencer) se podría plantear hasta qué punto los medios son los que pretendían hacer interesantes los acontecimientos que acaecían. De todas formas es difícil saber qué hay de interés originario y qué de interés provocado. Lo que es cierto es que si los periodistas intuyen que un acontecimiento puede ser de interés para su audiencia lo convertirán más fácilmente en noticia.

6. Imprevisibilidad. Ante dos acontecimientos parecidos tendrá más posibilidades de ser seleccionado el más impredecible y raro. Hay un juego curioso en los medios de comunicación cuando recogen acontecimientos que, por su rareza, parecen poner a prueba nuestra credibilidad. Lo inesperado, lo curioso, lo extravagante suele llamar la atención de los medios. Téngase en cuenta que el acontecimiento, como ya he apuntado, es la ruptura de las normas y el efecto sorpresa añade un plus de interés.

7. Continuidad. Al aparecer un acontecimiento noticiable, se producirá una continuidad con acontecimientos que guardan relación con él. Hay acontecimientos que, por una serie de características, se convierten en noticias y pueden producir un clima de opinión en las redacciones por el que acontecimientos que, en otro momento, no hubieran sido noticias en aquel momento aparecen en el circuito informativo. Es curioso cómo en España, hace unos años, el famoso aforismo periodístico de que «No es noticia que un perro muerda a un hombre, sino que un hombre muerda a un perro» se demostró que era falso. Así, a raíz de una serie de noticias sobre perros que habían causado graves lesiones, empezaron a surgir noticias sobre perros que mordían. Otro tanto pasó con el acoso sexual de la mujer en el trabajo. A partir de la noticia sobre una sentencia que considera como atenuante de la conducta del acosador

el que la víctima llevara minifalda, empezaron a salir casos de acoso sexual de la mujer en el trabajo. Posteriormente, este tipo de informaciones desaparecieron del panorama informativo.

8. Composición. Un medio de comunicación transmite un conjunto de noticias que debe ser equilibrado. Es decir, los acontecimientos también se seleccionan con relación a la composición general del medio. De esta forma, en unas circunstancias determinadas un acontecimiento puede tener cabida en un *mass media* y en otras no. De hecho, cuando aparece un caso excepcional se produce un apagón informativo de, como mínimo, la sección correspondiente al tema. Por ejemplo, cuando se produjo el atentado terrorista de las Torres Gemelas en Nueva York, el 11 de septiembre de 2001, en las páginas de internacional de los diarios españoles diminuyó drásticamente la aparición de otros temas. Lo mismo sucedió en las páginas de nacional cuando se produjo el atentado del 11 de marzo de 2004 en Madrid. Este efecto de solapamiento de los temas hace que cuando haya muchos acontecimientos de una sección, en principio, hay menos posibilidades de ser noticia ya que los acontecimientos compiten entre sí por el espacio o tiempo limitado de un medio informativo.

9. Valores socioculturales: referencia a naciones de élite, a personas de élite, o a cualquier cosa negativa. Los acontecimientos que hacen referencia a personas o a países que tienen un reconocido prestigio, lo que hace que sean representados como modelos, tendrán más posibilidades de ser noticia que la de una persona anónima o un país desconocido. Aunque, en último caso, hay que recordar que los sucesos hacen frecuentemente referencia a personas anónimas o países sin demasiado peso internacional. En este criterio entraría también en juego la atracción de los medios de comunicación hacia lo negativo. Recordemos el conocido aforismo: «No hay noticias, buenas noticias».

No hay que pensar que estos criterios se aplican de forma mecánica. Así, estos autores establecen tres hipótesis sobre la acción conjunta de estos factores.

a) La agregación. Cuando más factores noticiosos están asociados a un acontecimiento determinado más probabilidades tienen de ser noticia.

b) La complementariedad. Puede darse un acontecimiento en que uno de los factores sea poco relevante, pero esto puede compensarse por la mayor relevancia del otro.

c) La exclusión. Un acontecimiento que carezca de todos estos factores no llegará a ser noticia.

Así, por ejemplo, cuanto menor sea la importancia internacional de una nación, los acontecimientos que en ella se produzcan deberán tener un mayor número de condiciones para ser noticia.

A pesar de las críticas que ha recibido, principalmente por su visión fundamentalmente psicológica, este esquema ha demostrado su utilidad en el análisis de los criterios de noticiabilidad en la televisión holandesa (Bergsma, 1978).

Para Wolf (1987, pág. 286) los elementos a destacar en la construcción de la noticia son los siguientes:

a) La importancia de un acontecimiento está determinada por las exigencias de la organización periodística.

b) Los valores/noticia son criterios activados en conjunto y según jerarquías cambiantes.

c) En la utilización de las fuentes intervienen numerosos criterios prácticos.

d) La composición de los informativos es una especie de «compromiso» entre elementos predeterminados e imprevistos.

e) En las modificaciones *in extremis* del guión se valora la importancia del acontecimiento frente al «coste» de la modificación.

f) La rigidez de la organización del trabajo está mitigada por la receptividad a los acontecimientos imprevistos.

Algunas de estas características las retomaremos en los próximos capítulos. De todas formas, de lo expuesto en este apartado debería quedar claro que en el sistema de los *mass media* se da una determinación de lo que van a ser los acontecimientos dignos de atención para constituirse en noticia. Estos acontecimientos tendrán unas características determinadas que son asumidas tanto por los productores como por los consumidores de noticias.

3. Las fuentes periodísticas

El tema de las fuentes es una parte muy importante en el proceso productivo de la noticia y en el estudio de la profesionalidad periodística. El nexo entre acontecimiento-fuente-noticia es central en la construcción de la realidad periodística.

A continuación, voy a recoger algunas investigaciones de interés que aportarán luz suficiente sobre esta temática.

Molotch y Lester (1975, pág. 102 y sigs.) señalan que podemos distinguir del conjunto de hechos, que son las noticias, un encadenamiento de hechos (*happenings*), acontecimientos (*occurences*), información (*event*) y temas (*issues*). Los hechos sería todo lo que sucede en el mundo. Los acontecimientos son un conjunto de hechos conocidos. Un acontecimiento es una información si alguien lo utiliza en un momento dado para estructurar su experiencia. Así, por extensión, califican como *public event* aquellos acontecimientos utilizados para estructurar la vida colectiva y a través de los cuales las sociedades organizan y comparten de manera simbólica su pasado, presente y futuro. Un tema sería una información que se puede utilizar desde formas diferentes e incluso opuestas.

Conseguir promover un acontecimiento al rango de *public event* requiere un trabajo considerable y es un índice de poder. El establecimiento de un acontecimiento público depende principalmente de tres factores: los promotores de noticias (las fuentes), los constructores de noticias (los periodistas) y los consumidores de noticias (la audiencia).

Molotch y Lester (1980) vienen a mostrar la lucha para la promoción de los acontecimientos a través de la diferente accesibilidad, de los distintos actores sociales, a los media. Se establece, por consiguiente, una jerarquía de los promotores de noticias. Así, las instituciones a nivel nacional se imponen a las locales, y las grandes empresas a los grupos de ciudadanos. Como puede apreciarse se trata de relaciones de poder. Mientras que hay actores sociales que tienen un acceso prácticamente inmediato a los medios (ya sea para promover informaciones, ya sea para conseguir que se publiquen rectificaciones), otros actores sociales difícilmente entran en el circuito informativo.

A partir de estas circunstancias establecen una tipología de acontecimientos que parte del criterio de distinción de la promoción de los acontecimientos para hacerlos accesibles al público.

El esquema que Molotch y Lester (1980, pág. 222) establecen al respecto es el siguiente:

	Hechos realizados intencionalmente	Hechos realizados no intencionalmente
Promovidos por las fuentes	Rutina	Hallazgo (*Serendipity*)
Promovidos por periodistas	Escándalos	Incidentes

1. La rutina corresponde a los acontecimientos rutinarios producidos intencionalmente por las fuentes de los mismos; por ejemplo, una rueda de prensa. La posibilidad de acceso a este tipo de acontecimientos puede ser:

   a) los promotores tienen un acceso habitual a los medios;
   b) acceso de ruptura, por ejemplo, una manifestación;
   c) acceso directo. Por la coincidencia entre los promotores del acontecimiento y los periodistas.

2. Escándalo. Es un acontecimiento de rutina que, por una cuestión u otra, no sigue la estrategia de creación del acontecimiento de las fuentes del mismo.
3. Los incidentes. Se diferencian de los anteriores acontecimientos en que el hecho no se ha realizado en principio intencionalmente y en aquellos que promueven el acontecimiento público no coinciden con aquellos cuya actividad ha causado el hecho.
4. Hallazgo —*Serendipity*—. Esta palabra viene de un antiguo nombre de Ceilán (Sri Lanka). Periodísticamente señala la fortuna y/o habilidad de, casualmente, dar un hecho que interesa que se conozca. Tanto para la ciencia como para el periodismo la serendipidad es la facultad de hacer un descubrimiento o un hallazgo afortunado de manera accidental.

3.1. El sistema político como fuente

En la relación entre los periodistas y las fuentes informativas es lógico pensar que éstas estarán condicionadas por el tipo de acontecimiento. Es realmente muy ilustrativo al respecto el esquema del trabajo periodístico en el tratamiento de los casos excepcionales realizado por Grossi (1981). El modelo descrito por este autor es el siguiente: en primer lugar hay unos hechos primarios (por ejemplo, el atentado terrorista contra un líder político). En los días sucesivos van apareciendo una serie de hechos secundarios o acontecimientos colaterales, que no son *per se* acontecimientos excepcionales, pero que forman parte de un mismo clima de opinión. Estos hechos secundarios se producen a causa de los hechos primarios iniciales, y progresivamente los van sustituyendo en el tratamiento que se hace del caso. Además, estos hechos secundarios (definidos así desde un punto de vista estrictamente temporal) asumen la función de fuentes vicarias, en el sentido de que se convierten en «acontecimientos que explican otros acontecimientos» y acaban por transformarse en las fuentes informativas de los periodistas con relación a los casos excepcionales.

Grossi (1981, pág. 75) constata que el sujeto productor de los hechos secundarios con el valor de fuentes vicarias es siempre el mismo: el sistema político. Por lo cual señala que el poder político tiene la capacidad de influir en la información mediante la producción de acontecimientos dotados de sentido y mediante una nueva definición de la realidad. Además, el periodista que tiene necesidad de recontextualizar rápidamente el acontecimiento excepcional tiende a privilegiar las interpretaciones establecidas por el sistema político y esto le lleva a mezclar la relevancia pública del acontecimiento con la valoración establecida por el sistema político.

Así pues, según este autor, el trabajo periodístico se encuentra ante dos acontecimientos muy relacionados aunque están en diversos «niveles de realidad». El primero se manifiesta imprevisiblemente y de modo anómalo, por lo que debe ser recontextualizado. Es decir, ante un acontecimiento excepcional, el periodista debe recontextualizar el acontecimiento lo más rápidamente posible y debe descubrir el valor político y cultural del mismo. Grossi (1981, pág. 75) señala al respecto que la función periodística no consiste tanto en la capacidad de comprender y/o seleccionar el hecho excepcional, sino en la competencia contextualizante del mismo hecho. El segundo acontecimiento se produce de forma voluntaria y ya está preestructurado de modo funcional a las exigencias del caso excepcional. Es decir, contiene los elementos de valor, axiomas de legitimidad, la «racionalidad» y la coherencia medio-fines. En definitiva, poniendo de manifiesto algunos elementos, comprende la totalidad del acontecimiento.

Por consiguiente, el segundo nivel viene a sobredeterminar el primero. A lo largo de los días, desde que se produjo el acontecimiento excepcional, es el sistema político el que va recuperando su capacidad de control de la situación. Aunque, como señala Grossi (1981, pág. 78), no se puede afirmar en absoluto que sea una característica del sistema político-institucional la de producir siempre acontecimientos dotados de sentido con el fin de controlar el impacto de la información periodística.

Para Grossi (1981, pág. 82) la relación entre las fuentes de información y la profesionalidad periodística debe ser descrita de forma ambivalente en términos de las teorías de sistemas. Es una relación entre un sistema (la empresa periodística) y el ambiente (la realidad de los acontecimientos). Las fuentes representan los confines mutables, en ocasiones inestables, que regulan el equilibrio entre los dos ámbitos. La fuente sería el marco con la función de recurso y constricción, al mismo tiempo, a la cual el periodista recurre con diversas intencionalidades para concretar su competencia contextualizadora del acontecimiento-noticia. El nexo que se establece entre la fuente y el periodista es, como veremos a continuación, interactivo y reflexivo; está sujeto a negociación ideológica y lingüística y sobre todo a influencias exteriores al campo informativo. Este nexo entre fuentes y periodistas no puede ser, según Grossi (1981, pág. 83), eliminado ni a través del privilegio asignado a fuentes alternativas (las cuales usualmente tienden a preestructurar el acontecimiento), ni postulando una «politización» del periodista como garantía sobre la validez de las fuentes (sería una preestructuración a nivel ideológico), ni tan siquiera auspiciando la eliminación del rol del periodista (si la mediación no la desarrolla el periodista, ésta se realizará en otros ámbitos sociales mucho menos controlables).

«Fuente y competencia son por eso dos aspectos o fases

del mismo proceso de definición de la realidad, caracterizados, no obstante, por procedimientos y rutinas diversas y estructuradas diversamente en el ámbito social» (Grossi, 1981, pág. 83).

3.2. Periodistas y fuentes: amistades peligrosas

Las interrelaciones entre los periodistas y las fuentes son complejas, como veremos a continuación, y no siempre fáciles. Como nos recuerda Valbuena (1997, pág. 223), «las fuentes pueden dividirse en dispuestas, amables y recalcitrantes». Sin embargo, me gustaría apuntar que a veces los periodistas también son engañados por las fuentes. Como reconoce (*El País*, 27/V/2004, pág. 4) *The New York Times* los datos sobre los arsenales de armas de destrucción masiva que supuestamente poseía Irak, y que se utilizaron como uno de los principales argumentos para la invasión del país, eran falsos. En un ejercicio de autocrítica este diario acepta que fue engañado por sus fuentes: desde los opositores al régimen de Sadam Husein hasta las fuentes oficiales estadounidenses. Cuando los medios de comunicación se sienten engañados por una fuente no dudan en atribuir a ésta la responsabilidad del error. Así en Barcelona, el 29 de marzo de 2000 apareció la noticia sobre una joven que se había quedado tretrapléjica al ser apaleada por unos *skins*, en el centro de la ciudad (*El País*, 29/III/2000, pág. 30). Un día después el titular era «La policía de Barcelona duda ahora de que unos "skins" dejaran tetrapléjica a una joven» (*El País*, 30/III/2000, pág. 30). Dos días después se arremetía contra la fuente titulando «La policía de Barcelona inventó que unos «skins» agredieron a una joven y la dejaron tetrapléjica» (*El País. Cataluña*, 31/III/2000, pág. 7). El engaño es claro, en la noticia se culpa a la fuente policial que dio la noticia y se recoge el medio, una emisora de radio, que dio la supuesta exclusiva. Pero no se recoge si hubo o no contrastación con otras fuentes, aparte de la inicial y la de los otros medios de comunicación que recogieron la supuesta noticia.

Es una constante en la historia (Jacquard, 1988) los esfuerzos por parte del poder para desinformar. Precisamente porque las fuentes institucionales tienen un plus de credibilidad, su manipulación puede tener éxito más fácilmente. Seguramente, el caso más emblemático en España fue cuando el, a la sazón, presidente del gobierno José María Aznar llamó por teléfono a los directores de los principales diarios del país para asegurarles que los autores del atentado terrorista del 11 de marzo de 2004 en Madrid eran del grupo terrorista vasco ETA. Esto hizo, como los mismos diarios reconocieron, que al día siguiente atribuyeran, equivocándose, la autoría del atentado a ETA.

Neveu (2001, págs. 57-58) recoge distintas estrategias que tienen las fuentes para influir en los periodistas. Básicamente se trata de dos procedimientos: el castigo y el premio. Los periodistas acreditados en determinadas instituciones establecen una serie de relaciones con sus fuentes, que suelen plantear unas reglas del juego. Estas reglas suelen restringir el poder de investigación de los periodistas, así para quien las vulnere puede suponer, por ejemplo, la pérdida de acreditación para poder trabajar en la institución. También se da que aquellos periodistas que tengan un tratamiento crítico con las instituciones reciban la represalia de éstas en forma de quejas a sus superiores o, simplemente, entorpeciendo en lo que se pueda su labor informativa. Hay que tener en cuenta que si la estabilidad laboral del periodista en cuestión es precaria su vulnerabilidad a dichos castigos será mucho mayor. Otra estrategia es la de hacer que el periodista se sienta en deuda con la fuente. Determinadas empresas en la presentación de sus productos hacen regalos a los periodistas invitados, ya sea bienes determinados o simplemente invitando a los periodistas y a sus compañeros/as, con todos los gastos pagados, a la presentación del producto en, por ejemplo, las islas Seychelles. Así, para prevenir estos premios, el diario *El Observador* señalaba en sus normas deontológicas como principio básico el «rechazo radical de toda compensación económica, obsequio, viaje gratuito o trato de favor de cualquier tipo, generador de beneficio personal, que no sea el sueldo percibido por el propio trabajo y únicamente procedente de la empresa contratante».

Pero para ser equitativo también hay que señalar que el periodista puede intentar sonsacar a una fuente o incluso intentar que diga aquello que no quiere decir. Al respecto Burguet (2004, pág. 60) recoge un caso muy ilustrativo. Un diplomático británico, a su llegada a Nueva York, fue preguntado por un periodista si pensaba visitar algun *night-club*. Su respuesta, aparentemente diplomática, fue contestar con otra pregunta: «¿Hay *night-clubs* en Nueva York?». Es posible que esta fuente informativa pensara que contestando una pregunta con otra no se comprometía a nada. Sin embargo, al día siguiente el periódico titulaba: «"¿Hay *night-clubs* en Nueva York?" Fue la primera pregunta que hizo, al llegar a nuestra ciudad, el diplomático...».

Janet Malcolm (2004), en su obra *El periodista y el asesino*, plantea la circunstancia de cómo un periodista para ganarse la confianza de la fuente le hace creer que está a su lado y que lo apoya, pero luego el texto que publica es radicalmente distinto. El problema ético que se plantea es: ¿es lícito engañar a una fuente para sonsacarla?

3.3. Interrelaciones entre el periodista y las fuentes

Una investigación, que tiene ciertamente interés, es la que llevan a cabo Gieber y Johnson titulada «The City Hall beat: a study of reporter and sources roles» en el *Journalism Quaterly* nº 38, 1961 (citada en Mc Quail y Windahl, 1984, págs. 181-185). En ella se estudian los papeles del informador y de sus fuentes. La investigación empírica se basa en el modo en que el reportero realiza esta función al cubrir la información política local. Se descubren tres tipos de relaciones.

1. Puede darse una total independencia entre la fuente y el periodista. Es decir, hay un distanciamiento entre el que produce la noticia y el que informa sobre la misma.

Nos encontramos con el llamado periodismo de investigación. En esos casos, las fuentes que podrían dar la información al periodista se niegan a pasársela, por ello éste debe buscar fuentes alternativas o sencillamente idear alguna estrategia para obtener la información deseada. Recordemos que un ejemplo de este tipo de periodismo es el que nos da Günter Wallraff (1979 y 1987), que cambiando su identidad, y mediante la observación participante, realiza importantes reportajes de denuncia.

2. La fuente y el periodista cooperan. Fuente y periodista tienen algunos objetivos comunes: uno necesita que una determinada información se publique en el periódico y otro necesita obtener noticias para satisfacer a sus superiores y vender diarios o aumentar la audiencia. En esos casos la cooperación es máxima. Enric González (*El País Domingo*, 17/I/1993, pág. 5) apunta el origen de la información sobre unas conversaciones privadas entre Carlos de Inglaterra y Camila Parker Bowles: «No fue un reportero quien grabó las conversaciones privadas de los príncipes de Gales, sino más bien —es sólo una sospecha [...]— los servicios de seguridad nacional». En ocasiones determinadas fuentes filtran una información que les interesa que aparezca y que los medios no se pueden resistir a publicar. También puede darse el caso de que a la fuente le interesa aparecer en los medios y el periodista negocia con ella para que, en otra ocasión, le pase información cuando se lo solicite, que sea de mayor interés periodístico. Este cruce de favores respectivos va creando una serie de relaciones y complicidades entre el periodista y sus fuentes.

3. La fuente es la que prácticamente hace la noticia. Sería el caso de los comunicados oficiales. Ya en 1991, la revista *Noticias de la comunicación* (nº 24, pág. 21) señalaba que, a partir de la proliferación de los gabinetes de prensa, aumenta la denominada «información con-

vocada», en la que la fuente hace la noticia. En esta línea un lector preguntaba a la defensora del lector de *El País* (3/VI/ 1994, pág. 16): «¿Han observado la cantidad de noticias que publican cuyo origen es una conferencia de prensa, declaraciones oficiales, comunicados de sindicatos, presentaciones de libros o partes de la policía? Pues sí. Lo hemos observado e incluso contabilizado. Sabemos que un día cualquiera la sección de España puede publicar 12 noticias de este tipo frente a sólo cuatro *buscadas* por los periodistas de EL PAÍS, y que lo mismo sucede, por ejemplo, en Cultura o en Economía». En el mismo sentido, Neveu (2001, págs. 55-56) habla de la profesionalización de las fuentes. Así, recoge que en Francia, en 1995, había más profesionales que trabajaban en gabinetes de comunicación que periodistas. Las personas que trabajan en gabinetes de comunicación conocen perfectamente el trabajo periodístico y así pueden anticiparse a las expectativas de los periodistas y presentarles dossiers perfectamente confeccionados que facilitan el trabajo del periodista. Pero esto tiene un resultado: la fuente prácticamente redacta la noticia. Como reconoce Neveu (2001, pág. 56), «controlar la influencia de las fuentes supone también disponer realmente de medios financieros y humanos de recolectar información original». Hay que decir que la información redactada por la fuente sale más barata.

Como comentan acertadamente Mc Quail y Windahl (1984, págs. 184-185), «el modelo sirve como un recordatorio útil de que el "selector" (*gatekeeper*) es una parte de un sistema más amplio de relaciones sociales y de controles normativos. [...] Se trata de una relación que surge de una negociación en la que los intereses profesionales de los participantes, las metas de la fuente original y de los intereses de los lectores potenciales desempeñan un cierto papel».

Es importante señalar, por un lado, esta interrelación entre las fuentes y los periodistas principalmente, y, por otro lado, la importancia de las fuentes en la producción de la noticia. Con relación a este último punto Wolf (1981, pág. 279) señala que al analizar la producción de la noticia se constata que la actividad realizada no es dar una información según los valores profesionales, sino que se ha de respetar, por ejemplo, la forma espacio/temporal del medio o incluso, y esto es lo que deseo destacar, sacrificar alguna noticia para mantener unas buenas y productivas relaciones con las fuentes.

El conocido como secreto profesional de los periodistas lo que busca es proteger a sus fuentes y no verse obligado a desvelar su identidad. El año 2002 se cumplieron 30 años de seguramente la fuente más famosa y anónima del periodismo internacional: «Garganta Profunda». Bob Woodward y Carl Bernstein siguen sin revelar la identidad de su mítica fuente en el caso del Watergate. Pero no siempre se celebra que el periodista no revele sus fuentes. Una periodista de *The New York Times* ha sido condenada a 18 meses de cárcel por no revelar sus fuentes (*El País*, 12/X/2004, pág. 29). Se trata de una filtración sobre la identidad de un agente de la CIA. Lo curioso del caso es que el artículo no llegó a publicarse. Aun así el juez, ante la posibilidad de que escribiera la crónica, dictó la sentencia.

Las relaciones de los periodistas con sus fuentes confidenciales a veces son tan exclusivas que la identidad no es conocida ni por los demás miembros de la redacción. Sin embargo, en ocasiones, sus superiores pueden pedir conocer las fuentes. Así, la BBC podrá exigir a sus periodistas revelar las fuentes a la dirección en determinados casos (*El País*, 24/VI/2004, pág. 31).

Recordemos que el secreto profesional reivindicado por los periodistas pretende, fundamentalmente, no revelar las fuentes que les han dado una información confidencial.

Donde las fuentes adquieren una papel más importante, si cabe, es en el periodismo de investigación. Agostini (1985, págs. 432-434) se plantea cómo una fuente puede constituirse y legitimarse como tal, para afirmar a continuación que la utilización de una fuente variará en función de «la colocación de la fuente en la estructura del poder económico, político y social, de su homogeneidad cultural con los redactores, de su economía y de su productividad» (Agostini, 1985, pág. 432). Es decir, que las fuentes deben ser fácilmente accesibles y proporcionar información útil al periodista. Aunque hay que recordar que este tipo de generalizaciones son aproximativas. De todos modos, hay que dejar constancia del peso de las fuentes institucionales (instituciones del Estado, grandes empresas, etc.), ya que, en primer lugar, son de fácil acceso porque tienen gabinetes de comunicación que proveen a los periodistas de información autorizada y, en segundo lugar, están legitimadas como fuentes de consulta obligatoria de acuerdo con las normas de trabajo del periodista.

Agostini (1985, págs. 432-433) plantea dos consideraciones de interés: «Primero, las fuentes mejor situadas en el orden y en la jerarquía de la sociedad condicionan a los periodistas porque son las más sistemáticamente consultadas. [...]

Segundo, la misma organización del trabajo periodístico cotidiano impone límites y condiciones a la red de fuentes y, por consiguiente, a la profundización del periodista».

Hay, con relación al primer punto, como afirma Livolsi (1985, pág. 393), una institucionalización de las fuentes. Una serie de actores sociales tienen una especie de derecho de acceso semiautomático a los medios de comunicación, tanto en lo que se refiere a transmitir el mensaje que desean como a conseguir la rectificación de una información que les afecta y con la que no están de acuerdo.

Por lo que respecta al segundo punto hay que señalar también la existencia de unas fuentes de rutina que son las consultadas habitualmente ante determinados acontecimientos. Para no caer en un equívoco hay que puntualizar que estas fuentes de rutina suelen ser, en determinados acontecimientos, las fuentes privilegiadas que hemos señalado. Es decir, no nos encontramos ante dos tipos de fuentes distintas.

También hay fuentes no habituales, no rutinarias, que deben ser buscadas por los periodistas. Fundamentalmente sería en los casos del periodismo de investigación, cuando hay que ir más allá de la información de fácil acceso. Hay también intentos, por parte de distintas instituciones, de fomentar el uso de fuentes alternativas. Así, por ejemplo, el Col·legi de Periodistes de Catalunya, en colaboración con el Ayuntamiento de Barcelona, ha editado una *Agenda de la multiculturalidad de Barcelona*. En ella se recogen, además de un manual de estilo para un periodismo solidario, los datos (direcciones, teléfonos, *mails*, etc.) tanto de instituciones oficiales como de entidades no gubernamentales, asociaciones de personas inmigradas, asociaciones de personas del pueblo gitano, expertos y comunicadores relacionados con el tema de la multiculturalidad. La idea es facilitar al periodista el uso de fuentes alternativas, a las que en ocasiones es difícil acceder.

En una investigación que he realizado (Rodrigo, 1986) distingo dos tipos de fuentes. Por un lado, las fuentes utilizadas y por otro las fuentes mencionadas. En principio, las fuentes mencionadas son también fuentes utilizadas, pero no todas las fuentes utilizadas son mencionadas. Es decir, nos encontramos en dos niveles distintos, uno el de la producción y el otro el de la manifestación.

Con relación a las fuentes utilizadas por los periodistas hay que recordar el establecimiento de redes informativas. Los medios de comunicación sitúan a sus periodistas en una serie de instituciones legitimadas como fuentes, pero a su vez la situación de los periodistas en estas instituciones refuerza la legitimación pública de las mismas.

Como manifiesta Tuchman (1983, pág. 36), «la red informativa impone un orden al mundo social porque hace posible que los acontecimientos informativos ocurran en algunas zonas pero no en otras». Para el establecimiento de esta ordenación social de la red informativa Tuchman (1983, pág. 38) establece tres presunciones sobre los intereses de los lectores:

1. Los lectores están interesados en sucesos que ocurren en lugares específicos. Si un lector compra un periódico local, posiblemente estará más interesado en obte-

ner información sobre acontecimientos locales que sobre política internacional. Así pues, el diario deberá cubrir estas informaciones que difícilmente le llegarán por las agencias de prensa.

2. Les importan las actividades de organizaciones específicas. Seguramente a este lector del periódico local le interesará saber las decisiones que se han tomado en su ayuntamiento o lo que ha hecho el equipo de fútbol de la localidad.

3. Se interesan por tópicos específicos. Como se puede deducir fácilmente, a nuestro lector del periódico local le interesan los temas de política municipal y deportes.

El establecimiento de estas redes periodísticas es muy importante porque establecen una configuración informativa del mundo. El mundo se ordena a partir de estos criterios apuntados. Así se visibilizan determinados territorios, instituciones y tópicos, mientras que otros quedan en la penumbra o en la más completa oscuridad.

Parece bastante claro que las redes informativas establecidas institucionalizan la utilización de unas fuentes. Retomemos la distinción hecha anteriormente entre fuentes utilizadas y mencionadas. Las primeras no pueden ser estudiadas exhaustivamente mediante el análisis de contenido, sino que exigen una investigación de la producción informativa. Aquí me limitaré a las segundas, porque tienen una gran importancia discursiva.

Las fuentes que aparecen en los discursos informativos son importantes porque son las que se institucionalizan socialmente. Incluso cabría apuntar que son elementos esenciales para el estatuto veridictorio de estos discursos. Además, este efecto de «decir verdad» se afianza precisamente porque los medios suelen recoger las mismas noticias. Al respecto es muy ilustrativo un cuento del escritor uruguayo Eduardo Galeano (*El País*, 13 /XI/ 1988):

«Pedro Algorta, abogado, me mostró el gordo expediente del asesinato de dos mujeres. El doble crimen había sido a cuchillo, a fines de 1982, en un suburbio de Montevideo. La acusada, Alma Di Agosto, había confesado. Llevaba presa más de un año; y parecía condenada a pudrirse de por vida en la cárcel.

Según es costumbre, los policías la habían violado y la habían torturado. Al cabo de un mes de continuas palizas, le habían arrancado varias confesiones. Las confesiones de Alma Di Agosto no se parecían mucho entre sí, como si ella hubiera cometido el asesinato de muy diversas maneras. En cada confesión había personajes diferentes, pintorescos fantasmas sin nombre ni domicilio, porque la picana eléctrica convierte a cualquiera en fecundo novelista; y en todos los casos la autora demostraba tener la agilidad de una atleta olímpica, los músculos de una «forzuda» de feria y la destreza de una asesina profesional. Pero lo que más sorprendía era el lujo de detalles: en cada confesión, la acusada describía con precisión milimétrica ropas, gestos, escenarios, situaciones, objetos... Alma Di Agosto era ciega. Como ella había nacido y crecido en la miseria, aceptaba, con el fatalismo de los pobres, esta nueva desgracia. Sus vecinos, que la conocían y la querían, estaban convencidos de que ella era culpable:

—¿Por qué? —preguntó el abogado.

—Porque lo dicen los diarios.

—Pero los diarios mienten —dijo el abogado.

—Es que también lo dice la radio —explicaron los vecinos—. ¡Y la tele!»

Las fuentes mencionadas han sido objeto de estudio de mi análisis de contenido (Rodrigo, 1986), de cuyos resultados se pueden destacar una serie de datos interesantes.

Hay que reseñar que estos datos hacen referencia a la totalidad de los casos sin diferenciar los diarios analizados.

1. La fuente citada con un mayor porcentaje (49,7 %) es la categoría «Otros *mass media*». Como explica Tuch-

man (1983, pág. 36), los principales redactores noctur-
nos de los periódicos de la mañana reciben una copia
del diario de la competencia para comprobar si se han
olvidado alguna noticia importante. Evidentemente, el
sistema de los *mass media* se autorrealimenta. Los distintos medios se proporcionan información entre sí.
Pero además, como aquí se constata, se cita a los otros
medios de comunicación de masas como fuente de información de forma reiterativa. Esta autorreferencialidad puede provocar el efecto «bola de nieve», que hace
que la información dada por un medio se propague rápidamente a los demás medios, a veces sin las necesarias verificaciones.

De esta autorreferencialidad del sistema informativo podemos sacar como mínimo dos consideraciones:

a) Se da una autolegitimación del sistema informativo
como fuente principal en la construcción del discurso
periodístico.
b) Se da una cierta homogeneidad en los acontecimientos publicados, produciéndose un efecto de
adición o de eco que afianza el tipo de realidad
descrita por el sistema informativo.

2. Otras fuentes con un alto porcentaje son las político-
institucionales («partidos políticos», «Administración
Central», etc.). Éstas son fuentes que aparecen a través,
predominantemente, de sus propios comunicados y
que suelen tener un acceso directo a los medios. Una
breve reflexión que quisiera hacer al respecto es que
precisamente la predominancia explícita de este tipo de
fuente viene a determinar de alguna manera el carácter
político de cierta información. Por ejemplo, las instituciones políticas no reaccionan igual ante un acto de delincuencia común que ante un acto terrorista.
3. El tipo de acto condiciona también las fuentes común-
mente citadas. Es el caso, por ejemplo, del portavoz de

la familia que en los secuestros se convierte en la principal fuente de noticias.
4. Un dato a tener en cuenta es el papel de los terroristas como fuente informativa. Los datos de mi investigación me llevan a considerar que los terroristas se presentan como fuentes inevitables aunque sea simplemente para la reivindicación de la autoría mediante un comunicado. De hecho son fuentes privilegiadas como promotores intencionales de los hechos.

Siguiendo la clasificación de Molotch y Lester (1980, pág. 222), cabría incluir los actos terroristas en los acontecimientos de rutina que tienen acceso al sistema comunicativo mediante la ruptura que suponen. Con relación a la clasificación de Gieber y Johnson, que hace referencia a la relación entre los periodistas y sus fuentes, hay que decir que prácticamente se pueden dar los tres tipos de relación establecidos.

En cualquier caso hay que afirmar que las fuentes terroristas han institucionalizado también su comportamiento, de forma que después de un atentado, generalmente, se espera el comunicado reivindicativo de la organización autora.

4. El trabajo periodístico

Bechelloni (1978b, pág. 175) supedita el trabajo periodístico, «los puntos fijos de observación, la división del trabajo en el interior del periódico, la jerarquía profesional, la modalidad de acceso, la carrera, el reparto del espacio...», a cuatro proposiciones que son las que dan sentido a todo el trabajo periodístico, ya que de dichas proposiciones se derivan una serie de consecuencias del modo de hacer la información en la sociedad burguesa:

1. Los hechos relevantes para los *mass media* son los hechos excepcionales, es decir, los que rompen la normalidad, la continuidad. Son los hechos-ruptura los que se convierten en noticia. Se trata pues de noticia-ruptura.
2. Como excepción a la primera proposición, recoge otra categoría de hechos: los hechos-noticia. Se trata de los hechos que han sido realizados precisamente para ser noticia. De estas dos proposiciones se derivan otras dos que hacen referencia a los sujetos sociales (las

fuentes) que en el modelo liberal-burgués de la información son los productores de los hechos-ruptura y de los hechos-noticia.
3. No todos los sujetos sociales son competentes para producir hechos-ruptura y hechos-noticia, ni todos estos hechos tienen el mismo significado desde el punto de vista del *statu quo*.
4. El sistema político recibe una atención privilegiada por parte de los *mass media*: «Entre los sujetos sociales productores de hechos-ruptura y de hechos-noticia emerge en los *mass media* un sujeto privilegiado —la clase política— depositaria de la función de continuidad y mantenimiento del orden».

Desde la perspectiva del modelo de la información liberal, Bechelloni sostiene que la discrecionalidad de actuación de un periodista en particular, o de un medio de comunicación, es relativamente reducida, al menos en lo que respecta a los hechos-ruptura y a los hechos-noticia; y eso hasta el punto de que cuanto más el modelo profesionalizado se difunde y es aceptado, tanto más se reduce el ámbito de la discrecionalidad.

Esta reducción de discrecionalidad da lugar a que los discursos periodísticos informativos de los distintos medios sean semejantes. Esto denota que, por encima de las diferencias ideológicas de los diarios, unas normas generales de producción de los discursos periodísticos informativos son asumidas por los mismos. La determinación del acontecimiento, las fuentes, el trabajo periodístico en sí, son elementos de un proceso de producción institucionalizado. El cambio radical de alguno de estos elementos supondría la alteración del tipo de prensa.

Ante un acontecimiento que remita, por ejemplo, al mundo del terrorismo, el trabajo periodístico se desarrolla de acuerdo con unas pautas establecidas. De ahí que los discursos producidos tengan, en general, unas similitudes constatables. Pero además las características de estos discursos son, a su vez, reconocidas por los destinatarios. Independientemente de que, en ocasiones, el lector pueda tener una concepción distinta sobre la violencia política, éste podrá identificar claramente que se encuentra ante un discurso periodístico informativo sobre un acto terrorista.

Por otro lado, esta homogeneidad discursiva refuerza la ilusión referencial (Rodrigo, 1984) creada por los *mass media*. Al comparar la información de distintos medios aparecen, salvo matices, las mismas fuentes, se utiliza una terminología semejante, etc. La discrecionalidad en la producción discursiva es reducida. Recordemos que toda producción está condicionada por las prácticas productivas. Además, cuando estas prácticas están muy profesionalizadas suelen diferir poco de un profesional a otro. Por ello a mayor profesionalidad se da una menor discrecionalidad productiva.

Como estamos viendo a lo largo de mi exposición, hay una serie de condicionantes que hacen de la actividad periodística un comportamiento reglado en el que lo más difícil es precisamente la ruptura del mismo, aun en casos excepcionales.

4.1. Las rutinas informativas

Un elemento que considero de interés mencionar, y que contribuye de forma consuetudinaria al establecimiento del trabajo periodístico, son las llamadas rutinas informativas.

Como observa Tuchman (1983, pág. 226), «el procesamiento de la noticia se hace rutina de acuerdo con la manera como se piensa que se desarrollan los sucesos en las instituciones legitimadas; predecir el curso que seguirán los relatos de secuencias en instituciones legitimadas permite a los jefes de sección planificar qué reporteros quedarán disponibles, cada día, para cubrir las noticias súbitas».

Hay que decir, pues, que las rutinas no sólo permitirán predecir las noticias de secuencia, sino también que serán utilizadas por el periodista a la hora de enfrentarse a una noticia súbita.

Recordemos al respecto las tipificaciones que Tuchman (1983, pág. 64) establece, distinguiendo noticias blandas, duras, súbitas, en desarrollo y de secuencia.

Tipificación	¿Cómo se ha programado el acontecimiento?	¿Es urgente la diseminación?	¿La tecnología afecta a la percepción?	¿Están facilitadas las predicciones del futuro?
Blanda	No programado	No	No	Sí
Dura	Improgramado y preprogramado	Sí	A veces	A veces
Súbita	Improgramado	Sí	No	No
En desarrollo	Improgramado	Sí	Sí	No
De secuencia	Preprogramado	Sí	No	Sí

Clarifiquemos algunos términos: «Un suceso como noticia *no* programado es un suceso cuya fecha de diseminación como noticia es determinada por los informadores. Un suceso como noticia preprogramado es un suceso anunciado para una fecha futura por sus participantes; su noticia ha de diseminarse el día que ocurre o el día después de que ha ocurrido. Un suceso como noticia *im*programado es aquel que ocurre inesperadamente; su noticia ha de diseminarse ese día o el día después» (en cursiva en el original) (Tuchman, 1983, pág. 65).

«Tipificación se refiere a la clasificación en la que las características relevantes son básicas para la solución de las tareas prácticas o de los problemas que se presentan y están constituidas y fundadas en la actividad de todas las días» (Tuchman, 1983, pág. 63).

Mediante estas tipificaciones estaríamos ante lo que Schutz denominaba «recetas» (Campbell, 1985, pág. 241). El cúmulo de conocimiento común contiene «recetas» que están aceptadas socialmente y que sirven para enfrentarse a los problemas que son recurrentes.

Una noticia blanda es un relato de interés humano que no

pierde actualidad aunque se publique más tarde. Es decir que se puede mantener varios días sin publicar y la información no pierde vigencia. Un ejemplo sería la información sobre una experiencia intercultural de una escuela.

Una noticia dura es una información cuyo grado de obsolescencia es alto, si no se publica inmediatamente pierde vigencia. Por ejemplo, sería la información sobre una declaración del presidente de gobierno.

Una noticia súbita, que sería un tipo de noticia dura en el grado de obsolescencia, tiene como característica principal la de ser imprevista (improgramada). Una noticia súbita sería un incendio.

Una noticia en desarrollo es una noticia en la que se van produciendo acontecimientos nuevos o que produce derivaciones que también son noticia. Un ejemplo sería la detención del pirómano causante del incendio.

Una noticia de secuencia «es una serie de relatos sobre el mismo tema basados en sucesos que están ocurriendo durante un período» (Tuchman, 1983, pág. 62). Una noticia de secuencia sería las reacciones de los distintos partidos políticos a las declaraciones del presidente de gobierno.

Con relación a estas rutinas informativas, Tunstall (1980) discrepa de las mismas al calificar la organización periodística como burocracia de la no-rutina. A partir de las condiciones establecidas por Galtung y Ruge (1980), que deben satisfacer los acontecimientos para ser noticias, afirma: «Estas características, que indican las probabilidades que tiene un acontecimiento de transformarse en noticia, garantizan que la información no podrá nunca convertirse en un producto industrial estandarizado: el tipo de trabajo desarrollado por los periodistas es de "no-rutina", y en este trabajo se encuentra un elevado número de casos fuera de la norma» (Tunstall, 1980, pág. 91).

Este autor reconoce que en los *mass media* se da una producción industrial en la que se busca introducir la rutina dentro de la organización periodística. «Pero la naturaleza del trabajo periodístico implica también presiones en la dirección opuesta, es decir, de la "no-rutina": esta continua contrapresión puede ser resumida en el término "burocracia de no-rutina"» (Tunstall, 1980, pág. 91).

La postura de Tunstall, como puede apreciarse, se basa principalmente en las características de los acontecimientos más que en la labor del trabajo periodístico. Su argumentación se vuelve contra sí misma ya que si lo habitual en los medios de comunicación es lo anormal se puede afirmar que en los mismos lo anormal es lo normal.

En cualquier caso, una de las principales funciones de los *mass media* es la de dominar el acontecimiento. Precisamente en la construcción social de la realidad las rutinas informativas desempeñan un papel clave.

Además, como señala Tuchman (1983, pág. 205), «el trabajo informativo está empotrado de manera reflexiva en el contexto de su producción y presentación. Se basa en la estructura política y, a la vez, la reproduce, del mismo modo que se basa y reproduce la organización del trabajo informativo».

4.2. Fases del trabajo informativo

El trabajo informativo es una tarea organizada que se realiza en una institución que tiene su propia normativa productiva.

Rositi (1981, págs. 106-107) hace una detallada relación de las operaciones principales del desarrollo del trabajo periodístico que se dan en la estructura organizada de la empresa informativa.

a) Selección y preparación de redes o canales para el acceso directo a los acontecimientos o a informaciones relativas a los acontecimientos. Como vimos en el capítulo de las fuentes periodísticas, se establecen una serie de redes informativas para acceder rápidamente a los acontecimientos.

b) Control de relevancia de los acontecimientos aprehendidos; por tanto, selección del mismo. Como hemos visto, también, en el capítulo dedicado a la determinación del acontecimiento, éstos han de pasar el umbral de la noticiabilidad.

c) Control de los valores de verdad de las enunciaciones seleccionadas sobre acontecimientos y ulterior selección sobre la base de un cálculo de valores de verdad (no necesariamente orientada a respetarla, sobre todo orientada a tenerla en cuenta). Como es sabido, una fuente puede intoxicar a un periodista, dándole una información falsa o inexacta.

d) Jerarquización mediante la distribución del espacio o del tiempo, o de la competencia comunicativa entre los acontecimientos seleccionados, sobre la base de una misma comparación en términos de relevancia respecto a las expectativas del emisor, del público o de ambos. Como ya se ha apuntado, los acontecimientos compiten, en primer lugar, con otros acontecimientos para tener su espacio o tiempo en la narración informativa y, en segundo lugar, se les va a asignar una valoración de su importancia que les permitirá, en su caso, destacar del resto de los acontecimientos.

e) Preparación de las comunicaciones finales sobre acontecimientos seleccionados, eventualmente mediante:

— contextualización (relación con otros acontecimientos);
— explicaciones o interpretaciones;
— discusión de los valores de verdad;
— valoración (asignándoles valores positivos o negativos a los acontecimientos seleccionados, respecto a criterios del emisor, del público o de ambos).

Elliot (1980), en el estudio de la producción de una serie de siete documentales televisivos, establece el siguiente esquema de producción: a) selección de las ideas y esquema general del programa, b) búsqueda de material, c) recopilación del material del programa, d) selección del material del programa, e) esquema detallado del programa y copia, f) adaptación de la copia y g) grabación del programa.

Elliot (1980, pág. 152), en esta investigación, redunda en las ideas anteriormente expuestas: «Este ensayo intenta mostrar el modo en que procesos de selección y decisión, que se han dado en una serie de documentales televisivos, tienen una cantidad de rutinas de producción aceptadas, que resultaban de una muestra relativamente casual de lo que se ha denominado "sabiduría convencional"...».

En la conocida obra de Golding y Elliot (1979) se describe la producción de las noticias a partir de cuatro momentos esenciales (Golding y Elliot, 1979, págs. 92-114):

1. Planificación. Se fijan a largo plazo los acontecimientos previsibles para prever los recursos y asignarlos. A corto plazo se fija la cobertura de las noticias del día.
2. Recopilación. Los reporteros y corresponsales recogen material para noticias y lo llevan a la redacción.
3. Selección. Se recoge el material de los reporteros, corresponsales, el difundido por las agencias y se criba hasta un número limitado de ítems para la transmisión final.
4. Producción. Los ítems seleccionados se ordenan y se tratan para una presentación adecuada y se preparan para salir en el programa.

Hay que señalar también que la producción de los *mass media* no es sólo un mecanismo que actúa por condicionamientos internos. Como ya señalé anteriormente, se da una interrelación entre las fuentes, los *mass media* y el público. A este respecto, Golding y Elliot (1979, pág. 114) señalan que la valoración y la producción de las noticias se hace a partir de tres factores: la audiencia, la accesibilidad y la conveniencia.

El periodista se debe plantear si conseguirá atraer la atención de la audiencia. No sólo es necesario que el tema sea considerado importante o interesante por el periodista, sino que debe entrar en sintonía con lo que el público puede llegar a considerar, asimismo, importante o interesante.

La accesibilidad de la información está ineludiblemente ligada a la temática de las fuentes y a las redes informativas establecidas por los propios *mass media*.

Por conveniencia hay que entender si la información es consonante con las rutinas de producción de *mass media*. También hace referencia a las posibilidades organizativas y técnicas del medio. En definitiva, cada *mass media* tiene unas características y unas limitaciones que determinan la producción de las noticias. Podríamos señalar distintos tipos de conveniencia. En primer lugar, habría una conveniencia política e ideológica. La política editorial del medio y su sesgo ideológico marcarían unos criterios de conveniencia. En segundo lugar, jugarían los factores tecnocomunicativos (Rodrigo, 1995, págs. 113-117). Evidentemente cada medio de comunicación, dadas sus características tecnológicas, tendrá sus particularidades productivas. Incluso dentro de cada medio de comunicación cada programa requiere una actividad productiva diferente. En declaraciones de un realizador de televisión de retransmisiones deportivas a *El País* (7/III/1986) se apunta que: «Atender a todos los planos, seleccionar en cada momento y anticipar lo que va a ocurrir en el instante posterior es un ejercicio único. En la unidad móvil, el presente ya es pasado. Según está ocurriendo algo, deja de tener importancia. La tarea del realizador es prevenir lo que viene. Lo que está saliendo en la pantalla ya no tiene valor».

Sin embargo, aunque no entraré a pormenorizar estas diferencias, las características generales señaladas se dan en todos los medios de comunicación. Antonio Franco (*El País*, 21/VI/1985) explica la actividad del diario del que era, a la sazón, su director adjunto: «*El País* diariamente promueve, primero, la cobertura de los temas de interés; se selecciona y valora, después, las noticias ya elaboradas, y realiza, finalmente, los controles de calidad sobre lo que va a ser publicado. [...] Este mismo Consejo establece criterios y líneas generales de actuación sobre los artículos de colaboración literaria o política, así como las tribunas de opinión que deben acompañar a las informaciones, asesorando a los encargados específicos de estas parcelas».

Básicamente toda la producción informativa se reduce a dos procesos: el de selección y el de jerarquización. Se trata de seleccionar la información y de determinar la importancia de cada una de las informaciones estableciendo una jerarquización de las mismas.

Rositi (1981, págs. 110-111) distingue tres grados de selección, en un sentido amplio del término, que va desde la menor discrecionalidad en el trabajo periodístico a la mayor:

1. La función de selección de primer grado: es la regulación de un genérico «derecho de acceso» o derecho de entrar en el circuito informativo.
2. La función de selección de segundo grado, o función de jerarquización, supone la atribución de una mayor o menor importancia a los acontecimientos.
3. La selección de tercer grado, o la función de tematización. Es la operación de selección ulterior, del universo informativo dos veces seleccionado, de los grandes temas en los cuales concentrar la atención pública y movilizarla hacia decisiones. El tema puede ser, a su vez, colocado en un marco (*frame*).

Asimismo, Rositi (1981, pág. 113) establece cuatro dimensiones de las tres funciones: selección (exclusión/inclusión), jerarquización y tematización.

	Tipos de funciones		
	Selección	Jerarquización	Tematización
Grado de selección	1º	2º	3º
1. Grado de dependencia de los periodistas a las presiones externas	++	+	–
2. Grado de controversia pública de las selecciones	–	+	+–
3. Grado de rutina	++	+	–
4. Grado de experiencia aleatoria por parte del público	++	+	–

El propio Rositi reconoce que se trata de un esquema aproximativo o hipotético. Aclara además que a un mayor grado de selección se da una mayor discrecionalidad del grupo profesional y una menor fuerza de las presiones externas directas. Es decir, en la tematización los periodistas actúan con una mayor discrecionalidad. Téngase en cuenta que han debido hacer tres selecciones (selección, jerarquización y tematización), mientras que en la selección de primer grado la discrecionalidad es menor ya que, de acuerdo con los criterios profesionales, la selección de determinadas noticias van más allá de la opinión de los periodistas. Por el contrario, es en la selección de primer grado donde las presiones externas son mayores para conseguir entrar en el sistema informativo o para no ser noticia.

Se podría decir que la selección de primer grado es una selección de rutina que se basa en los criterios de relevancia de las noticias. De hecho, hay escasa autonomía del periodista, en este sentido sería una selección más automática siguiendo criterios profesionales. Mientras que también hay una selección de tercer grado (tematización) que es más razonada, en la que aumenta la autonomía del periodista. En el caso específico de hechos excepcionales la discrecionalidad de los periodistas disminuye en todos los grados de selección, ya que estos acontecimientos se imponen por sí mismos. Por ello la capacidad de exclusión de estos acontecimientos es muy limitada. Por ejemplo, en el atentado de Nueva York del 11 de septiembre la discrecionalidad del periodista para decidir si aquel acontecimiento era noticia (selección de primer grado) es inexistente. Tampoco es posible que considere que no merece ser portada (jerarquización), a menos que sea un medio sin información internacional. Por último, su discrecionalidad también queda disminuida en relación a la tematización ya que es muy difícil que no se imponga como un tema de debate.

En la selección de segundo grado (jerarquización) ya es más posible el tratamiento de importancia diferenciado en cada medio. En la selección de tercer grado (tematización) es todavía más explícita la actuación del medio de comunicación, que puede dar lugar tanto a importantes efectos sobre la opinión pública como a un clamoroso fracaso. Hay que recordar que la selección de tercer grado (tematización) no debe circunscribirse únicamente a los casos excepcionales.

Por lo que hace a la controversia pública sobre las selecciones que hace el periodista, ésta se da en la jerarquización y algo en la tematización. En la selección de primer grado es más difícil que haya controversia, ya que salvo casos muy limitados, en los que uno es testigo de un acontecimiento, difícilmente los ciudadanos, que no son periodistas, conocen qué acontecimientos han sido descartados por los periodistas. También se podría crear una discusión sobre este nivel de selección si los ciudadanos fueran hiperusuarios de medios. Es decir, si se leyeran media docena de diarios, si oyeran los informativos de seis emisoras de radios y otras tantas de televisión. Pero, curiosamente, unos de los pocos profesionales que son hiperconsumidores de medios son los periodistas. Además, los periodistas no pueden hacer dejación ni admitir intromisiones en su función principal que es determinar qué acontecimientos son noticia.

Sin embargo, como la jerarquización se hace sobre un universo de noticias que están al alcance de los ciudadanos, en el propio medio, es ahí donde se puede cuestionar la selección realizada de las principales noticias. Por ejemplo, el diario *ABC* no consideró, el 13 de noviembre de 1989, que la información más importante de la portada fuera el fallecimiento de la histórica dirigente comunista Dolores Ibárruri («La Pasionaria»). Este diario seleccionaba como portada principal una noticia blanda que titulaba «Los accesos a Madrid necesitan soluciones urgentes e imaginativas» y que acompañaba con una gran foto de una carretera madrileña colapsada por los coches.

Por lo que hace a la tematización la controversia es más variable ya que en última instancia quizá esta selección de tercer grado se suele aceptar, salvo en los casos excepcionales, en que la discrecionalidad de los periodistas es mayor.

Por lo que hace al grado de rutina del trabajo periodístico éste es mayor en la selección de primer grado y disminuye progresivamente hasta la tematización. Esto es lógico ya que a mayor grado de selección mayor número de decisiones (inclusiones/exclusiones) se han de tomar.

El grado de experiencia de aleatoriedad por parte del público viene a hacer referencia al contrato fiduciario que propone el diario (Rodrigo, 1995, págs. 160-163). En la selección de las noticias puede haber un alto grado de sentimiento de aleatoriedad por parte del público, por ello es necesario reforzar el contrato pragmático fiduciario que nos propone el diario. La selección de la noticia se justifica por sí misma o, eventualmente, por las fuentes citadas. Si el público cuestiona las fuentes informativas que se han citado puede cuestionarse la propia información. Es decir, el grado de desconfianza puede ser mucho mayor en esta fase que en las siguientes. En la jerarquización, y en la tematización aún menos, no juega tanto el contrato pragmático fiduciario sino que la selección (de segundo y tercer grado) queda justificada en el mismo discurso periodístico. En la tematización, por ejemplo, ha habido previamente la selección y la jerarquización de una noticia que ha abierto el tema. Además, en estos grados aumenta, como ya señalamos, la discrecionalidad del trabajo del periodista.

De los resultados de su investigación sobre la información televisiva, Rositi (1981, pág. 121) establece las siguientes conclusiones:

1. En los telediarios, donde se dan sobre todo selecciones de primer grado, hay un grado de presencia del sistema político desproporcionado con relación a su peso en el sistema social. Se da una hiperrepresentación del sistema político.
2. En los documentales televisivos, del tipo «informe semanal», se dan mayormente selecciones de tercer grado. Constata también Rositi una reducción de la presencia del sistema político.
3. Los documentales y telediarios tienen un nivel bajo de discusión racional sobre la información seleccionada.
4. Los documentales y telediarios no conceden ningún

espacio para las justificaciones de importancia a propósito de la selección realizada.

Aunque la selección de primer grado ya ha sido comenta-
da anteriormente, será interesante profundizar en ella. Lempen (1980, págs. 72-75) afirma que los criterios de selección
son muy numerosos y variables según cada *mass media*, pero
se escogen a partir de dos principios: a) el principio de autoridad, y b) el principio del rol social.

1. Según el principio de autoridad sólo es objeto de un
proceso de transmisión lo que proviene de una autoridad, de forma que cuanto mayor sea el nivel de la autoridad, más difundidos serán sus mensajes. Evidentemente, la autoridad lo puede ser de diferentes ámbitos:
político, económico, cultural, científico, etc. Siempre
que sea reconocida por una parte apreciable de la sociedad, los *mass media* consolidan esta autoridad. Hay,
pues, una discriminación de los individuos que van a
tener acceso a los medios. Pero además son los propios
medios los que vienen a consolidar la autoridad pública de los que aparecen en ellos por el simple hecho de
haber sido seleccionados por los *mass media*. «Sin embargo, existe un medio para forzar el acceso a los sistemas de información para el individuo al que no le es reconocida una autoridad social suficiente y que no
puede, pues, expresarse al nivel de la comunicación social: la violencia que permite investirse episódicamen-
te de un poder usurpado» (Lempen, 1980, pág. 73). La
violencia transgrede los criterios de selección normales. Los actos violentos, el terrorismo, se imponen al
sistema de selección de los *mass media*. Esto también
explicaría que la violencia esté omnipresente en los
mass media.

«Los *mass media* prefieren dar cuenta de la violencia social más que revisar sus criterios de selección y
de mejorar la comunicación, porque la violencia es

condenada por el cuerpo social y el sistema no está directamente amenazado. [...] El uso de la violencia traduce, de hecho, una doble insuficiencia: la de la sociedad, incapaz de permitir a cada uno realizarse, y la de la información, que no lleva a cabo su función de adaptación al sistema social. Esta constatación nos lleva a una nueva paradoja del funcionamiento de la información con relación a sus propiedades teóricas: este funcionamiento lleva a la utilización de la violencia para imponer ciertos mensajes rechazados por los criterios corrientes que preside la selección de la información; en lugar de preservar el sistema, un funcionamiento tal de la información conduce a desafiarlo y a buscar su destrucción» (Lempen, 1980, pág. 73).

Para llegar a esta conclusión Lempen (1980) considera que la violencia social y el terrorismo se explican por una situación de injusticia social. Los *mass media* deberían, según este autor, estar concebidos de manera que permitieran conocer estas injusticias, para hacer inútil el recurso a la violencia. Pero los *mass media* están encuadrados por los poderes de manera que no dejan emerger mensajes que puedan cuestionar su política y acentúan así las injusticias existentes e inducen al recurso de la violencia. Desde esta perspectiva, como puede apreciarse, los *mass media* son la causa de la violencia.

2. El principio del rol social es complementario al de la autoridad. Según este principio, el valor de la información está en función del origen social del individuo y del rol que desempeña en la sociedad. «El individuo es considerado por el sistema de información en función de su rol social: hace falta que esté integrado en un grupo que respete sus reglas y sus normas» (Lempen, 1980, pág. 74). Así, el individuo asocial está al margen del circuito de la información. Todo lo que no tiene una utilidad social queda excluido y queda limitado a la comunicación interpersonal. En los *mass media* se esti-

mulan las necesidades que favorecen el crecimiento económico. Además, animan al individuo a un comportamiento de confianza en las autoridades, de sumisión a la organización social. Glorifican el trabajo productivo, la ejecución de los deberes de ciudadano y su actividad en el seno de las estructuras sociales establecidas, mientras silencian las manifestaciones marginales.

Antes de entrar en el apartado de la tematización habría que diferenciar la tematización como producción y la tematización como efecto. La tematización como efecto ha sido tratada en el capítulo del consumo al explicar la teoría de la construcción del temario (*agenda-setting*). El próximo apartado hace referencia a la tematización como producción.

4.3. La tematización

Un tema fundamental en la producción periodística es la tematización. La tematización supone la selección de un tema y su colocación en el centro de atención pública. De hecho, la tematización sirve para que la opinión pública reduzca la complejidad social, y hace posible la comunicación entre los diversos sujetos llamando la atención sobre los temas comunes relevantes (Abril, 1997, págs. 276-279).

La función de tematización es relevante porque nos muestra uno de los roles más importantes de los *mass media*, con especial incidencia en el ámbito de la política.

Como señala Grossi (1983, pág. 26), los *mass media* «no son meros canales, son más bien co-productores [...], no se limitan a transmitir la política o a hacerla comprensible, sino que contribuyen a definirla». Según este autor, existe en la comunicación política una especificidad de los *mass media* y una función particular de la tematización que consiste en la capacidad simbólica de estructurar la atención, en la de distinguir entre ítem y opinión, y en la de programar el desarrollo cíclico de los temas (Grossi, 1983, pág. 31).

A partir de esta idea concibe la opinión pública como el lugar de producción de efectos de realidad públicamente relevantes, como la definición y la negociación colectiva del sentido de determinados procesos y decisiones; como, en definitiva, la presentación y la difusión de esquemas e imágenes de la actualidad política que son expresivamente ricos y, no obstante, muy estructurados y orientados (Grossi, 1983, pág. 32).

Marletti (1985) afirma que la tematización, más que la exposición de temas, supone centrar la atención en unos temas. De esta forma, las noticias se asocian a términos más generales. Por ejemplo, una noticia que narre un caso de acoso sexual de la mujer en el trabajo, puede dar lugar a que se tematice como la discriminación social de la mujer, aún existente.

Mediante la tematización se desarrolla el nivel cognoscitivo valorativo sobre los acontecimientos y los problemas que implican. En la tematización se da claramente una estrategia de interacción política.

«Tematizar, desde un punto de vista más concreto, significa disponer de criterios no sólo argumentativos, sino de conveniencia útil y de influencia práctica en base a la cual un determinado tema debe inscribirse en la "agenda política" de una colectividad nacional» (Marletti, 1985, pág. 25).

La tematización supone un proceso limitado que sólo se da en un número restringido de temas. En las sociedades postindustriales, según Marletti, los *mass media* y los aparatos políticos son los que desarrollan fundamentalmente los procesos de tematización. «Políticos y medios desarrollan, obviamente, una estrategia de control y limitación del acceso respecto a los procesos de tematización. [...] Pero si este acceso es impedido demasiado tiempo una sociedad se anquilosa» (Marletti, 1985, pág. 29).

Lo que es interesante destacar es que en la tematización es necesario el concurso del sistema informativo. No se puede afirmar que un solo medio de comunicación produce un efecto de tematización. Por el contrario, sí que se puede afirmar que un solo medio lleva a cabo la tematización como producción. Es decir, como una selección de tercer grado.

Las selecciones de primero, segundo y tercer grado (Rositi, 1981) dependen de la producción de un medio de comunicación en concreto; sin embargo, creemos que a la hora de hablar de tematización como efecto de dirigir la atención pública hacia unos temas en concreto habría que situarse al nivel del sistema informativo en general. La tematización como efecto hace referencia a la posibilidad de los medios de comunicación de crear la opinión pública. Un tema repetido por distintos medios entra en el círculo de atención pública por el efecto de adición o de eco.

Obviamente, para concretar las características de estas relaciones del sistema informativo sería necesario un estudio específico; sin embargo, no renuncio a recoger un caso muy ilustrativo al respecto.

Se trata del conocido como «Caso Brouard». Santiago Brouard, miembro destacado del a la sazón partido independentista vasco Herri Batasuna, murió en un atentado terrorista. El fiscal encargado del caso, Emilio Valerio, pretendió investigar a los servicios de información del Estado. El diario *El País* del 25 de enero de 1985 explica el proceso a través del cual se gestó la información que dio lugar a la tematización de este asunto.

«A primera hora de la mañana del lunes 7 de enero estallan las discrepancias entre Valerio y su jefe, Fermín Hernández. Sobre las once de la mañana el fiscal jefe de Bilbao se reúne con Valerio y le explica que está decidido a seguir personalmente el asunto Brouard, aunque le pide que, aceptando unas condiciones, continúe colaborando en la investigación del caso. Valerio [...] se niega a seguir trabajando en el caso si no es el máximo responsable.

Durante más de hora y media Valerio charla con un periodista amigo suyo de la agencia Vasco Press y le comenta el asunto. Le dice que querían mediatizarle y que prefiere renunciar al caso a colaborar condicionalmente si no es el responsable de las investigaciones. Esa tarde la agencia Vasco Press —entre cuyos clientes se encuentra el Ministerio del Interior, [...]— da la noticia de la retirada del caso Brouard del fiscal Valerio, que es recogida en muy pocos periódicos vascos y pasa casi desapercibida. [...] El 8 de enero buscó la noticia en la prensa de Madrid, en donde no la encontró. [...] Ese mismo día 8 de enero, el fiscal Emilio Valerio no fue al palacio de Justicia. Llamaron desde su casa diciendo que se encontraba enfermo y no podía ir al trabajo. Valerio, sin embargo, quería observar en esas 24 horas la reacción de la prensa y los medios de información sobre su relevo, pero el eco fue mínimo: casi ningún periódico vasco había valorado la noticia. El *Correo Español* la recogió en última hora muy poco destacada.

El miércoles día 9 volvió a su despacho en la fiscalía. Radio Bilbao busca el seguimiento del caso y obtiene unas polémicas declaraciones del fiscal, que se ratifica en sus tesis. La prensa recoge al día siguiente ampliamente esas declaraciones.»

Este ejemplo ilustrativo, y no demostrativo, me hace suponer que es la adición de distintos medios lo que permite que un acontecimiento se convierta en un tema.

Por otro lado, Agostini (1984) define la tematización como la actividad de los *mass media* concretada por la selección de los temas y la discusión de la modalidad de memorización de los mismos por el público. Así pues, la selección y la memorización de la información periodística son dos caras de una misma moneda. La memorización por el público es *conditio sine qua non* de la tematización.

Agostini (1984, pág. 539) parte de la teoría de la construcción del temario (*agenda-setting*), pero señala que la tematización va más allá de esta teoría. Según este autor, en una investigación de las realizadas en el marco de la construcción del temario se estudia cómo el público articula la información recibida. En la teoría de la construcción del temario se establecen tres niveles de cómo es recordada la información:

1. La etiqueta de los mayores problemas.
2. La especificación del tema principal, causa del problema y soluciones propuestas.
3. Pros y contras de las soluciones propuestas y los autores de las propuestas.

Además se señala que los efectos del temario en estos tres niveles se dan en la prensa, mientras que por lo que respecta a la televisión sólo se da el primero. Con lo que nos encontraríamos que la tematización es una de las funciones de la prensa frente a los medios audiovisuales.

Por el contrario, Williams, Shapiro y Cutbirth (1983) señalan en su investigación que los efectos de la televisión son aproximadamente iguales, aunque habría que destacar que de hecho se sitúan en el primer nivel que establece la anterior propuesta.

Para Agostini (1984, pág. 548) la tematización es una especie de información añadida de la cual el periódico es el promotor autónomo. Señalando, a continuación, que es posible cuantificar el coeficiente de autonomía de cada tematización.

En la tematización se dan complejas consideraciones que, sin embargo, Agostini (1984, pág. 549) agrupa en tres grandes órdenes: consideraciones relativas a a) la cualidad de la información ofrecida a los lectores, b) la política editorial (la concurrencia en las ventas, en el mercado publicitario) y c) la línea política del periódico.

Otra variable a tener en cuenta es la tematización de la prensa de ámbito nacional y la prensa local o comarcal. Agostini (1984, pág. 552) habla en este último caso de una especie de microtematización.

Por último, Agostini (1984, págs. 553-557), sin pretensiones de cientificidad, como reconoce, establece una tipología de los casos en los que puede producirse un proceso de tematización:

1. Los casos excepcionales. Ya se ha tratado anteriormente este tipo de acontecimiento. Estos casos, por lo demás, contradicen el carácter potencialmente racional de la tematización. Nos encontramos, según Agostini, ante una «tematización involuntaria». Se produce una selección automática propia de las rutinas profesionales de los periodistas.
2. Las grandes cuestiones de la vida colectiva: problemas

políticos, económicos, culturales, de costumbres y morales. Son temas que se pueden tratar informativamente o de forma espectacular.

3. Todas las iniciativas que un periódico puede tomar
   para profundizar de modo autónomo en un determinado tema (entrevistas, servicios especiales, dossiers, son-
   deos, etc.)

Tanto en el primero como en el segundo punto nos encontramos con casos de información obligada. La ley de la concurrencia del sistema occidental de la prensa impone que no se
pueda ignorar la información. Pero en el tercer caso es distinto, ya que son hechos no determinados por la acuciante actualidad. En este caso, la organización del trabajo periodístico es
más discrecional y autónoma con relación al acontecer.

5. La organización informativa

El tema de la organización periodística ha sido bastante estudiado por la literatura especializada. Bechelloni (1986, pág. 371) valora críticamente dichas investigaciones en los siguientes puntos:

1. Estas investigaciones no toman el poder como objeto específico de estudio, o, en el mejor de los casos, le dan al concepto de poder un sentido muy restringido (en el sentido causal weberiano).
2. Los fenómenos organizativos se han conceptualizado fundamentalmente como «constricción» más que como «oportunidad», por lo que —según este autor— se han ignorado los problemas relacionados con la formación y el ejercicio de los líderes en el interior de las organizaciones.
3. La organización de los medios se ha analizado desde observatorios relativamente extraños, ya sea por comparación con otro tipo de organizaciones, con lo que se pro-

duce una subvaloración del carácter específico de las organizaciones informativas.
4. Las investigaciones adolecen de una focalización en aspectos concretos y de una limitación a pocos contextos nacionales.

5.1. La lógica productiva de la organización

Debo recordar que el ámbito de los *mass media* es heteróclito, lo que hace difícil la generalización. Los medios de comunicación de masas son instituciones muy dinámicas sobre las que inciden distintos factores. «Por un lado están las fuerzas constitutivas del mercado, de las innovaciones tecnológicas, de las constantes organizativas que son factores de unificación de las reglas básicas del funcionamiento en el interior del sistema; por otro lado están las fuerzas de los sistemas políticos, de las tradiciones culturales étnicas y nacionales, de la historia y de la especificidad de cada medio, género o subgénero que tienden a acentuar las diferencias» (Bechelloni, 1986, pág. 381).

Las empresas insertas en un sistema de economía de mercado tienen tendencia a unificar su práctica productiva. Los cambios económicos, tecnológicos y sociales, en un mundo más interconectado, les afectan por igual. Por ello suelen dar respuestas semejantes a los mismos retos. Pero también es cierto que cada país tiene su propia tradición histórica y se pueden apreciar diferencias en los distintos contextos político-culturales.

Sin embargo, más allá de las diferencias, el propio Bechelloni (1986, pág. 379) considera que tres son los principales tipos de lógica productiva de los medios de comunicación en el sistema capitalista:

a) La lógica de la cultura de masas.
b) La lógica del periodismo de actualidad.
c) La lógica del servicio.

Las dos primeras lógicas se caracterizan, con relación a la tercera, por una mayor orientación hacia el mercado y la audiencia. En el sistema económico capitalista estas dos primeras lógicas son las dominantes.

La ficción y el entretenimiento son los géneros que caracterizan la lógica de la cultura de masas y que tienen en la serialización su específico mecanismo productivo. El mercado del entretenimiento establece un limitado número de productos, por muchos que éstos sean. Pese a esta multiplicidad de mensajes se da una uniformidad en sus contenidos que se ve en una serie de retornos cíclicos a lo mismo y en la imitación de los distintos productos. Además, el público está condicionado en sus gustos por los imperativos de la industria, que van sacando modas de consumo de forma cada vez más acelerada, porque el consumo interminable es el motor del sistema. En definitiva, lo que viene a caracterizar la cultura de masas es la estandarización y la repetición. «La industria cultural proporciona en todas partes bienes estandarizados para satisfacer las numerosas demandas identificadas como otras tantas distinciones a las que los estándares de la producción deben responder. A través de un modo industrial de producción se obtiene una cultura de masas hecha con una serie de objetos que llevan claramente la huella de la industria cultural: serialización-estandarización-división del trabajo» (Mattelart y Mattelart, 1997, pág. 54).

La producción del periodismo de actualidad se articula a través de los géneros: noticias y temas de actualidad. La credibilidad es su específico mecanismo regulador que determina lo que es publicable. Si el discurso informativo no es creído pierde su virtualidad. Por ello es necesario establecer un contrato pragmático fiduciario (Rodrigo, 1995, págs. 156-163) que pretende hacernos creer que lo que dicen los medios de comunicación es verdad, al mismo tiempo que nos proponen confiar en el discurso informativo de dichos medios. El contrato pragmático fiduciario de los medios de comunicación es un producto histórico de la institucionalización y de la legitimación del papel del periodista. En nuestras sociedades, el trabajo de los periodistas se ha convertido en la profesión de aquellos que nos cuentan lo que ocurre en el mundo. Esto no significa que dicho contrato pragmático fiduciario se establezca de una forma incontestable. Durante la dictadura del general Franco, un sector de la población no aceptaba ese contrato pragmático fiduciario, se sabía de la existencia de una censura que hacía que la credibilidad de los medios de comunicación fuera muy baja. En las democracias, a pesar de la institucionalización del papel del periodista, los medios de comunicación deben luchar, día a día, para tener credibilidad y para renovar ese contrato. La lógica del periodismo de actualidad necesita contar con la confianza de sus lectores, en el sentido de que el discurso informativo debe poder ser creído.

La lógica del servicio se inspira en ideas pedagógicas y no asume las demandas del mercado y de la audiencia. Si aceptamos que los medios de comunicación tienen una serie de funciones sociales que empresarialmente pueden ser poco rentables, estaremos planteando la posibilidad de que los medios de comunicación cumplan un servicio público. Así, los medios pueden contribuir al funcionamiento de los sistemas democráticos, participar en campañas sociales, propiciar el desarrollo de propuestas culturales minoritarias, etc.

La dosificación variable de estas tres lógicas dibujará las distintas políticas comunicativas. Según la distinta proporción de estas lógicas se podrían diferenciar los medios de comunicación, e incluso dentro de los medios las distintas empresas. Como características generales podríamos decir que la televisión está mayoritariamente dominada por la lógica de la cultura de masas. Mientras que la prensa se centraría fundamentalmente en la lógica del periodismo de actualidad. Aunque, como es lógico, los canales de televisión que sólo dan noticias también la seguirían. Por último, los medios de titularidad pública son los que, en principio, deberían tener más en cuenta la lógica del servicio. Así, por ejemplo, las emisoras de radio que transmiten música clásica no pueden estar condicionadas por las audiencias ya que éstas son muy limitadas, pero se entiende que hacen un servicio a la formación cultural de la población.

De todos modos, hay que decir que esta última lógica del servicio es la más limitada porque hay que recordar que la organización informativa, en el ámbito de lo que se denomina países occidentales, se halla inserta en el contexto productivo capitalista. Como dice Tunstall (1980, pág. 88), «desde nuestro punto de vista, la organización periodística persigue al mismo tiempo tres tipos de objetivos:

1. Incrementar la audiencia (lectores, espectadores).
2. Incrementar la publicidad.
3. Objetivos no relacionados con el beneficios».

En principio, el primer objetivo es evidente. Sea cual sea el alcance del medio de comunicación, desde una televisión local a una internacional, todos buscan maximizar su audiencia. El segundo objetivo, con algunas excepciones de los medios en los que prima la lógica del servicio, también es fundamental. Se ha llegado a afirmar que los medios de comunicación son medios publicitarios que para poder vender los anuncios tienen que incluir también información (la prensa) o entretenimiento (la televisión). Y esto a pesar de la resistencia, en algunos países, a este aumento de la publicidad. Así, por ejemplo, en Italia, los periodistas del *Corriere della Sera* se declararon en huelga porque el espacio de publicidad era superior al de la información (*El País*, 8/X/1990). Dos años después, en el mismo país, una huelga por motivos semejantes se extendió a los diarios, radio y televisión (*El País*, 9/III/1992, pág. 29). De todas formas está claro que los medios actuales no pueden sobrevivir sin la publicidad, aunque haya algunas excepciones y se intenten experiencias interesantes, como la del diario *The Independent*. Dicho diario británico apareció por un día, el 27 de marzo de 2001, sin publicidad gracias a un acuerdo con un grupo financiero que compró todos los espacios publicitarios, pero para que se incluyera más información. Así pues, el diario ese día tenía el número habitual de páginas y un 40 % más de información (*El País*, 28/III/2001, pág. 22).

El último objetivo incluye, por ejemplo, la mayor influencia política, objetivos culturales o educativos, aumentar el propio prestigio... Realmente habría que matizar este tercer punto. Qué duda cabe que si bien es posible que los mismos no den un beneficio económico inmediato, estos objetivos pueden redundar en el poder comunicativo del medio por su capacidad de influencia en determinados sectores sociales. Además, por ejemplo, también podrían indirectamente incrementar la publicidad del medio al tener un público objetivo bien definido y con gran capacidad de consumo.

Teniendo en cuenta tales objetivos generales de la organización informativa se puede deducir fácilmente que ésta, en definitiva como cualquier otra organización, condiciona ciertas actitudes de sus miembros.

Sigelman (1980, pág. 69) no recuerda que «en los periódicos sucede lo que acaece en otras organizaciones: por lo que hace referencia al establecimiento de actitudes, las organizaciones deben escoger personal que esté de acuerdo con la línea operativa del periódico y deben favorecer activamente la socialización centrípeta de los periódicos de modo que desarrollen actitudes favorecedoras en las mismas confrontaciones».

Como apunta Nevue (2001, pág. 43), «una parte de las falsas percepciones del trabajo periodístico sostiene una aproximación individualista que identifica el periodismo con una profesión liberal de la información». Esta aproximación no tiene en cuenta la estructura de interdependencia existente en una redacción. La influencia de la organización periodística, como la de cualquier otra organización, es muy notable sobre las personas que la componen.

5.2. La influencia de la organización informativa

Es bien conocido el estudio de Epstein (1974) sobre los efectos de las prácticas y de la organización de los medios de comunicación. Este autor parte de la hipótesis de que en los *mass media* los periodistas adaptan sus puntos de vista y sus valores a las exigencias de la organización laboral y que, consecuentemente, para explicar el tipo de contenido de los medios de comunicación hay que determinar ante todo las características de la organización, características que precisamente son estudiadas por Engwall (1978), referidas a periódicos ingleses y norteamericanos.

Por ello quizá podría plantearse que la decisión productiva final es más organizacional que personal, ya que aunque la rúbrica final puede ser la de un periodista concreto, sin embargo este producto final ha pasado una serie de filtros antes de su publicación.

Para hacer referencia a periódicos de nuestro país recordaré lo que señalan Casasús y Roig (1981, pág. 161): «Los mecanismos de valoración de los hechos de actualidad que hay que transformar en materia informativa, obviamente, tienen que estar también muy ajustados a las exigencias del modelo del diario. De hecho, la valoración y la selección de los temas diarios en función de la escala de valores establecida según el estilo del diario son unos factores que vienen a constituir el núcleo que configura más acusadamente el conjunto de características que identifican el tipo de contenido más genuino de cada modelo de diario».

Un trabajo interesante es el de Hirsch (1977), en el que da cuenta de la administración de las organizaciones informativas, del control de los subordinados, de la organización de los niveles de autoridad, de las condiciones de trabajo, de los colectivos profesionales, etc. Todo ello partiendo de tres aproximaciones distintas: desde el punto de vista de la profesionalidad, de la organización informativa y de la institución de los *mass media* enmarcada en el ámbito de la sociedad norteamericana.

Por otra parte, Sigelman (1973) ha estudiado también el sesgo del producto periodístico en relación con la organización informativa. En su investigación toma el caso de los periodistas del ámbito de la política local de dos diarios competidores en una región metropolitana de Estados Unidos.

Debo señalar que el concepto de sesgo utilizado por Sigelman es en sentido lato. Toda información tiene las marcas de su proceso de producción, es decir, tiene un sesgo.

Según este autor las estructuras sociales de la producción de la información se manifiestan en tres formas:

1. Las exigencias técnicas de la redacción de las noticias, además de las propias de la edición: el espacio de la noticia, la estructura, etc. Estas actividades no son puramente técnicas, sino que también contribuyen al sesgo de la información.
2. El control redaccional, es decir, el proceso de decisión redaccional que precede a la realización del artículo. Se eligen ciertos temas descartando otros, se decide el periodista encargado de la cobertura de los mismos, se sugiere la forma de tratar los temas...
3. La selección del personal y la socialización. Cuatro son, según Sigelman, los principales medios de socialización, por orden de importancia: la revisión de artículos por los superiores, sus comentarios y sus reprimendas, las reuniones redaccionales y los contactos informales entre los periodistas.

Como puede suponerse, ninguna empresa contrataría a un empleado que, de buenas a primeras, estuviera en contra de la propia empresa. Es decir, que cabe suponer que los nuevos periodistas van a hacer un esfuerzo de adaptación a la organización y a sus hábitos productivos. De todas formas se va a producir un proceso de socialización por lo que los nuevos periodistas van a ir imitando el sistema productivo de la organización. A ningún periodista, sea novel o veterano, le gusta que le modifiquen el texto de sus noticias. Los nuevos periodistas, que en muchas ocasiones empiezan como becarios en el medio, van a ir haciendo las informaciones como les gustan a sus superiores, hasta el día en que no les toquen ni una coma: así demostrarán sus competencias profesionales. Sin embargo, hay que añadir que el control redaccional no se acaba ahí ya que aquellos periodistas que no hagan el trabajo como desean sus superiores pueden acabar haciendo los temas que nadie quiere, ser cambiados de sección o, simplemente, ser despedidos, porque en muchas ocasiones los periodistas noveles empiezan como becarios, siguen como interinos y están una larga temporada con contratos laborales precarios.

Con relación a la selección de personal hay que puntualizar que Sigelman (1973) no descubre ninguna política particular en los diarios estudiados. Apunta más bien un proceso de autoselección de los nuevos periodistas con relación a la orientación política del periódico.

En los diarios estudiados la selección de personal y la socialización tienen su influencia sobre el trabajo periodístico por medio de lo que Sigelman (1973, pág. 136) denomina la «valoración de la actitud». Es decir, la valoración de la actitud es el resultante de los dos mecanismos organizativos señalados: selección de personal y socialización.

Por lo que se refiere al control redaccional Sigelman (1973, pág. 146) se opone a concebirlo como una relación antagónica; él lo concibe más bien como «un proceso para evitar las tensiones». Es decir, en este control, aunque funciona como tal, hay más de cooperación que de confrontación.

También desearía hacer especial hincapié en cómo puede percibir el propio periodista esta serie de construcciones de la organización periodística. Sigelman (1980, pág. 74) afirma muy acertadamente que «... la selección de personal, la socialización y el control están estructurados de un modo tal que se preserva para el periodista la mitología institucional de la objetividad periodística asegurando al mismo tiempo a los dirigentes del periódico actitudes y productos favorables».

A continuación quisiera centrarme en la importancia de la socialización del trabajo periodístico en la organización informativa. Trinchieri (1977b, pág. 587) en su investigación sobre el trabajo periodístico con relación a la socialización encuentra una serie de valores y actitudes ampliamente respaldados por los periodistas. En primer lugar, el énfasis sobre la importancia de la práctica y la tendencia a minimizar la necesidad de un cuerpo estructurado de conocimientos previos al ingreso en la profesión. En segundo lugar, la importancia atribuida a la autoafirmación personal. Se ponen de manifiesto el individualismo y la competitividad en la profesión y se destaca la importancia del empeño y de la capacidad individual como instrumento de la autonomía profesional.

En mi opinión, contraponer el conocimiento que aporta la formación universitaria en comunicación y la práctica periodística es un error. Si bien es cierto que no hay nada más práctico que una buena teoría, también lo es que una teoría debe ser un instrumento práctico explicativo al servicio de la realidad.

Además, contrariamente a lo que pudiera parecer, el perfil ideal de un periodista y de un teórico de la comunicación tampoco difieren tanto, véanse si no estas dos propuestas.

En una conferencia del periodista Miquel Ángel Violan realizada, el 18 de febrero de 1994, en la Facultad de Ciencias de la Comunicación de la Universidad Autónoma de Barcelona se nos proponía el perfil del periodista de prensa escrita. Veamos los puntos que tendría dicho perfil ideal:

1. Polivalencia.
2. Conjugar calidad y celeridad: hacer lo mejor en el mínimo tiempo posible. Tener en cuenta la dimensión intelectual (capacidad de comprender), la dimensión creativa (capacidad de hacer) y dimensión de producción (capacidad de adaptarse al proceso).
3. Formación multimedia: ver a los otros medios como instrumentos de trabajo para el propio beneficio.
4. Enamorarse de la tecnología y adaptarse al cambio permanente.
5. Facilidad informática.
6. Predisposición a la formación permanente.
7. Flexibilidad y apertura mental.
8. Visión global del trabajo.
9. Perspectiva internacional: trilingüismo (catalán, castellano e inglés).
10. Tener sentido de lo que pasa en la calle y de la noticia, rechazar el apalancamiento informativo, educar la curiosidad.

11. Autorregulación (no hay que esperar que le digan lo que ha de hacer). Iniciativa y *empowerment*.
12. Capacidad para entusiasmarse.
13. Interés por viajar, por conocer idiomas y gentes.
14. Ambición sana, pero no a cualquier precio.
15. Asumir el carácter competitivo del oficio.
16. Capacidad del esfuerzo sostenido.
17. Saber trabajar en equipo, aprender de los propios compañeros, desarrollar la capacidad empática.
18. Cultivo permanente de los lenguajes.
19. Batalla por el rigor.
20. Creatividad primaria (tener buenas ideas) y secundaria (saber cómo llevar a la práctica las buenas ideas).
21. Capacidad de sacrificio y disponibilidad, pero dentro de algunos límites (hay que tener otra vida además del trabajo).
22. Ser capaz de tomar decisiones.
23. Resistencia física y psíquica: saber trabajar bajo presión.
24. Un cierto sentido de la humildad: ser conscientes siempre que es más lo que ignoramos que lo que sabemos.
25. El reto de la calidad como filosofía: hacer bien las cosas.
26. Capacidad de concentración y claridad de ideas, autocontrol emocional, distanciamiento sensible.
27. Aprender a escuchar.

Veamos, seguidamente, cuáles serían según Casmir (1994, págs. 30-32) las características que debería tener un buen teórico de la comunicación:

1. Curiosidad. Un teórico es aquel que es capaz de oír las preguntas que el entorno nos hace. El deseo y el interés por conocer es la esencia del teórico.
2. Conocimiento general. Los estudiosos de la comunicación tienen que estar abiertos a muchas otras discipli-

nas: la sociología, la psicología, la semiótica, la antropología, la historia, la literatura, la ciencia política, la economía, la lingüística, la arqueología, la cibernética, la física, etc. Un conocimiento general o pluridisciplinar nos puede permitir descubrir relaciones que desde una sola perspectiva permanecen ocultas.

3. Conocimiento específico. Hay que asumir la aparente contradicción entre la necesidad de un conocimiento general y uno específico. Un buen teórico debe poseer, dentro de ciertas limitaciones, los dos. Es realmente difícil profundizar en todas las áreas de conocimiento que son atravesadas por la comunicación. Por ello un teórico debe profundizar en una o dos áreas. En cualquier caso no hay que caer en lo que Ortega (1972, págs. 102-107) denominaba «la barbarie del especialismo», que lleva al especialista a saber cada vez más y más sobre menos y menos, hasta saber prácticamente todo sobre prácticamente nada.

4. Pensamiento relacional. Se trata de tener una visión holística de los fenómenos. Más que fijarse en los detalles hay que descubrir las relaciones.

5. Pensamiento claro. Teorizar es una actividad estimulante y apasionada. Pero la pasión, en ocasiones, puede enturbiar algo el pensamiento. Es necesario un cierto distanciamiento a la hora de teorizar. Aunque, a veces, es difícil no sólo ser consciente de los propios sesgos sino incluso evitar aquellos sesgos de los que tenemos conciencia. En cualquier caso, la honestidad científica nos obliga a explicitar de qué principios partimos.

6. Habilidad organizadora. Teorizar requiere, con frecuencia, manejar mucha información. Se trata de tener la habilidad de poner orden para ver claro.

7. Habilidad para comunicar. Un buen teórico debe ser un buen comunicador. Una teoría sólo es útil si es comprensible. La claridad y la precisión son imprescindibles.

8. Flexibilidad. La flexibilidad no supone falta de rigor, más bien nos referimos a la creatividad, a la capacidad

para abrir nuevos caminos. Como afirmaba Darwin (1993, pág. 51) en su *Autobiografía*, refiriéndose a una teoría «... de acuerdo con el nivel de nuestros conocimientos en aquellos tiempos, no era posible ninguna otra explicación; y mi error fue una buena lección que me enseñó a no confiar jamás en el principio de la exclusión en el terreno científico».

9. Capacidad para suspender el juicio. No se puede caer en la tentación de sucumbir a los prejuicios. Sencillamente hay que dejar, si se da el caso, que la realidad nos estropee una teoría elegante. Un teórico no debe sucumbir a la disonancia cognitiva, por la que se tiende a adaptar la realidad a nuestro punto de vista.

10. Ser capaz de escuchar y aceptar las críticas. A veces no es fácil aceptar las críticas. Pero cuando nos encontramos con una crítica constructiva que nos ayuda a mejorar, hay que recogerla como el mejor presente que podríamos recibir.

5.3. El poder de las organizaciones informativas

Bechelloni (1986) destaca dos variables para el estudio del ejercicio del poder en los medios. Por un lado están los estudios macrosociológicos que hacen referencia al ámbito institucional y a la lógica productiva de los medios. Por otro lado están los estudios microsociológicos que se interesan por la organización específica de los *mass media*.

Las diversas disposiciones institucionales y la lógica productiva dominante tienen el efecto de distribuir de modo distinto el poder de decisión y de influencia de los diversos grupos de actores sociales, que interactivamente hacen funcional el sistema de los *mass media* en una nación y en el interior del sistema mundial. Estos actores son: actores políticos, actores económicos, profesionales y trabajadores de los distintos sectores de los medios y la audiencia.

Para Bechelloni (1986, págs. 382-383) el poder en las organizaciones informativas puede ser empíricamente observado a partir de un entramado de factores: disposiciones institucionales, lógica productiva, cultura del trabajo, climas culturales presentes en una sociedad histórica concreta, climas organizativos.

Las disposiciones institucionales, que reconducen a modelos de autonomía relativa y de interdependencia, y los climas culturales y organizativos permeables a la complejidad dan lugar a lo que este autor denomina «organizaciones híbridas».

En este tipo de organizaciones el poder se presenta en dos modalidades:

a) Como poder de aparato, incorporado a las rutinas organizativas y relativamente desvinculado de los roles y personas.

b) Como poder de actores o grupos de actores, que puede ser muy diverso conforme a la contratación permanente que caracteriza este tipo de organizaciones.

El primer tipo de poder hace referencia a los conceptos de noticiabilidad, de espectacularidad, etc., que en el seno de las organizaciones periodísticas son los mecanismos que presiden la producción.

El segundo tipo de poder no puede entenderse como el simple organigrama formal de la organización. Se trata de individualizar el poder ejercido por los otros actores sociales concretos que actúan dentro y en torno a los *mass media*. Para Bechelloni, mientras que el primer tipo de poder se incorpora en las rutinas productivas, el segundo tipo de poder es el que determina principalmente las características tanto de la máquina organizativa como del producto.

No quisiera acabar este capítulo sin hacer una puntualización. Evidentemente, como se ha visto, el poder de la organización es muy importante. Pero las organizaciones las forman personas con sus propios criterios y es sabido que la socialización nunca es total. Además, tampoco el control de las organizaciones es omnímodo. Giró (2004, págs. 171-182) habla de las «grietas mediáticas» en el sentido de que, aunque los medios controlan la información que producen, hay una serie de informaciones que no forman parte de la visión hegemónica de la realidad que también aparecen en los medios de comunicación. Es decir, que cabe la posibilidad de una visión alternativa de la realidad. Para este autor estas grietas son el efecto combinado de tres factores:

a) La competencia. Es claro que una empresa mediática no irá nunca contra los intereses de sus accionistas. Así si un determinado banco tiene un porcentaje determinado del capital de un medio es lógico pensar que las informaciones del medio sobre dicho banco tenderán a serle favorables. Pero, por el contrario, este banco quizá esté en competencia con otro, así es posible que el tratamiento de este otro banco no sea tan favorable. Como afirma Giró (2004, pág. 179), «los medios no sólo dejan de publicar informaciones que puedan perjudicar a sus accionistas, a su amigos o a sus aliados políticos. Si no olvidamos que, precisamente debido a sus alianzas, los medios también tienen enemigos, es sencillo comprender que tengan interés en publicar informaciones que perjudiquen a sus contrincantes». Ésta es, pues, una grieta.

b) La competitividad. La lógica productiva de cualquier empresa la lleva a reducir los costes de producción. Evidentemente esto lleva a planificar la producción. Así si los fines de semana hay más páginas que llenar se adelantan temas o se proponen reportajes de una mayor profundidad. «Por supuesto, los responsables del periódico no permiten que se publique cualquier cosa, pero, primero, el hecho de que haya que adelantar la página y escribir un relato extenso permite batallar contra la superficialidad, y segundo, da un margen de maniobra considerable a quien lo tiene que escribir porque en realidad lo que más importa a la empresa es que haya una contra página escrita al otro lado de la publicidad» (Giró, 2004, págs. 180-181).

c) La realidad y la credibilidad. Como afirma Giró (2004, págs. 181-182), «es tal la fuerza de la realidad, que el compromiso de los medios, según el cual relatan lo que ocurre y lo hacen fidedignamente, les puede forzar a publicar algo que a veces sirve para competir, pero que en otras ocasiones no desearían publicar. Sin embargo, se pueden encontrar sin demasiadas escapatorias porque saben que la determinación de los temas de actualidad no dependen de un solo medio sino del conjunto de los medios y si los demás se hacen eco de unos determinados hechos o datos, uno no puede permanecer interminablemente ciego o en silencio frente a ellos porque en ese caso hundiría el principal baluarte de su existencia, el concepto sobre el que se legitiman: la credibilidad». De la credibilidad ya hablaremos en próximos capítulos. Pero quisiera matizar este último punto, si bien es cierto que la realidad puede imponerse el problema es cómo es tratada informativamente, cómo se interpreta, qué importancia se le concede, etc. Con un ejemplo bastará. La defensora del lector del diario *El País*, Malén Aznárez (*El País*, 23/I/2005, pág. 16), recordaba el tratamiento de una información, en 2003: «Cuando estrenaba esta columna, el Gobierno de Estados Unidos esgrimía a los cuatro vientos la existencia —pueden estar seguros decía el ex presidente Aznar— de armas de destrucción masiva en Irak para justificar una guerra ilegal e inmoral. Y los medios de comunicación de todo el mundo, periódicos, televisiones y radios, la destacaron en sus titulares durante meses y meses. La existencia de tales armas, no encontradas por los inspectores de la ONU, se asumió, al igual que otras muchas informaciones llegadas directamente del Pentágono, masivamente por los medios de comunicación de Estados Unidos y, más matizadamente, por los europeos. Pero ahora que George Bush acaba de reconocer, sin el menor pudor, la inexistencia oficial de dichas armas, la noticia ha pasado prácticamente desapercibida. No ha ocupado las primeras páginas de los periódicos, ni grandes titulares, ni las aperturas de los informativos televisivos o radiofónicos».

6. La profesionalidad periodística

De acuerdo con Grossi (1985b, pág. 376), creo efectivamente que la profesionalidad periodística se caracteriza sobre todo por el rol social de competencia comunicativa que se les atribuye a los periodistas en la produción de imágenes de realidad colectiva. Las tres razones que cimentan esta postura son:

1. A partir del análisis de los efectos de los *mass media*, se puede apreciar que la eficacia de los mismos está más en la dimensión cognitiva que en el comportamiento del destinatario. Es decir, más en la construcción de una «visión del mundo» que en el cambio de actitudes.
2. Cada día aparece con más claridad la dimensión emblemática de la actividad periodística de los *mass media*. El ejemplo clásico son los denominados *media events* —acontecimientos que son noticia gracias a los *mass media*—, que vienen a ser segmentos de realidad

que están caracterizados por el hecho de asumir una dimensión de referencialidad y de simbolismo colectivo en virtud de la presencia de los *mass media* y del tratamiento periodístico.

3. La aproximación metodológica de la «construcción social de la realidad» se ha convertido en el modo más convincente para resolver el viejo problema de la relación de la realidad y el periodismo.

A partir de esta toma de postura sería interesante ver el distinto tratamiento que se ha venido dando a la profesionalidad periodística.

Desde una dimensión diacrónica se puede apreciar cómo ha ido variando la concepción del rol del periodista en la literatura sociológica.

Como ya es conocido, las primeras investigaciones sobre la profesionalidad periodística son de matriz estadounidense. A este respecto Grossi (1985, pág. 363) afirma que «... la investigación de los medios de comunicación sobre la profesionalidad periodística estadounidense y británica ha nacido como investigación sobre determinados niveles de análisis a partir del comportamiento individual del *gatekeeper* para luego, sucesivamente, añadir comparaciones internas de cada nivel e interesarse en los nexos entre los diversos niveles, utilizando técnicas de investigación cuantitativas y cualitativas, cargando de un contenido de complejidad sucesivamente superior la "metáfora industrial"».

En los primeros tiempos de la *Mass Communication Research* el modelo de profesionalidad dominante era el dominado seleccionador (*gatekeeper*); hacia los años sesenta surgió frente al seleccionador el modelo del defensor (*advocate*). Mientras, también en la órbita anglosajona empieza a situarse el rol del periodista dentro de lo que sería el proceso de producción de la noticia, lo que Grandi (1985) califica como «metáfora industrial»; estaríamos en lo que se ha venido a llamar la producción de la noticia (*news making*). En esta última perspectiva se pueden diferenciar claramente dos tipos de estudios. Por un lado, el estudio de las organizaciones formales y el comportamiento de la estructura administrativa, poniendo más o menos énfasis en la introducción de las nuevas tecnologías en el proceso de producción de la noticia. Por otro lado, el periodista es tratado como el constructor de la noticia, enmarcando dicha actividad en la construcción social de la realidad (Berger y Luckmann, 1979).

En relación a estos tres modelos de profesionalidad del periodista habría que hacer varias puntualizaciones. En primer lugar, no es que un modelo reemplace al otro sino que coexisten. En segundo lugar, se podría relacionar claramente cada uno de estos modelos con las tres principales corrientes de los estudios de la comunicación (Rodrigo, 2001, págs. 161-207): la funcionalista, la crítica y la interpretativa.

El funcionalismo propiciaría la idea de que el periodista cumple una función profesional que es la de seleccionar la información del día a partir de criterios profesionalistas. Es cierto que se pueden producir disfunciones, por ejemplo cuando una fuente engaña al periodista y consigue que se publique una información que no es cierta. Sin embargo, el trabajo del periodista es muy claro: la selección de los acontecimientos para ser noticias. Así se suele utilizar la metáfora del periodista como mensajero que transmite informaciones, minimizando tanto su proceso de producción como su intervención sobre la realidad social sobre la que informa.

La perspectiva crítica de la comunicación destaca el papel político de los medios de comunicación. Los medios de comunicación no sólo transmiten informaciones sino que son actores políticos que intervienen en la sociedad. Así los periodistas son, también, actores políticos que están comprometidos con la realidad social. Desde esta perspectiva el periodista asume este rol precisamente para ayudar a los más desfavorecidos. Se trata asimismo de despertar la conciencia sobre las injusticias sociales.

Mientras que el funcionalismo pretende mantener el *statu quo* y la perspectiva crítica desea modificar la realidad, la perspectiva interpretativa se limita a analizarla. Como admite

Goffman (1991, pág. 22) su análisis no va a hacer una lectura de clase de la realidad social, y advierte: «Pero yo añadiría que aquel que quiera luchar contra la alienación y mostrar a la gente sus verdaderos intereses tendrá mucho trabajo, ya que el sueño es profundo. Mi intención aquí no es cantar una canción de cuna, sino simplemente entrar de puntillas y observar cómo roncan». Es decir, nos encontramos con tres actitudes diferentes. Los funcionalistas acunan al pueblo para que no despierte, los críticos buscan despertar las conciencias de los ciudadanos y la perspectiva interpretativa analiza cómo el pueblo duerme. Así, la perspectiva interpretativa observa el periodista como un constructor de la realidad a partir de una institucionalización de su rol y de unos mecanismos productivos determinados.

6.1. El seleccionador

Gatekeeper se ha traducido de muchas maneras: «portero», «guardabarreras», «guardaesclusas», etc. La traducción que propongo es la de «seleccionador» porque considero que se ajusta mucho mejor a la función comunicativa que ilustra. Como es sabido, el concepto de *gatekeeping* (selección) fue establecido por Kurt Lewin, en 1947, a partir de sus estudios de comunicación interpersonal, relacionada con los cambios en los hábitos alimentarios. Pero este concepto pasó a ser utilizado para explicar la actividad de selección de un periodista, a pesar de que se trataba de dos objetos de estudio muy diferentes (Valbuena, 1997, págs. 140-141). Así David Manning White, en un artículo de 1950, lo aplicó a la actividad periodística. White (1973) parte de dos premisas:

1. La difusión de noticias se hace a través de canales o cadenas.
2. En estas cadenas hay algunos puntos, puertas o esclusas, por las que las noticias pueden pasar o ser retenidas.

Es decir, que en las cadenas de la comunicación hay varios seleccionadores. Pero recordemos que la fuerza de una cadena es la fuerza de su eslabón más débil. En su estudio White, después de detallar las características personales del seleccionador, del periódico y del contexto, pretende definir las razones por las que éste selecciona las noticias.

De las 56 anotaciones hechas por el mismo periodista sobre el rechazo de las noticias, White establece dos categorías principales:

1. Rechazo por no merecer ser tenida en cuenta.
2. Rechazo por elección entre varias noticias del mismo acontecimiento.

También se apunta, no obstante, el «no hay sitio» para la noticia. Como puede apreciarse, hay una determinación de los acontecimientos que se van a convertir en noticias a partir de un umbral de noticiabilidad que el seleccionador aplica. En cualquier caso, White concluye que la selección de noticias es, en realidad, subjetiva, y depende de las propias experiencias, actitudes y expectativas del seleccionador. Para Wolf (1987, pág. 206), «el mérito de estos primeros estudios consiste en haber descubierto *dónde*, en qué puntos del aparato, la acción *de filtro es ejercida explícita e institucionalmente*» (en cursiva en el original).

Diecisiete años después de este estudio, Paul B. Snider llevó a término un estudio de replicación. En principio se puede decir que los resultados de ambas investigaciones son parejos, aunque el seleccionador se interesa más en 1966 por las noticias serias y en 1949 por las sensacionalistas. Sin embargo, a pesar de esta verificación, Snider (1973, pág. 226) afirma: «Se debería estudiar más minuciosamente los antiguos y conocidos factores de prioridad, oportunidad y proximidad. Válidos desde el tiempo de Pulitzer y de Hertz, ¿lo son aún actualmente o por el contrario se han vuelto anacrónicos? En otros términos, ¿cuáles son las reglas del periodismo aplicables no sólo a las noticias telegrafiadas sino también a todas las noticias?».

Las críticas habituales al modelo del seleccionador son las que recogen Mc Quail y Windahl (1984, págs. 186-187):

«1. El modelo no tiene en consideración los factores organizativos que constriñen y dirigen el proceso, y se presta más bien a interpretaciones personalistas.
2. El modelo sugiere que sólo hay un "área principal de paso obligatorio".
3. El modelo implica una actividad más bien pasiva en lo que se refiere a la circulación de las noticias: da la impresión de que hay una circulación continua y libre de un gran elenco de noticias, del que solamente se utilizará una parte, en conformidad con las pretensiones de un periódico determinado.»

De hecho son muchas más las críticas que ha sufrido este modelo. La principal que se le podría hacer es que el procedimiento de selección y la elaboración de noticias no deben ser considerados como fases aisladas, sino como el resultado de la interacción de varios actores: las fuentes informativas, el público y el periodista como miembro de una organización que impone una modalidad de producción.

Empero, a pesar de estas críticas son varios los estudios que han retomado el modelo para modificarlo en un intento de perfeccionamiento. Entre ellos hay que destacar el artículo de Bass «Redefining the gatekeeper concept» en *Journalism Quaterly*, 1969, nº 46, págs. 69-71 (citado por Mc Quail y Windahl, 1984, págs. 190-191). Bass distingue dos etapas principales de actuación de los seleccionadores. Por un lado la etapa de recolección de noticias y, por otro, la etapa del tratamiento periodístico de estas noticias. En la primera etapa se transforman lo que denomina las «noticias brutas» en relatos noticiosos. Pero es en la segunda etapa cuando se procesan estas noticias hasta establecer el producto final.

6.2. El defensor

El modelo del defensor (*advocate*) aparece en los años sesenta enmarcado en la crítica que se lleva a cabo al mito de la objetividad periodística. El comunicador deja de ser un individuo aséptico y se empieza a destacar la intencionalidad de su actividad comunicativa. Sin embargo, hay que hacer algunas precisiones. En primer lugar hay que decir que hay antecedentes de periodistas comprometidos. Un ejemplo es John Reed en su relato de la revolución soviética. Como dice en su prefacio: «Durante la lucha, mis simpatías no eran neutrales. Pero, al trazar la historia de estas grandes jornadas, he procurado estudiar los acontecimientos como un cronista concienzudo, que se esfuerza por reflejar la verdad» (Reed, 1985, pág. 15).

Janowitz (1980) compara los modelos del seleccionador y del defensor, señalando que el primero basa «... su habilidad en descubrir, destacar y difundir aquello que era importante» (Janowitz, 1980, pág. 32); mientras que en el segundo modelo «el periodista debe "participar" en el proceso de defensa, debe ser defensor de aquellos que no tienen portavoces potentes, y debe poner de relieve las consecuencias del actual desequilibrio de poder» (Janowitz, 1980, pág. 33). El periodista defensor considera que su rol de periodista va unido a su rol de ciudadano, el periodista vive y participa en una colectividad, sería el periodista comprometido.

En el modelo del seleccionador se subraya la capacidad del público de juzgar sus propios intereses. Se basa en un sistema de control político y social autorreglamentado, es decir, no hay interferencias no profesionales en el trabajo del periodista. Sería el *laissez faire*, dejar hacer, del modelo liberal. Aparentemente el seleccionador no tiene una actuación política. En cambio, en el modelo del defensor se pone de manifiesto las barreras del sistema para que determinados grupos puedan satisfacer sus intereses. Se politiza la actividad profesional del periodista. El periodista debe tomar partido ante la realidad social, debe comprometerse.

Janowitz (1980, pág. 44) toma partido en la polémica: «La tarea fundamental del periodista —dada la ambigüedad del modelo del defensor (*advocate*) y la centralidad de la información en la sociedad democrática— está en el rol del seleccionador (*gatekeeper*). El rol del defensor, como rol distinto y secundario, si quiere seguir con su eficacia y responsabilidad, debe exigir un cierto grado de profesionalidad, necesaria para asegurar su independencia y para definir sus límites y sus posibilidades». El problema quizá está en la visión dicotómica que considera que el defensor peca de falta de profesionalismo o que el seleccionador no tiene una actuación política.

Esta polémica entre los dos modelos no ha perdido vigencia, sino que suele reaparecer ante determinados temas conflictivos. Un caso claro fue la participación de los periodistas españoles ante el referéndum sobre la OTAN. El diario *El País* (23/II/1986) titulaba en la sección «El ombusdman»: «OTAN: la credibilidad de *El País* y la fiebre de las firmas». En este artículo se viene a cuestionar por algunos lectores la imparcialidad del diario, ya que algunos de sus periodistas han tomado claro partido en el tema de la OTAN. En su respuesta, Ismael López Muñoz hace un breve repaso del comportamiento de los periodistas de distintos medios de comunicación en estos casos. En *Le Monde* y las agencias de noticias *France-Presse* y *Reuters* nadie puede utilizar su nombre al pie de una convocatoria. Por su parte Richard Lester, corresponsal en Madrid de *The Times*, afirma: «Mis colegas tienen claro que si tú tomas una posición haces daño a la imparcialidad del periódico, que es algo que los periodistas deseamos mantener. [...] En *The Times* es costumbre que cuando un periodista se vincula a alguna campaña política se tome unas vacaciones hasta que pase el acontecimiento».

Por lo que respecta al propio diario *El País*, su director, a la sazón Juan Luis Cebrián afirmaba: «Éste es un periódico pluralista y no puede cercenar los derechos ciudadanos de sus redactores. [...] En cualquier caso, todos han firmado los manifiestos a título personal y no como miembros integrantes del equipo intelectual del periódico».

Se pretende, en última instancia, dejar a salvo la «honorabilidad» informativa del diario, pero al menos no plantea la aberrante situación de limitar la libertad de expresión de los periodistas. Pero no en todos los países se da esta libertad. «Los periódicos norteamericanos pueden imponer a sus redactores que no pertenezcan o apoyen a ningún partido político o cualquier otro tipo de organización militante incluso fuera de sus horas de trabajo, según acaba de sentenciar el Tribunal Supremo de Estados Unidos» (*El País*, 11/X/1997, pág. 32).

La repercusión interna en *El País* de toda esta polémica fue sintomática. El periodista Javier Pradera, jefe de opinión de dicho periódico, presentó su dimisión por haber firmado un manifiesto a favor del sí a la OTAN.

Dicha dimisión se convierte en noticia (*El País*, 26/II/1986). En la carta al director de Javier Pradera, después de una declaración de principios, señala: «Siempre he creído, como tú, que la soberanía de un periódico se halla, en última instancia, en manos de sus lectores» (en cualquier caso, está claro que los cauces para ejecutar esta soberanía no son muy explícitos), y argumenta su decisión: «... no es lo mismo que un colaborador habitual de prensa firmante de sus propios artículos apoye una determinada opción política a que lo haga una persona cuyo nombre figura en la mancheta de un periódico, sobre todo si tiene a su cargo la jefatura de la sección de opinión». En el mismo artículo el Comité de Redacción de *El País*, en un comunicado, además de pedir que Javier Pradera reconsidere su decisión, afirma «que su dimisión sólo sirve para poner en cuestión los derechos y libertades de los periodistas para manifestarse sobre cualquier acontecimiento sin que por ello se hayan de poner en duda los principios de imparcialidad y objetividad a que están obligados por el estatuto de la redacción».

Ante esta relación de buenas intenciones, pero que van contra una concepción ideológica tradicional de la prensa, se impone días después la solución al conflicto. Desaparece de la mancheta de *El País* la figura del jefe de opinión y, por consiguiente, el nombre de Javier Pradera.

En la postura defendida por Janowitz, y que vemos que

tiene eco en distintos medios de comunicación, se parte de la ficción del carácter apolítico de los periodistas o, como mínimo, de la represión de su ideología a lo largo del ejercicio de su profesión.

Diferentes autores siguen negando el conflicto entre el vértice y la base redaccional, y se sigue asociando la profesionalidad a la información objetiva. Pero empieza a aparecer el periodismo de denuncia o de crítica en el que se enfatiza el rol de vigilancia del poder por la prensa. Una derivación de la concepción del periodista como defensor es la del periodista como guardián (*watchdog*). El periodista como guardián no sólo debe defender los sectores que no tienen poder comunicativo para que puedan dar su versión de los hechos en los acontecimientos periodísticos, sino que, fundamentalmente, debe investigar y denunciar las injusticias, la corrupción, etc., que se dan en las instancias de poder de la sociedad. El periodista es representado como un guardián de las libertades y los derechos humanos y como un vigilante de los abusos del poder. Sería, por ejemplo, el caso del periodista Günter Wallraff (1979 y 1987). En esta concepción se supone que los medios de comunicación son el «cuarto poder» que controla a los otros tres (ejecutivo, legislativo y judicial).

Sin embargo, hay distintas voces críticas que, desde la propia perspectiva crítica, señalan las limitaciones de esta concepción de la profesionalidad periodística. Así, para Chomsky y Herman (1990, pág. 353) «... los medios de comunicación de Estados Unidos son instituciones ideológicas efectivas y poderosas, que llevan a cabo una función propagandística de apoyo al sistema mediante su dependencia de las fuerzas del mercado, los supuestos interiorizados y la autocensura, y sin una coerción abierta significativa». Aunque, en última instancia, siempre queda la posibilidad de la coerción de aquellas actuaciones que el poder considere inadecuadas. De hecho, los propios Chomsky y Herman (1990, pág. 22) señalan que los ingredientes esenciales de ese modelo propagandístico son cinco filtros que condicionan el trabajo informativo: «1) La envergadura, la concentración de propiedad, la riqueza del propietario y la orientación de los beneficios de las empresas dominantes en el ámbito de los medios de comunicación; 2) la publicidad como fuente principal de ingresos de dichos medios; 3) la dependencia de los medios de la información proporcionada por el gobierno, las empresas y los "expertos", información, por lo demás, financiada y aprobada por esos proveedores principales y por otros agentes del poder; 4) las "contramedidas" y correctivos diversos como método para disciplinar a los medios de comunicación y 5) el "anticomunismo" como religión y mecanismo de control». En la actualidad, en lugar de «anticomunismo» quizá habría que hablar de «antiterrorismo», aunque el fenómeno es el mismo: la utilización del miedo como mecanismo del control social.

Desde la perspectiva crítica se afirma el papel manipulador de la prensa en los países capitalistas. Schiller (1974, pág. 39 y sigs.) recoge dos formas en que se materializa esta manipulación en los *mass media*:

1. Fragmentación de la información. La información es dada de forma fragmentada, por lo que se produce una visión focalizada de la realidad. Además, la enorme cantidad de información que recibe un ciudadano, colocando asuntos de gran trascendencia social con otros triviales, produce una trivialización de los contenidos que son significativos. No se llega a discernir cuál es la información más significativa, ya que esta información queda camuflada en la sobrecarga de la información.

2. La urgencia de la información. La instantaneidad informativa es uno de los principios sacrosantos del periodismo que, sin embargo, socava la comprensión del receptor. La urgencia creada para dar la noticia tiende a inflar y desinflar posteriormente la magnitud de los temas tratados.

Desde la perspectiva marxista no sólo se plantea la falta de objetividad de la información periodística, sino que incluso se denuncia que la misma objetividad es un obstáculo para la comunicación, ya que priva al periodista de su originaria función de intérprete autónomo de los acontecimientos. El periodismo «objetivo» es el mecanismo a través del cual el gobierno, las instituciones legitimadas y la élite política pueden transmitir sus propias opiniones e interpretaciones de la realidad.

Estos planteamientos han sido sostenidos por autores marxistas como Camilo Taufic (1973). Para Taufic el periodista no es un mero testigo de su época, sino un actor de la misma. La ideología burguesa presenta al periodista como imparcial e independiente cuando, en realidad, participa en la dirección de la sociedad. La teoría marxista, en cambio, señala el rol político y partidista del periodista. Así, éste no se limita a reflejar la realidad, sino que actúa sobre ella, contribuye a dirigirla hacia uno u otro fin, sea por acción u omisión, diciendo o callando, consciente o inconscientemente. En el marco de una sociedad en la que se desarrolla la lucha de clases, los periodistas no tienen otra posibilidad que la de tomar partido. La prensa burguesa oculta bajo la etiqueta de «imparcial» o «independiente» su posición política.

En definitiva, «si la posición de los periodistas revolucionarios es diáfana en cuanto a su papel político y partidario, no ocurre otro tanto con los periodistas que trabajan en los medios de comunicación burgueses que, atrapados como están en los marcos de la ideología dominante, insisten en que su función es "profesional" y "no política". Muchos de ellos lo hacen de buena fe e, incluso, son los periodistas burgueses más honestos los que insisten en su "profesionalismo" y "apoliticismo"» (Taufic, 1973, págs. 190-191).

Estas posturas adolecen de una cierta ingenuidad, ya que sitúan el problema de la profesionalidad a un nivel, sobre todo, moral y de militancia. La realización de cualquier trabajo lo más honestamente posible es una exigencia general, y no sólo de los profesionales con mayor visibilidad social. En mi opinión, como cualquier otra perspectiva, ésta sólo muestra una parte del fenómeno.

6.3. El productor de la realidad social

A mediados y a finales de los años setenta, el mito de la profesionalidad imparcial, que sigue manteniéndose entre los propios productores de la información, es atacado desde otra perspectiva. Se empieza a estudiar la profesionalidad periodística describiendo precisamente el proceso de producción en el que está inserta. Ya he dado cuenta de algunas de estas investigaciones en el apartado de la organización informativa y también al tratar del trabajo periodístico. En cualquier caso, podría decir de forma sintética que se estudian los mensajes transmitidos por los periódicos como el resultado de una serie de mediaciones internas de la organización informativa. Se analizan, pues, las condiciones de la modalidad de producción y transmisión de noticias.

Como ya he apuntado antes, Grandi (1985, pág. 361), en las investigaciones de matriz anglosajona, establece, a partir de la concepción de la producción industrial de la noticia, dos tipos de estudios:

1. El estudio de las organizaciones formales y el comportamiento en la estructura administrativa, con más o menos énfasis en la introducción de las nuevas tecnologías en el proceso de producción de la noticia.
2. Otros estudios más sensibles a las notables aportaciones de la sociología interaccionista tratan la «construcción» de la noticia como un aspecto de la construcción social de la realidad.

Por otro lado, la investigación sobre la profesionalidad periodística en Italia (Wolf, 1985a) difiere notablemente de la anglosajona, ya que ésta es fundamentalmente una investigación empírica. Los postulados de la producción de las noticias (*news making*) se basan en el conocimiento empírico de la profesionalidad real. En cambio, en la producción italiana no se da este tipo de estudio, sino que se plantean más bien las bases de un debate político-ideológico. El tema de la profesionalidad periodística se enmarca en la relación entre los *mass media* y el sistema político financiero. Esto determina, como en cualquier análisis, el potenciar algunos aspectos frente a otros.

El estudio de la profesión periodística lleva a discutir desde el concepto de objetividad, como veremos en el capítulo siguiente, hasta el modelo de información. Asimismo se individualiza el rol del periodista en el ámbito del modelo liberal cuyo núcleo fundamental está representado principalmente por la ideología de la noticia.

Un ejemplo muy claro de esta perspectiva está en los cuatro modelos del periodismo que recoge Bechelloni (1982a):

1. Los *mass media* están completamente subordinados a relaciones de fuerza, fundamentalmente de la clase dominante. La profesionalidad del periodista se basa en la capacidad del mismo en saberse distanciar de las relaciones de poder para explicar los acontecimientos. Vendría a corresponder a la teoría autoritaria de la prensa. Bechelloni atribuye este modelo al *establishment* democristiano y a grupos neoestalinistas.

2. La autonomía de los *mass media* es más o menos relativa con respecto a las relaciones de poder, fundadas en las relaciones de mercado. En este modelo la acción de la clase dominante está menos presente. Nos encontraríamos ante el modelo liberal de la prensa, la sociedad es pluralista y abierta, y en la que los actores sociales privilegiados (los divos) son los transmisores de valores y modelos de comportamiento (Morin, 1966 y 1972a). La profesionalidad se basa en diferenciar, por parte del periodista, las opiniones de los hechos. Nos encontramos pues ante la industria de la cultura que difunde la cultura de masas.

3. Este tercer modelo se funda esencialmente en la ecuación entre la realidad y la representación de la misma. Podríamos decir que nos encontramos ante el modelo de la responsabilidad social. Nace la crítica sobre la

manipulabilidad de los medios y el rol del periodista. Se postula ingenuamente que existe una realidad hipersencilla, pero que se desvirtúa a causa de la manipulación de los medios. En este modelo la profesionalidad es algo estrictamente técnico.

4. El último modelo hace alusión a la relativa autonomía de los medios de comunicación. Se parte de que la realidad no es algo diáfano e hipersencillo, sino que más bien es algo opaco; por ello se privilegia la interpretación. Desde esta perspectiva, al periodista le correspondería una función intelectual que, con la utilización de los instrumentos adecuados, podrá interpretar y explicar la realidad social.

Sin embargo, Bechelloni no recoge precisamente un quinto modelo que es el que pretendo destacar, el de la construcción social de la realidad, y que desarrollo más adelante.

Por su parte, Trinchieri (1997a, págs. 103-104), en su estudio del rol del periodista en la literatura sociológica, señala que, aunque los estudios son muy heterogéneos desde el punto de vista formal, podemos establecer dos grupos:

1. Aquellos cuyo objeto es el cronista del periódico local en Estados Unidos.
2. Los análisis de contenido de la información en los que se intenta descubrir la estructura de fondo de la noticia, la presencia de códigos generales para la selección y reconstrucción de la imagen de la realidad cotidiana.

En ambos casos se pone en evidencia la incongruencia entre la ideología de los periodistas y la ideología de la que son portavoces afirmando la exigencia de la objetividad, la prensa libre de coacciones, rechazando el concepto de noticia desde el punto de vista teórico y político, enfatizando la experiencia e intuición, y negando la presencia de códigos selectivos.

Como se puede apreciar, se dan dos posturas bastante diferenciadas. Grossi (1981, págs. 71-72) señala que el debate

actual sobre la profesionalidad periodística se ha polarizado
claramente en dos posturas principales, que corresponden a un
ámbito diverso y a diversa finalidad: a) la profesionalidad
como eslogan o como «valor»; b) la profesionalidad como
práctica abiertamente productiva.

a) A partir de esta postura se define positivamente el rol
del periodista, recualificando la función y la autonomía de la
figura profesional. Éste suele ser frecuentemente el discurso
que desde los propios medios se construye. Se trata por un
lado de una referencia simbólica, pero al mismo tiempo ins-
trumental de la profesionalidad. Como afirman Gurevitch y
Elliot (1980, pág. 50), «la profesionalidad no representa un
medio para asegurar la autonomía completa, sino más bien
un medio por el cual la élite dominante consigue mantener la
producción cultural en el ámbito de un cuadro ideológico que
apoye sus intereses». Por otro lado se concibe la profesionalidad como una cualidad personal. «Hablar de profesionalidad
en términos de destreza significa analizarla e interpretarla
como patrimonio de conocimiento y capacidad, elaborados o
adquiridos dentro de la lógica productiva de los aparatos (y no
contra éstos) plasmados en ellos y que a la vez refuerzan esta
lógica» (Wolf, 1985a, pág. 372).

En el mejor de los casos se concibe la profesionalidad desde un punto de vista puramente técnico. Se plantea la competencia del periodista como un mero servicio funcional. Esto da
lugar a toda una metodología profesional, la vocación, las cua-
lidades personales, el «olfato» periodístico, etc. Wolf (1985a,
pág. 372) afirma al respecto que el «olfato» periodístico no es
una capacidad misteriosa de determinar noticias, sino «una capacidad rutinaria. [...] Y practicada al amparo de parámetros
identificables (los valores/noticia, por ejemplo), capacidad de
combinar "instantáneamente" en un punto de equilibrio factores en sí diversos».

Debemos observar en este contexto que esta postura es
también la de quienes critican la enseñanza universitaria del
periodismo, dejando a la pura socialización, que se produce en

la práctica del trabajo, el mecanismo fundamental para aprender el «oficio». Esta postura tiene unas claras consecuencias ideológicas: «El aprendizaje "sobre el campo" representa un modo particularmente eficaz de adquirir la ideología y la práctica de la profesión» (Gurevitch y Elliot, 1980, pág. 52). De todos modos hay que señalar que, en Europa, la enseñanza universitaria del periodismo se generaliza. Aunque hay modelos diferentes, «en todos los casos se tiende a procurar una base de enseñanzas teóricas sobre los diversos aspectos de la comunicación y el papel del periodista en la sociedad, cosa que implica consideraciones éticas y deontológicas. Se incluyen también conocimientos de especializades temáticas —economía, derecho, política nacional e internacional, cultura, deportes...— y se dedica buena parte de las horas lectivas a la formación profesional y a enseñanzas prácticas de la realidad cotidiana del trabajo de los medios de comunicación» (Rodríguez López, 1994, pág. 27).

b) La profesionalidad también es entendida como práctica productiva rutinaria. El rol periodístico es un rol subalterno a los valores dominantes de elaboración de estereotipos y de bienes simbólicos de consumo. «Un profesional de la comunicación es un mediador de símbolos, una persona que traduce los gestos, los conocimientos y los intereses de una cierta comunidad» (Carey, 1980, pág. 21).

Son precisamente los estudiosos, sociólogos, semióticos, comunicólogos... los que plantean el estudio de la profesionalidad en el marco de la construcción social de la realidad. Hay que observar también que desde esta perspectiva no sólo se estudia la profesionalidad como un asunto técnico endógeno y desvinculado de la audiencia. Como señalan Mc Quail y Windahl (1984, págs. 175-180), en la comunicación de masas siempre se ha dado esta distancia entre el comunicador y la audiencia. Tal distancia se atribuye a tres factores:

1. La concentración física de los medios de distribución y producción, principalmente en las áreas metropolitanas, con lo que se crea una distancia con el área rural.

Esta distancia es la que intentan acortar los medios de comunicación locales.

2. El uso de tecnologías unidireccionales, con escaso *feedback*. Aunque hay que señalar que un intento de aproximación se da gracias al correo electrónico. Así, muchos comentaristas ya incluyen, al lado de su rúbrica, su dirección electrónica.

3. Distancias culturales entre los comunicadores, con un estatus más alto, y el público. De todas maneras hay que señalar que en muchos medios de comunicación la consigna es la simplificación de la información para que pueda llegar al mayor número de lectores/oyentes/espectadores posible.

Partiendo de esta distancia inicial, según estos autores, se dan tres tipos básicos de relación entre el comunicador y el público:

1. Un modelo de dominación: son aquellas situaciones en que el comunicador define su propio rol con respecto a la audiencia de forma clara. El comunicador que controla o domina la comunicación pretende imponer ciertas opiniones y propósitos al receptor. La audiencia queda definida, de acuerdo con este modelo, como un conjunto de consumidores sometidos a la persuasión del comunicador. En este modelo el comunicador pretende lograr algún objetivo, producto externo de su actividad comunicativa.

2. Un modelo autista: hace referencia a la existencia de ciertos criterios que se establecen y aplican dentro de las organizaciones informativas. El comunicador basa su trabajo comunicativo en sus destrezas profesionales y en los juicios profesionales y técnicos de sus colegas. En el modelo autista la satisfacción del comunicador se basa en su propio entorno de trabajo. Es la valoración de sus propias destrezas profesionales. Se ha dicho en ocasiones que los periodistas escriben para los periodis-

tas, ya que los principales consumidores de información son los periodistas. Así se va formando una comunidad de informadores que comentan los exitos y fracasos de los colegas e incluso tienen su *ranking* de los mejores profesionales en su especialidad periodística.
3. Un modelo de equilibrio/intercambio: en este modelo el comunicador trata de establecer contacto con su audiencia sobre la base del deseo que tiene un individuo de conectar con otros. Se produce la respuesta y el intercambio de conocimientos entre el comunicador y la audiencia. En el modelo de equilibrio/intercambio se establecen las relaciones a través de la comunicación con un público que comparte las ideas del comunicador.

Respecto al rol del periodista como productor de noticias con relación al público. Tuchman (1983, pág. 13) afirma que «la noticia tiende a decirnos qué queremos saber, qué necesitamos saber y qué deberíamos saber». Además el periodista no puede renunciar a ser él el que establezca qué es noticia porque en caso contrario dejaría de ejercer su profesión. La clave de la bóveda de la concepción del periodista como productor de las noticias está en el concepto de noticiabilidad (Wolf, 1987, págs. 214-248). Aunque las fuentes pueden pretender señalar lo que es importante de la información que aportan, será el periodista, en última instancia, al que le toca decidir dónde está la noticia.

Hay que subrayar también que, lógicamente, la profesionalidad periodística tendrá sus propias características en cada país específico. Así, por ejemplo, no es lo mismo el modelo profesional angloamericano que el modelo francés (Neveu, 2001, págs. 9-21).

Sin embargo, puedo hacer mía la definición de la profesionalidad periodística que establece Grossi (1985b, pág. 384) como «aquella actividad especializada en la construcción de la realidad social que se presenta como una objetivización de segundo grado (de rutinas cognitivas, de esquemas interpretativos y de significados), es decir, como una ulterior construcción de la realidad que se suma a otras construcciones de realidad, integrándola y generalizándola en razón de su referencialidad pública y colectiva».

Altheide (1976, pág. 179) explica el proceso informativo como una descontextualización de un acontecimiento para poderlo recontextualizar en los formatos informativos. Luego, continúa, si un acontecimiento hay que descontextualizarlo para transformarlo en acontecimiento-noticia significa que el acontecimiento ya había sido «construido», había sido cognitivamente estructurado por alguien en la sociedad, en la vida cotidiana.

El periodista tiene como materia prima de su trabajo la construcción de la realidad social que han hecho las fuentes de la información. Toda persona al ser, por ejemplo, testigo de un acontecimiento da sentido a lo que percibe. Así construye una realidad social, objetiviza el fenómeno observado. Una forma de dar sentido a un fenómeno es contextualizándolo. Así, una fuente puede relatar un robo señalando que «hay muchos inmigrantes en el barrio». Pero el periodista debe ir más allá de la construcción de la realidad social de primer grado que hace la fuente. Lo primero que se pregunta el periodista es si el acontecimiento relatado es noticia, o más concretamente aún, qué de lo relatado es susceptible de ser noticia. La fuente pondrá el acento en lo que es importante para ella, sin embargo el periodista tiene otro punto de vista. Se planteará qué puede ser importante o interesante para sus lectores. Esto le obliga a recontextualizar el acontecimiento ya que podríamos encontrarnos que en el ejemplo puesto el robo no tiene nada que ver con la inmigración. Si se me permite voy a hacer una *reductio ad absurdum* para explicar mejor el ejemplo anterior. Pensemos que el testigo del robo hubiera señalado que «hay muchos socios del Real Madrid en el barrio». Aun en el caso de que el detenido, juzgado y condenado por el robo fuera un socio del Real Madrid Club de Fútbol, sería totalmente absurdo pensar que la contextualización que hizo la fuente era la correcta. Por ello el periodista lleva a cabo una recontextualización del hecho para intentar descubrir cuál es el sentido más certero del mismo. Además el periodista sabe que su relato va a tener una dimensión pública, lo que implica una responsabilidad social a la hora de hacer su objevitización de segundo orden. Burguet (2004, pág. 19), por su parte, al analizar el trabajo periodístico distingue tres etapas consecutivas, y a veces simultáneas, de naturaleza interpretativa, valorativa y contextual:

a) La etapa pretextual en la que se determina qué es noticia. Estaríamos en la selección.

b) La etapa textual en la que se redacta la noticia, que implica también una interpretación y una valoración de los elementos de la información. Es decir, se deciden cuáles son los elementos significativos de la información.

c) La etapa supratextual en la que la noticia, ya redactada, se inserta en un espacio o tiempo de un diario o programa informativo. Estaríamos en la jerarquización entre las distintas informaciones del día.

Lo que quisiera destacar es que este autor recoge, claramente, la importancia de la contextualización que hace el periodista, o si se quiere de recontextualización. «... la competencia textual califica o en caso contrario hipoteca la capacidad profesional del periodista de discernir qué es noticia y en qué contexto esa noticia resulta significativa: si en la etapa pretextual la competencia contextual faculta al periodista para identificar y valorar noticias, después, en la etapa textual, la competencia contextual le permitirá resituar la noticia en el contexto donde recupera el valor informativo interpretado» (Burguet, 2004, pág. 276). Es decir, que esta recontextualización que hace el periodista en la noticia, lo que Burguet (2004, pág. 193) denomina «contexto de interpretación», implica proponer un contexto para interpretar un hecho determinado. Como puede suponerse no es lo mismo titular «Desde 2001 ha aumentado el terrorismo en el mundo» que decir «Desde la elección de George W. Bush ha aumentado el terrorismo en el mundo». Pudiendo ser lo mismo, en este ejemplo, inventado, se proponen dos contextos de interpretación distintos.

Por su parte, Grossi (1985b, pág. 385 y sigs.), que explica su deuda a las teorías de Berger y Luckmann, dice que se puede reducir y definir sintéticamente la naturaleza y la especificidad de la construcción de la realidad a través de los media por la interrelación de tres elementos:

a) La institucionalización del rol periodístico.
b) La objetivización de segundo grado del proceso.
c) La publicación como éxito del proceso.

De modo particular este autor puntualiza algunos elementos imprescindibles, desde mi punto de vista, para una buena comprensión de la teoría de la construcción social de realidad por los *mass media*.

a) La institucionalización del rol periodístico.

En primer lugar, para la construcción de la realidad informativa debe darse un vínculo entre quien la produce y quien la consume, reconociéndola. Para que se produzca este efecto de realidad se debe tener un punto de referencia normativo, una especie de «horizonte social cognitivo». Así, tiene que haber un acuerdo social que los periodistas están preparados y legitimados para informar, para dar forma a la realidad cotidiana.

En capítulos anteriores ya señalé la propuesta de un contrato pragmático fiduciario en el discurso informativo. Pero, ahora, me gustaría profundizar algo más ya que es gracias a la institucionalización del rol de periodista que es posible plantear este contrato pragmático fiduciario público.

¿Cuál es la primera función de la información mediática? Se podría decir que consiste en «hacer saber». Si no se cree que la información mediática sea real, no puede «hacernos saber». Así, nos encontraríamos por lo tanto ante un saber discutido. El discurso pierde su virtualidad, su capacidad de «hacer saber». Por lo tanto, con este objetivo, los medios de comunicación nos proponen un contrato pragmático fiduciario que pretende hacernos creer que lo que dicen los medios de comunicación es verdad, al mismo tiempo que nos proponen confiar en el discurso informativo de dichos medios. Si no me creo las noticias, entonces ¿para qué sirven?

Para Greimas y Courtés (1979, pág. 146): «El contrato fiduciario pone en juego un hacer persuasivo por parte del destinador y, como contrapartida, la adhesión del destinatario: de esta forma, si el objeto del hacer persuasivo es la veridicción (el decir la verdad) del enunciador, el contraobjeto, cuya obtención se da por hecho, consiste en un creer la verdad que el enunciador otorga al estatus del discurso-enunciado: en ese caso, el contrato fiduciario es un contrato enunciativo (o contrato de la veridicción) que garantiza el discurso-enunciado».

El contrato pragmático fiduciario de los medios de comunicación es un producto histórico de la institucionalización y de la legitimación del rol del periodista. A partir del siglo XX, el periodismo se ha convertido en una verdadera profesión con un estatus estricto y con escuelas de formación. En nuestras sociedades, el trabajo de los periodistas se ha convertido en la profesión de aquellos que nos cuentan lo que ocurre en el mundo. Esto no significa que dicho contrato pragmático fiduciario se establezca de una forma incontestable.

De todas formas, en los medios de comunicación hay un esfuerzo por reforzar el contrato pragmático fiduciario. Por ejemplo, se ha creado el puesto de defensor del lector (*ombudsman*), que es en cierto modo una salvaguarda para garantizar el carácter verídico del discurso informativo o al menos para hacer las rectificaciones pertinentes.

Es cierto que cualquier lector puede dudar de una información concreta porque dispone de otras informaciones diferentes o porque hace una interpretación diferente de los hechos. Se debe recordar que un contrato es una propuesta de pacto en el que las cosas son de una forma y no de otra. Se trata de una negociación del sentido y del efecto de sentido. Pero, como afirma Luhmann (1996, pág. 89), se puede desconfiar de los periódicos, pero las noticias son de todas formas las noticias.

b) La objetivización de segundo grado del proceso.

En segundo lugar, la construcción de la realidad social de los *mass media* opera y se estructura gracias a otras construcciones de la realidad que están presentes en un primer nivel de la experiencia social. La especificidad de la construcción social de la realidad de los media está en el reobjetivar, en el redefinir, en el reconstruir en función de la dimensión pública y colectiva de la información de masas de una determinada realidad que se presenta ya objetiva, definida y construida de modo individual privado, grupal y colectiva.

Como producto de una competencia específica, este proceso de objetivización pública puede presentar márgenes de relativa autonomía respecto a los cuadros cognitivos y a la competencia de los destinatarios, ya que viene a llevar a cabo una generalización colectiva de segmentos de realidad fragmentados no siempre compartidos.

De esta última característica, Grossi establece dos elementos:

1. Todo rol de especialista, en el que cabe el periodista, tiende a elaborar estilos expresivos, ideología normativa y esquemas de referencia que lo legitiman y lo diferencian de otros roles sociales.
2. En la construcción social de la realidad de los medios de comunicación, éstos muestran acontecimientos y procesos sociales que se dan fuera de la experiencia directa de los destinatarios, haciendo difícil el contraste entre los dos contextos: individual y público.

Además, el carácter problemático, ambiguo o ambivalente de determinados acontecimientos hace necesaria la intervención de un saber especializado, para interpretar y recontextualizar, que en muchos casos puede generar desigualdad entre la construcción de la realidad informativa de los medios y la enciclopedia de los destinatarios. De ahí que sólo a este nivel de la mediación referencial y simbólica se puede manifestar una función de reorientación de la «construcción de la realidad informativa» respecto a otras construcciones sociales de la realidad. Se trataría de una especie de sobredeterminación de los cuadros cognitivos que pueden producir alteraciones en la imagen de la realidad en los destinatarios.

Pero para individualizar e interpretar esta modalidad de construcciones unilaterales por los *mass media* es necesario reconocer la propia «construcción de la realidad» como un proceso con diversos niveles de articulación. Algunos relativamente estables y codeterminados en cuanto están estrechamente vinculados al rol institucionalizado del periodista como constructor de esquemas de realidad públicamente reconocidos y reconocibles. Mientras que otros, dotados de una mayor negociabilidad cognitiva y simbólica, dependen de la naturaleza de los acontecimientos-noticia, de la capacidad del control del contexto por parte del destinatario, del grado de intervención del especialista de la comunicación y, en definitiva, de la interrelación entre el sistema de información y otros subsistemas presentes en una determinada sociedad.

Desde este punto de vista se podría decir que la profesionalidad supondría la capacidad de recategorizar sociocognitivamente los acontecimientos en las noticias. Los *mass media* recogen unas construcciones sociales establecidas (que más adelante definiré como «mundos de referencia») y ante los acontecimientos, que son realidades socialmente construidas, los recategorizan por medio de unos especialistas de la creación del saber social que son los periodistas.

c) La publicación como éxito del proceso.

El trabajo del periodista sólo se completa cuando sale publicado. Así, el periodista, en ocasiones, va a luchar para que aparezca aquella noticia que ha producido, porque si no todo su trabajo habrá sido en balde. Si no se llega a publicar esta objetivización de segundo grado no ve la luz. También hay que decir que la publicación, aunque significa la culminación del proceso, no está exenta de riesgos. Uno de los más comunes es que la fuente no se sienta representada por la objetivización de segundo grado que ha hecho el periodista, sencillamente porque no coincide totalmente con la objetivización de primer grado que hizo.

7. La objetividad

Veamos un ejemplo curioso. Son los titulares de la primera página de distintos diarios españoles del día 6 de febrero de 1992, que hacen referencia a la visita del primer ministro chino Li Peng a Felipe González, presidente, a la sazón, del Gobierno español. Todos recogen exactamente el mismo tema, pero con matices muy significativos.

— *El Periódico de Catalunya*
  «Felipe exhorta a Li Peng a seguir las reformas y a respetar las libertades»

— *Deia*
  «Felipe habló con Li Peng de libertades humanas»

— *Diario 16*
  «La Moncloa dice que González habló en privado a Li Peng de derechos humanos»

— *El País* (edición de Barcelona)
«González sugirió a Li Peng que China respete los derechos humanos»

— *ABC*
«González hizo ante Li Peng una tímida alusión a los derechos humanos en China»

— *El Mundo*
«González no quiso molestar a Li Peng con peticiones sobre derechos humanos»

Después de leer los distintos titulares la pregunta inevitable es ¿qué pasó realmente entre Felipe González y Li Peng? Seguramente esto nunca lo sabremos, pero analicemos cuál es la interpretación que los distintos diarios nos proponen. No vamos a entrar en los problemas de espacio que pueden condicionar la redacción de titular ni haremos juicios de intenciones; nos centraremos en el efecto de sentido creado. Así, nos vamos a fijar fundamentalmente en tres aspectos. En primer lugar destacamos cómo se nombra al presidente español. Los dos primeros diarios utilizan el nombre mientras que el resto recurre al apellido. La utilización del nombre nos aproxima al primer mandatario español. Es una muestra de confianza que hace al personaje menos distante. Evidentemente a ninguno de estos diarios se le ocurre llamar al primer ministro chino simplemente «Li».

En segundo lugar, y más importante, hay que fijarse en el verbo que explica la acción. Todos, con excepción del *El Mundo*, recogen la misma acción, aunque con matices muy importantes, ya que no es lo mismo hacer una exhortación que una tímida alusión. Exhortar significa inducir o estimular a alguien con palabras, especialmente con razones o ruegos. La fuerza enunciativa es notable. Es decir, que el enunciador —el presidente español— tiene mucho interés en hacer llegar su mensaje al destinatario —el primer ministro chino— para modificar o apoyar una conducta determinada. Una tímida exhortación sería casi una contradicción entre los términos o un oxímoron. Mientras *El Periódico* plantea una acción decidida del presidente español, tanto *El País* como *ABC* muestran una acción que es mucho menos decidida. Así, «sugerir» tendría dos acepciones: a) traer a la mente de alguien una imagen o un concepto de manera indirecta o incipiente y b) proponer una idea o proyecto de manera no firme o no formal. En relación a «aludir» podríamos recoger una acepción: citar o mencionar. Pero para que quede claro *ABC* adjetiva la alusión de «tímida». Dos diarios utilizan el verbo hablar, aunque de forma muy distinta. Mientras que *Deia* afirma, simplemente, que el presidente español «habló», *Diario 16* recoge la fuente de la información: «La Moncloa dice...». Aquí el periodista se convierte en un mensajero, así dice lo que los otros dicen y no se compromete con el dicho. Además, para que no haya dudas, que en el fondo ellos no saben nada, se señala que «habló *en privado*» (la cursiva es mía). Es decir, no habiendo periodistas que pudieran certificar el hecho, se depende que lo que diga el comunicado oficial de la presidencia del gobierno español. Mientras que *Deia* hace una aseveración, *Diario 16* modaliza el verbo y toma distancia con la acción enunciada. El efecto de sentido creado es: ellos son los que dicen que algo se ha dicho, pero además en privado, sin testigos. En este caso el acto de fe, que el periodista no parece dispuesto a hacer, corresponde al lector.

En tercer lugar habría que ver qué predica la acción. En *El Periódico* la exhortación va dirigida a que se sigan las reformas y a respetar las libertades. Lo primero que se predica es el elemento diferenciador con los otros diarios ya que recoge, implícitamente, el apoyo a las reformas realizadas. Pero la exhortación va dirigida también a respetar las libertades, ¿en general y/o en abstracto? Esta inconcreción todavía es más clara en *Deia* y en *Diario 16*. El primero dice que habló «de libertades humanas». ¿Podemos entender que se habló del concepto de libre albedrío en Santo Tomás de Aquino? *Diario 16* dice que La Moncloa dice que se habló de «derechos humanos». ¿Podemos entender que se habló de la influencia de los enciclopedistas en la Declaración de los Derechos del Hombre y del Ciudadano de la Asamblea Constituyente francesa de 1789? Ninguno de los dos diarios concreta sobre qué derechos y libertades se hablaba: ¿de la situación mundial o de la situación en China? Tanto *El País* como *ABC* identifican que se habla de los derechos humanos en China. *El País* apunta que la sugerencia es que «China respete los derechos humanos», por consiguiente podemos deducir que no se respetan. *ABC*, por su parte, es menos directo ya que habla de «una tímida alusión a los derechos humanos en China», así no nos aclara en qué sentido fue la alusión tímida.

El caso de *El Mundo* merece ser comentado aparte porque plantea una acción totalmente contraria a lo que dicen los otros diarios. Para este periódico el presidente español no hizo peticiones, no habló de derechos humanos ni libertades, porque no quería molestar a su interlocutor. La pregunta que nos podríamos plantear es ¿cuál de estos titulares es objetivo?

El concepto de objetividad periodística, a pesar de las múltiples críticas que ha recibido, sigue siendo uno de los elementos clave para comprender la ideología que sostiene el modelo liberal de la prensa. Sin embargo, hay que apuntar que el concepto de objetividad no ha sido inmutable a lo largo de la historia de la prensa (Schudson, 1978).

Como observa Carey (1980, pág. 26), «el reportaje objetivo se convirtió en el fetiche del periodismo americano en el período de la rápida industrialización». Pero en los años sesenta, ya se empezó a criticar el concepto de objetividad basándose fundamentalmente en la manipulación de la información y en los condicionamientos diversos que la misma sufría. Este tipo de crítica ha durado hasta nuestros días. Básicamente se parte del principio de la objetividad como un bien alcanzable, un *desideratum*, pero de difícil acceso por una serie de causas.

7.1. Críticas a la objetividad periodística

Por un lado están los que señalan que la ausencia de objetividad no es imputable a los periodistas o a los propios medios de comunicación, sino a otras razones:

a) el acontecimiento excepcional oculta la regularidad y lo efímero se potencia sobre lo duradero;
b) la fragmentación acentúa, exagerándola, la objetiva variedad y pluralidad de posiciones estableciendo una recomposición ficticia con la primacía del sistema político;
c) el efecto de verdad de esta no verdad producida por los *mass media* es fuerte porque están encubiertos la mayoría de los mecanismos de producción.

Así pues, para Bechelloni (1982, págs. 37-38), el problema de la objetividad periodística no está en que los medios de comunicación dan una versión subjetiva de la realidad, sino que es el propio modelo liberal de la prensa el que limita la objetividad.

Por otro lado también se considera la falta de objetividad como causa, precisamente, no tanto del modelo en general del sistema informativo, como de la producción específica de la noticia, y en la actividad, en concreto, de los periodistas. Kline (1982), en un análisis que realiza de varios telediarios británicos, canadienses y norteamericanos, establece cuatro tipos de sesgos:

1. El sesgo de contenido, en el que se viene a reflejar la orientación general de un medio de comunicación. Se puede apreciar cómo interpreta la importancia de los acontecimientos, asignándoles valores y determinando la cantidad y cualidad de la cobertura y su prioridad. Aunque en la selección de las noticias ya hemos apuntado que la discrecionalidad es menor, este sesgo se podría apreciar más claramente en la jerarquización y en la tematización.

2. El sesgo de las fuentes. Se da en la elección de una fuente que se pronuncia y habla de un acontecimiento. Este sesgo se da fundamentalmente en la utilización de especialistas que interpretarán los acontecimientos. En el capítulo dedicado a las fuentes ya hemos visto los condicionamientos productivos en la utilización de las fuentes. Pero, a pesar de estas dificultades, el sesgo se produce si siempre son las mismas instituciones o actores sociales los que valoran los acontecimientos, dejando al margen otras instituciones o actores implicados.

3. El sesgo temático. El periodista adopta un modelo narrativo, un ángulo para explicar el acontecimiento en los términos de un modelo cultural institucionalizado socialmente. Explicando un acontecimiento, para hacerlo comprensible, el periodista inscribe el acontecimiento en un modelo familiar del conocimiento humano. El problema se da cuando los referentes no están consensuados. Como recoge Haro Tecglen (*El País,* 5/X/1993) comentando el asalto del Parlamento ruso por las tropas dirigidas por Boris Yeltsin: «No sé quiénes son estos rusos que se alzan ni quiénes les combaten: hay nombres diversos. Las emisoras suelen emplear la voz "comunistas" frente a las "fuerzas del orden": un lenguaje viejo pero tranquilizador para los camisas viejas del anticomunismo. [...] Otros (las repúblicas rusas) dicen "el pueblo" frente a los "golpistas", que son Yeltsin y sus tanques; hay quien emplea para los sublevados el término de "leales" (al Parlamento, a lo constituido), mientras algunos les acusan a ellos de "golpistas" [...], porque, si derriban a Yeltsin, interrumpirán el "proceso electoral" (que él quiso imponer disolviendo de pronto el Parlamento). Hay quienes les llaman "los conservadores", como diciendo que se oponen al progreso que representa Yeltsin; no así el segundo periódico, que considera que el término "conservador" está reservado para personas decentes, y que

ahora emplea para los ¿sublevados?, ¿defensores?, ¿parlamentarios?, ¿legalistas?, el nombre unánime (en todas sus páginas) de "ultracomunistas". Entiendo que quiere decir que comunistas son todos, pero unos más que otros [...], y, por tanto, son punibles, mientras los otros son admisibles». Véase que en el momento en que el modelo interpretativo no está consensuado, el sujeto de la enunciación —que suele ocultar el sentido consensuado— debe mostrarse en un nuevo sesgo interpretativo. En Catalunya, por ejemplo, si alguien dice «mi país» hay que identificar al sujeto de la enunciación, ya que se puede referir a Catalunya o a España.

4. El sesgo retórico se da en la organización de los materiales brutos de una noticia por razonamientos por inferencia, o poniendo en relación distintos aspectos de un acontecimiento. En el contexto de un reportaje se dan conclusiones, predicciones sobre las consecuencias, análisis de las causas o motivaciones ofrecidas por los periodistas o por sus fuentes. En concreto, el sesgo retórico se da en la utilización de la opinión, el contexto emocional, la atribución de causas, el tono apreciativo, la coordinación de imagen-comentario.

Una de las conclusiones a las que llega Kline (1982, pág. 155) en su estudio es especialmente relevante: «La tradición periodística de cada país parece poseer su propia versión de una imparcialidad que sostiene el ámbito de la expresión de las noticias y de la expresividad de sus reportajes».

Es decir, que no sólo el concepto de objetividad sufre una variación temporal (en las distintas épocas) sino también espacial (en los distintos países). Esto me inclina a puntualizar ya anticipadamente la inexistencia de un único concepto de objetividad. La objetividad es un concepto social distinto según sean las culturas estudiadas.

7.2. Crisis de la objetividad periodística

Un fenómeno periodístico genuinamente americano que ha puesto precisamente en crisis en los años setenta el propio concepto de objetividad es el denominado «nuevo periodismo». Éste es un periodismo mucho más subjetivo. En la estructura narrativa lo anecdótico se convierte en el *leitmotiv*, se invierte el orden expositivo de la noticia y aumenta el interés por los hechos pequeños en lugar de los grandes acontecimientos. Lo cotidiano se abre camino en el objeto de interés periodístico. La imaginación recobra importancia periodística. Hay utilización tanto de la realidad como de la ficción. El producto final suelen ser reportajes fragmentados en su estructura, y con una gran intencionalidad literaria.

Ante esta subjetivización narcisista de lo real, Marletti (1983, pág. 210) señala que no es fácil establecer cuáles serán los contornos posibles del modelo de construcción de la realidad que a través de los media se está gestando. Apunta como hipótesis que el imperativo de una mayor selectividad y diferenciación de la información impondrá criterios de relevancia mucho más sofisticados y técnicas mucho más refinadas de valoración del producto comunicativo.

Pero no sólo la corriente del nuevo periodismo ha puesto en crisis la distinción entre ficción y realidad. Los periodistas empiezan a contar hechos en los que no estuvieron presentes como si asistieran a ellos. Un ejemplo ilustrativo de este fenómeno son los libros que de forma novelada pretenden describir sucesos históricos. Por ejemplo, el libro *Golpe mortal. Asesinato de Carrero y agonía del franquismo*, realizado por un equipo de investigación del diario *El País*, formado por los periodistas Ismael Fuentes, Javier García y Joaquín Prieto.

Aparecen también reportajes falsos, el 28 de septiembre de 1980 apareció publicada en el *Washington Post* la historia de la vida de un niño negro drogadicto: «Jimmy's World». La historia tuvo una fuerte repercusión en la sociedad americana, llegando a conmover a la opinión pública. Finalmente, obtuvo el premio Pulitzer de periodismo. La historia era inventada como se demostró posteriormente.

Como es de suponer, este hecho rompió la relación fiduciaria establecida con los lectores; la credibilidad de la prensa sufrió enormemente. El *New York Times* escribió con relación al *affaire*: «Cuando un periódico de prestigio miente, envenena la colectividad, porque los artículos de los otros periódicos se tornan sospechosos. El lector que se siente impresionado por lo extraordinario de la noticia se siente autorizado a valorarla como sospechosa».

Sin embargo, y esto es importante a la hora de contextualizar socialmente la construcción de la realidad, Marletti (1983, pág. 217) señala que en Italia no se dio la misma reacción que en Estados Unidos. En Italia algo se valoriza, aunque sea falso, si existen condiciones difíciles de falsificación. Como dice un conocido proverbio italiano, «*se non é vero, é ben trovato*», aunque no sea cierto está bien ideado. Hay que tener en cuenta, por consiguiente, que la construcción social de la realidad difícilmente será universal.

Uno de los elementos que recientemente ha puesto, de forma más clara, en crisis la objetividad periodística son las guerras (Rodrigo, 2002c). Las guerras siempre han tenido un componente comunicativo muy importante pero, en la segunda mitad del siglo XX, con la aparición del sistema comunicativo contemporáneo (prensa, radio y televisión) y la necesidad de consenso en las democracias esta faceta ha cobrado una nueva dimensión. Desde la primera guerra del Golfo se ha podido apreciar que el periodismo bélico ha adquirido unas características muy propagandísticas. Como no quisiera caer en un discurso exclusivamente culpabilizador, poco comprensivo con las dificultades de la propia práctica periodística, en el próximo capítulo recordaré las limitaciones del trabajo periodístico. Sin embargo, más allá de estas limitaciones, hay que plantear hasta qué punto este periodismo bélico no hace que la propia función informativa no quede en entredicho. Así señalo que el contrato pragmático fiduciario que el discurso informativo propone al destinatario puede perder su virtualidad y, en definitiva, se puede llegar a poner bajo sospecha al periodismo. En este contexto se hace necesario, más que nunca, la existencia de lectores críticos y escépticos con los medios de comunicación.

La utilización de los medios de comunicación con fines políticos es una constante desde principios del siglo xx. Chomsky (1995, pág. 8) nos recuerda que en 1916 se produjo la primera operación de propaganda política para convencer a Estados Unidos de entrar en la Primera Guerra Mundial. Sin embargo, es después de la guerra del Vietnam cuando Estados Unidos es consciente de que en toda operación bélica no sólo es necesario convencer a la opinión pública nacional e internacional de la necesidad de la acción, sino también es imprescindible controlar las informaciones y, en especial, las imágenes del conflicto. Sobre todo aquellas imágenes que son susceptibles de convertirse en iconos, en imágenes símbolo representativas de la síntesis emocional del conflicto. Como la conocida foto de Phan Thi Kim Phuc, aquella niña vietnamita que, el 8 de junio de 1972, corría desnuda y despavorida huyendo de los negros nubarrones producidos por el napalm de la aviación survietnamita.

Un ejemplo claro del control en la creación de iconos de una guerra es la primera guerra del Golfo. Poco queda en la memoria visual de aquella guerra si no son las imágenes de «videojuego», que se ofrecían por televisión, de los misiles impactando en edificios. De hecho, alguno de los iconos que se construyeron, como la imagen del cormorán manchado de petróleo, que pretendía apelar a la conciencia ecológica de la humanidad, fue una falsificación propagandística. En relación al periodismo bélico la guerra del Golfo constituye un punto de inflexión ya que marca una tendencia muy clara en el control del tratamiento informativo de las guerras.

La primera estrategia que se siguió fue difundir la idea de que se iba a transmitir la guerra en directo por televisión. En esta tarea colaboraron con entusiasmo muchos medios de comunicación. Una muestra será suficiente como ejemplo. Se trata de un fragmento del editorial del diario *El País*, el de mayor difusión en España, del 18 de enero de 1991: «La guerra de 1991 no sólo será recordada como la primera guerra de los computadores, sino, sobre todo, como la conflagración presenciada en directo por el mundo entero. Y no en resúmenes televisados de algunos corresponsales destacados en la zona y retransmitidos *a posteriori*, sino en una descripción minuto a minuto de cuanto iba pasando. [...] La imparcialidad de las cámaras y su consiguiente fidelidad a cuanto iba ocurriendo ha tenido un interesante efecto catalizador: al contar lo que sucedía, multiplicaba su efecto. [...] El hecho tiene un protagonista a quien no cabe negar un papel absolutamente primordial. En efecto, no es nuevo que la cadena CNN, además del formidable despliegue de medios que hace cada vez que es preciso informar de un acontecimiento, dispone de un envidiable olfato para la noticia, sea en el muro de Berlín o en el cuartel general de Sadam Husein. En esta ocasión, habrá contribuido a cambiar la óptica de la guerra y, tal vez, a impedir la deshumanización de sus consecuencias. *Chapeau* a la CNN». Pero esta opinión no resistió un análisis menos epidérmico del tratamiento de la información del conflicto. Así, el mismo diario *El País*, un año después, el 17 de enero de 1992, vuelve a editorializar sobre la guerra del Golfo en términos muy distintos: «La guerra, que duró 42 días, cambió muchas de las percepciones que se tenían hasta entonces de cosas tan dispares como el derecho internacional, el futuro de la concordia y la reorganización mundial de hegemonías y hasta el papel de los medios de comunicación en los conflictos. [...] Aquellas imágenes límpidas que sirvió al mundo entero la CNN no se corresponden con lo que allí sucedió, de lo cual todavía faltan muchas atrocidades por conocer; no es la cirugía el arte de la guerra, sino la carnicería. Comparado con el papel de las cadenas de televisión estadounidenses durante la guerra de Vietnam (verdadero catalizador de la protesta y desmoralización del pueblo norteamericano), el de la CNN fue, en muchos momentos, de mera propaganda. Ello hace necesario reconsiderar en el futuro esta nueva filosofía de la información en momentos de crisis, que se debate entre los derechos primordiales de los ciudadanos a conocer cuanto pasa a su alrededor y los derechos de un país en guerra a que no se desvelen sus planes estratégicos para no comprometer más vidas de las necesarias o la victoria final».

Creo que estos dos editoriales son bastante ilustrativos de los discursos de los medios de comunicación sobre su papel durante la guerra del Golfo. Se pasó de un cierto entusiasmo mediático y de una fascinación informática inicial al análisis y autocrítica posterior, como mínimo de algunos medios de comunicación. Por su parte, la literatura especializada, tanto de periodistas como de investigadores, rápidamente puso de manifiesto la manipulación de que fue objeto la información (Cummings, 1992; Morrison, 1992; Mowlana, Gerbner y Schiller, 1992; Orive, 1994; Pizarroso, 1991; Reporters Sans Frontières, 1991; Vázquez Montalbán *et al.*, 1991.

Para Castells (1997, págs. 490-491) la guerra del Golfo fue un ensayo general de un nuevo tipo de guerra, así en la actualidad para que una guerra sea socialmente aceptable, en los países democráticos, debe tener las siguientes características:

«1. No debe implicar a los ciudadanos comunes, así que ha de librarla un ejército profesional, y el reclutamiento obligatorio, reservarse para circunstancias verdaderamente excepcionales, percibidas como improbables.
2. Debe ser corta, incluso instantánea, de modo que las consecuencias no se extienden, drenando recursos humanos y económicos y suscitando preguntas sobre la justificación de la acción militar.
3. Debe ser limpia, esterilizada, y mantener la destrucción, incluso la del enemigo, dentro de unos límites razonables; además debe ocultarse lo más posible de la opinión pública, así que, en consecuencia, han de mantenerse estrechamente unidos el manejo de la información, la creación de imagen y las actuaciones bélicas.»

A mí me interesa destacar precisamente este último punto. Si bien en las guerras de principios del siglo xx era importante el papel de la comunicación, a finales del siglo se conviente en un elemento más de la estrategia militar. La estrategia informativa militar de control de la información implica distintas tácticas, que podríamos sintetizar en cuatro tipos de actuación: a) dar información que no informa, b) no dar información, c) dar información falsa y d) dar información favorable.

Cuando el *blackout*, el apagón informativo, no es posible porque, por ejemplo, se necesita el apoyo de la opinión pública una posible táctica es la hiperinformación. Se trata de alimentar a los medios de comunicación con gran cantidad de datos y de imágenes. Pero, paradójicamente, esta hiperinformación supone un infraconocimiento, ya que no siempre información es sinónimo de conocimiento. Cuando la información que se transmite pasa del hacer saber al hacer creer (la persuasión) y al hacer sentir (el sensacionalismo emocional), se puede ocultar lo que sucede mostrando una parte de lo que sucede, aunque sea la más llamativa. Saber no es simplemente ver como, a veces, pretende el discurso televisivo. Saber es entender, es comprender el acontecimiento, comprender sus causas y consecuencias, asumir la existencia de distintas interpretaciones, etc. Por el contrario la saturación de información indiscriminada, anecdótica y espectacularizada produce más confusión que conocimiento.

El no dar información es otra de las posibles tácticas. Aquí entra en juego tanto la censura como la autocensura de los medios de comunicación. Esta táctica necesita, en muchas ocasiones, que los medios de comunicación se consideren parte del conflicto bélico. Así, los medios colaboran con uno de los bandos contendientes. Una vez se ha hecho público el conflicto esta táctica funciona mejor al combinarse con las otras. Cuando los medios pueden hablar de censura, al mismo tiempo que dan determinadas informaciones, se produce un doble efecto de sentido. Por un lado parece que la censura es perfectamente superable ya que la censura más efectiva es aquella de la que no se conoce su existencia. Por otro lado se refuerza un subtexto que apunta que en tiempo de guerra la censura es lo adecuado para no dañar los intereses del propio bando. Es decir, se legitima la censura en tiempo de guerra. Aquí es donde la autocensura, por si la censura no fuera suficiente, entra en juego. «Hay quien defiende la censura militar como una precaución lógica en la dinámica de la guerra para no dar facilidades al enemigo; ello explicaría que no se dieran informaciones sobre la ubicación de las unidades militares o el armamento o no se especulara sobre las estrategias futuras. Estaríamos ante una censura técnica. Pero la censura va mucho más allá: además de tachar algunos párrafos de las crónicas, se trata de un auténtico dirigismo de la información, controlando las fuentes mismas, limitando el punto de vista del periodista y suministrando información desde instancias oficiales, políticas y militares» (Sánchez Noriega, 1997, págs. 272-273).

La tercera táctica es simplemente dar información falsa. La dependencia que el periodismo bélico tiene de las fuentes oficiales hace que su información se convierta, en muchas ocasiones, en propaganda y sea extremadamente vulnerable a la intoxicación, a la desinformación. Después del 11 de septiembre de 2001 esta tendencia parece haberse acentuado. Según *El País* (20/II/2002, pág. 6), el Pentágono ha decidido crear la Oficina de Influencia Estratégica (OIE), que «tiene entre sus objetivos el de "colocar" noticias favorables a los intereses de Estados Unidos en medios informativos internacionales. Estas noticias podrán ser verdaderas o falsas, y afectar a países amigos o enemigos. Sólo importa que ayuden a crear un ambiente propicio para las operaciones bélicas estadounidenses». En este contexto qué credibilidad tiene la noticia, difundida por la agencia Reuters, de que las tropas estadounidenses descubrieron un laboratorio de armas biológicas en Afganistán (*El País*, 23/III/2002, pág. 7). Pero esta desinformación no sólo se basa en la mentira sino también en la utilización de términos que ocultan la realidad de las cosas y desresponsabilizan a los actores. Recordemos cómo en la guerra del Golfo hizo fortuna el término impersonal y aséptico de «daños colaterales».

Por último, está el difundir de la forma más profusa posible cualquier información favorable para el bando propio y/o desfavorable para el enemigo. Aun en el caso de ser una información cierta, en este contexto, se trata como mínimo de una información parcial.

Todo esto produce una gran desconfianza en los medios de comunicación y, sobre todo, en la televisión. Se empieza a poner de manifiesto que los medios también mienten. Para Ramonet (1998, pág. 191) los medios han entrado en una era de sospecha: «Escepticismo. Desconfianza. Incredulidad. Tales son los sentimientos dominantes entre los ciudadanos respecto a los *media*, y muy particularmente a la televisión. Confusamente, se percibe que algo no marcha en el funcionamiento general de la información. Sobre todo desde 1991, cuando las mentiras y las mistificaciones de la guerra del Golfo —"Irak, cuarto ejército del mundo", "la marea negra del siglo", "una línea defensiva inexpugnable", "los ataques quirúrgicos", "la eficacia de los Patriot", "el búnker de Bagdad", etc.— chocaron profundamente a los telespectadores...».

7.3. La objetividad como ritual estratégico

En lo que atañe a la producción de la información, Marletti (1983, pág. 218) recoge la paradoja funcional que se construye sobre el rol de la profesión periodística: por un lado, ésta es una profesión cognoscitiva que requiere la máxima especialidad en la narración directa y sin mediaciones de lo que se considera la «realidad». Pero, por otra parte, la organización misma de esta especialización, orientada a la «realidad», inevitablemente conduce a la creación de un ambiente funcional, «artificial» y «separado»: el pequeño mundo de las redacciones (*newsroom*), la relación con los colegas...

De hecho, en todas las profesiones organizadas se da este fenómeno, que la sociología funcionalista describe como *goal displacement*, desplazamiento de la meta, y que puede analizarse en términos de retroalimentación y de funcionamiento autorreflexivo. Este desplazamiento es una disfunción que se da en las organizaciones cuando éstas tienden a defender más a sus miembros que a atender a sus públicos. Se generan así mecanismos de autoprotección entre los miembros que van creando y retroalimentando sus normas y principios internos, que se van distanciando de los objetivos de la organización de servir a sus públicos.

Así, este distanciamiento entre el microambiente muy seleccionado con sus reglas y el mundo exterior puede producir un efecto de abstracción y de irrealidad constante. Se crea una especie de «idealismo periodístico» (Marletti, 1983, pág. 220) en el que el discurso del objetivismo va a tomar unas características de singular importancia. Tuchman (1980b) analiza el concepto de la objetividad periodística como ritual estratégico. Es curioso constatar cómo se da cierta mala conciencia (Demers, 1982) entre los periodistas sobre su propio trabajo y la posible falta de objetividad en el mismo. Pero tengamos en cuenta que, por sus propias características, el trabajo de los periodistas tiene una manifestación pública, esto hace que sea susceptible de ser criticado fácilmente por cualquiera. Ante estas posibles críticas de la audiencia el periodista va a reafirmar la objetividad de su trabajo.

Tuchman reconoce la existencia de tres factores que condicionan el concepto de objetividad que tiene el periodista: a) la forma de la noticia, b) las relaciones en el interior de la organización, c) los contenidos de las noticias.

Hay multitud de acontecimientos que ponen en dificultades a los periodistas: «El periodista debe dudar de los hechos comprobando las fuentes, pero algunos de los hechos deben ser simplemente aceptados como "verdaderos"» (Tuchman, 1980b, pág. 188). Ante esta situación los periodistas establecen una serie de estrategias para sostener la objetividad de su narración y también contra la censura y la crítica de los jefes. Las estrategias se concretan en cinco procedimientos (Tuchman, 1980b, pág. 188 y sigs.):

1. Presentar la posibilidad de contrastar la pretendida verdad, señalando claramente las fuentes.
2. Presentación de pruebas suplementarias ulteriores que reafirmen un hecho. Se puede hacer un acopio de afir-

maciones por el periodista sobre unos hechos comprobados.

3. El uso de las comillas. Se pone el texto en boca de otro. Supone un distanciamiento del periodista, con lo que no es el periodista el que está haciendo una afirmación de la verdad. Por otro lado se puede afirmar que se da el uso de la cita para apoyar hipótesis personales, presentándolas como sacadas de la lógica «natural» de los acontecimientos.

4. Estructuración de la información de una forma adecuada. Es decir, se presentan en primer lugar los hechos esenciales.

5. Separación de la información de la opinión, los hechos de los comentarios.

«Parece que los procedimientos periodísticos que se manifiestan como características formales de los periódicos son, en realidad, la estrategia a través de la cual los periodistas se protegen de las críticas y reivindican el carácter objetivo de su profesión», así pues Tuchman (1980b, pág. 200) señala también que «no hay una clara relación entre los fines perseguidos (objetividad) y los medios empleados (el procedimiento periodístico)», ya que mediante los procedimientos antes señalados:

a) invitan a una recepción selectiva,

b) refuerzan erróneamente la convicción de que los «hechos hablan por sí mismos»,

c) estos procedimientos están desacreditados y son un modo de introducir la opinión del periodista,

d) dependen de la línea política de una particular organización periodística,

e) despistan a los lectores haciéndoles creer que el «análisis de la noticia» es importante y definitorio.

En definitiva, para Tuchman (1980b, pág. 202), «la objetividad está referida a los procedimientos de rutina que pueden ser considerados como características formales. [...] Que protegen a los profesionales de errores y críticas. Destaca el hecho de que el término "objetividad" se utiliza como ritual estratégico de defensa».

Esta concepción de la objetividad, o mejor de su funcionalidad en el seno de las organizaciones informativas, si bien es interesante, quizá no dé cuenta de todos los elementos que intervienen. En este sentido, Trinchieri (1977b, pág. 94) señala que Tuchman no intenta dar cuenta de las relaciones entre el sentido común y la concepción que el periodista tiene del propio público, de las específicas demandas de la organización, de las relaciones que se establecen con las fuentes y de la posición del periodista en la jerarquía redaccional, su estatus y rol.

Por su parte, Grossi (1981, pág. 80 y sigs.) a partir del estudio de los casos excepcionales critica las conclusiones establecidas por Tuchman: la profesión periodística no puede ser descrita simplemente como rituales estratégicos que sirven para reafirmar lo existente, el *statu quo*, por los motivos siguientes: es tautológico y aporético al mismo tiempo ver en los esquemas colectivos de socialización un factor de integración, y por tanto, de dominio. Esta equivalencia entre integración y dominio es poco probable, aunque tanto en la concepción del trabajo periodístico y, en general, en la concepción cultural del determinismo socioeconómico, se asuma frente a la teoría de la construcción social. La diferencia fundamental entre estas dos concepciones consiste, en primer lugar, en el peso asignado al componente subjetivo-pasivo en el primer caso, y socialmente reflexivo en el segundo, todo ello, por otro lado, en la diversa concepción de la linealidad o complejidad de los procesos sociales de producción simbólica.

Estoy de acuerdo con Grossi en que se puede estudiar el concepto de objetividad y de profesionalidad periodística no sólo como legitimante de la actuación. Pero hay que convenir que ésta es, sin ningún género de dudas, una faceta de singular importancia.

7.4. Propuestas para una objetividad periodística

Podemos señalar la existencia de cierto discurso marxista sobre la objetividad (Taufic, 1976, págs. 202-205). Se parte del principio de que la realidad existe de forma objetiva, independiente del sujeto. Pero no siempre el reflejo de la realidad que recoge la prensa es verdadero o fiel. Además hay que distinguir entre objetividad y neutralidad. Mientras la primera es deseable, la segunda no es ni tan siquiera posible.

El concepto de objetividad que propugna el capitalismo es la descripción de los principales hechos desconectados de las relaciones de clase en que se dan. Una objetividad así concebida no es objetiva. «Pero aquí reside uno de los grandes trucos de la prensa capitalista: aislando determinados hechos reales en sus noticias, cortando las raíces que los afirman en toda la realidad, prohibiéndoles a sus reporteros pronunciarse sobre ellos, la dirección del diario puede después darles la interpretación subjetiva que quiera en la página editorial, amparada por la bandera pirata de que "los hechos son sagrados; el comentario es libre"» (Taufic, 1976, pág. 203). Se da un reflejo falseado de la realidad. Además, la auténtica objetividad no es ni neutral ni imparcial.

Responderé a esta concepción de la objetividad con palabras de Gouldner (1978, pág. 73): «El objetivismo es un discurso que carece de carácter reflexivo; enfoca unilateralmente el "objeto", pero oculta al "sujeto" hablante para quien es un objeto; así, el objetivismo ignora el modo en que el objeto mencionado depende, en parte, del lenguaje en que es mencionado, y varía de carácter según el lenguaje o la teoría usados».

Desde la propia epistemología se cuestiona el concepto de objetividad (Rodrigo, 2001, págs. 136-146). Como afirmaba Foerster, «la objetividad es la ilusión de que las observaciones pueden hacerse sin un observador» (citado por Glasersfeld, 1994, pág. 19). Habitualmente se consideraba que el mundo de la cientificidad era el mundo del objeto y el mundo de la subjetividad correspondía al mundo de la filosofía, de las humanidades. Ambos dominios estaban legitimados pero eran mutuamente excluyentes. En la actualidad hay una convergencia entre ciencia y cultura gracias a la restitución de la subjetividad. «Tanto la ciencia como la cultura son procesos constructores de y construidos por procesos sociales» (Fried Schnitman, 1994, pág. 17). La cultura ha irrumpido con gran fuerza en la teoría del conocimiento. Como afirma Morin (1994a, págs. 73-74), «la cultura, que es lo propio de la sociedad humana, está organizada y es organizadora por el vehículo cognitivo que es el lenguaje, a partir del capital cognitivo colectivo de los conocimientos adquiridos, de las habilidades aprendidas, de las experiencias vividas, de la memoria histórica, de las creencias míticas de una sociedad. Así se manifiestan las "representaciones colectivas", la "conciencia colectiva", la "imaginación colectiva". Y a partir de su capital cognitivo, la cultura instituye las reglas/normas que organizan la sociedad y gobiernan los comportamientos individuales. Las reglas/normas culturales generan procesos sociales y regeneran globalmente la complejidad social adquirida por esa misma cultura».

En definitiva, «el objetivismo es una patología de la cognición que supone el silencio sobre el hablante, sobre sus intereses y sus deseos, y sobre cómo se sitúan éstos socialmente y se mantienen estructuralmente» (Gouldner, 1978, pág. 78).

A pesar de las críticas que se han hecho al concepto de «objetividad», sin embargo muchos autores buscan aún en el campo de la comunicación de masas una salida a la situación que provoca la crisis del concepto. Se trata de una especie de búsqueda de la «buena» objetividad para su aplicación a la producción de la realidad informativa. Veamos algunas de estas propuestas.

Umberto Eco (1979) en un importante artículo: «Obbiettività dell'informazione: il dibattito teorico e le trasformazioni della società italiana» reduce la problemática de la objetividad a dos afirmaciones aparentemente contradictorias: I. La objetividad es una ilusión, II. Se puede ser objetivo.

El umbral mínimo de la objetividad sería distinguir y separar la noticia del comentario; recordemos que la máxima fundamental del periódico liberal es «la noticia es sagrada, el comentario es libre». Eco (1979, pág. 19 y sigs.) recoge 4 factores que han incidido en el tema de la objetividad en los años setenta. Hay que tener en cuenta que Umberto Eco hace explícita referencia al caso italiano. Sin embargo, algunos de los factores son extrapolables a otros países. Los 4 factores son:

1. La presión de las masas. En los años setenta se da un gran crecimiento de la participación popular y una inimaginable transformación de las costumbres. A pesar de su localización geográfica en Francia, el mayo del 68 supuso grandes cambios (Morin, 1975) en la sociedad europea. En este contexto la audiencia se torna más exigente con relación a los mismos medios que deben adaptarse a estas nuevas exigencias. Eco (1979, pág. 19) dice que «de la práctica real de la lectura del periódico en la escuela (si no en todas, sí en muchas) ha nacido un público más exigente». En las democracias cada día es más clara la necesidad de la educomunicación (Miralles, 2003).

2. La concurrencia de la información alternativa. Aparecen periódicos alternativos en medio de la industria de la información. Esta circunstancia es determinante, ya que la competitividad entre los distintos medios hace que si uno no da la información, la dé el otro con el posible aumento de audiencia por su parte. Esto se puede apreciar con bastante claridad en la problemática del *blackout*. En el campo de la comunicación aparece como un tema determinante: el de la contra-información. Recordemos que en el primer número de la revista *Versus* (septiembre, 1971) el tema de discusión del mismo fue «Contre-information et communication de masse».

3. La toma de conciencia de los periodistas. De esta toma de conciencia se aclarará al público que un periódico no es un lugar monolítico donde una sola voluntad administra una sola verdad. Hay que señalar que en Italia

la discusión sobre el papel del periodista ha sido muy
amplia (Wolf, 1985).
4. La producción del hecho-noticia. Para Eco éste es un
problema que ha cambiado la ideología del periodismo
y de la noticia. Nos encontramos ante la producción de
mensajes por medio de mensajes. «Con el nacimiento
de los grandes circuitos de información, gesto simbólico y transmisión de la noticia se han convertido en her-
manos gemelos: la industria de la noticia necesita gestos excepcionales y los publica, y los productores de
gestos excepcionales tienen necesidad de la industria
de la noticia para dar sentido a su acción» (Eco, 1979,
pág. 23).

Pero en la propia industria de la información se sigue
manteniendo la ideología tradicional según la cual «existe una
fuente de la noticia, que es un dato de la realidad independiente; después la información, que está al servicio fiel de la
realidad objetiva, transforma los hechos, a los que accedió a
través de la fuente, en mensajes y los distribuye a los destinatarios» (Eco, 1979, pág. 26). Sin embargo, sigue Eco, la fuente no está hecha de realidad objetiva independiente, sino que
se hace siempre de otros mensajes. El periodista que parece
que explique un hecho en realidad lo que hace es explicar el
testimonio de un presunto hecho. Nos podemos encontrar
pues ante la producción de noticias por medio de noticias, que
producirá, según Eco (1979, pág. 27), una «situación de idealismo objetivo». Nos encontramos ante una serie de hechos
que son producidos precisamente para ser noticias, por ejemplo ciertos actos terroristas. Ante estos hechos la prensa debe
tomar partido, buscar las motivaciones, desvelar lo oculto, interpretar el valor simbólico... Ante los mismos la noción de
objetividad entra en crisis. «Frente a un hecho-noticia la objetividad consiste en asumir la responsabilidad de no ser objetivos, de manifestar la propia posición. Cosa que se hace también con las noticias "tranquilas", pero sin decirlo» (Eco,
1979, pág. 28).

En este mismo sentido Bechelloni propugna un nuevo modelo de información que gire en torno a la interpretación. «Por interpretación se debe entender la capacidad de distinguir entre los hechos relevantes desde el punto de vista no de la ideología de la noticia sino del desarrollo objetivo» (Bechelloni, 1978, pág. 178). Se trata pues de contextualizar la información en una cadena de acontecimientos precedentes y paralelos. Es decir, se trata de construir una nueva «objetividad» ya que, como sigue afirmando Bechelloni (1978, pág. 177), «renunciar a la posibilidad de un periodismo objetivo significa negar los fundamentos del mismo periodismo que, a pesar de todas sus deformaciones, ha tenido del principio al final una saludable tensión hacia la verdad, la objetividad». Es decir, para Bechelloni (1978, pág. 178) la objetividad no existe como tal, pero sí se da una tendencia hacia ella. «La objetividad es un concepto ideal-típico, como tal no existe, pero su presencia es reconocible: una tensión permanente hacia la verdad.»

Esto nos llevaría a situar prácticamente la objetividad como un problema de voluntad del individuo. Como afirma Marletti (1982, pág. 190), la objetividad «es el resultado que sólo se puede conseguir gracias a un preciso empeño profesional, a la comprensión de los hechos y a la evolución tendencial de los mismos, en la relación entre la experiencia y la memoria colectiva». Marletti se aproxima más a la postura que sostengo ya que recoge el carácter cultural y social de lo que se denomina objetividad.

Por su parte, Umberto Eco propone como solución transitoria a la problemática de la objetividad saber construir por la información un continuo discurso crítico sobre la propia modalidad, reflexión sobre las condiciones ficticias y reales de la objetividad, análisis de la noticia en cuanto tal, reconocimiento explícito de los casos en que la noticia proviene de hechos y en aquellos en que ésta habla de otras noticias. Postula Eco la necesidad de una información objetiva y completa. «Completa no significa dar todos los hechos, sino dar todos los hechos y todos los comentarios, comprendidos aquellos que desenmascaran la falsa naturaleza del hecho, de muchos hechos aparentes» (Eco, 1979, pág. 32-33). ¿Nos encontramos, acaso, ante la objetividad por acumulación?

Llegados a este punto me parece interesante distinguir, por un lado, lo que es la objetividad y, por otro, qué función social cumple. Respecto al primer punto, me sumo a la afirmación de Bechelloni (1978, pág. 178): «La objetividad, en su versión liberal-burguesa, es un mito, una mentira subjetiva travestida». Pero en esta misma sociedad «los medios informativos son el lugar donde las sociedades industriales producen nuestra verdad» (Veron, 1981, pág. 8). Aunque los *mass media* no son los únicos aparatos productores de verdad en nuestra sociedad, sí son uno de los más importantes. Así, el periodista se convierte en «una de las principales figuras sociales encargadas de aquello que podríamos llamar "la certificación institucional de la verdad"» (Marletti, 1982, pág. 196).

Me parece muy esclarecedor al respecto la postura de Edgar Morin: «No hay una receta para la objetividad, el único recurso es la toma de conciencia permanente de la relación observador-fenómeno, es decir, la autocrítica permanente», porque no hay que olvidar que no sólo el observador modifica con su mirada lo observado sino que también «la mirada del investigador es modificada por el fenómeno observado» (Morin, 1975, pág. 36). «El discurso nace de la cooperación, de la combinación entre ecosistema y perceptor» (Morin, 1975, pág. 248).

Por su parte, Veron (1990, págs. 13-14) propone que nos preguntemos cuándo es objetiva la noticia para un receptor cualquiera: «Desde el punto de vista del receptor, el concepto de objetividad se basa en un extraño juego que consiste más o menos en lo siguiente: un discurso sobre acontecimientos de actualidad se considerará objetivo cuando el receptor tenga la sensación de que, si hubiera estado allí donde se han producido los acontecimientos, los habría descrito más o menos de la misma forma». Es decir, nos encontramos ante una negociación de subjetividades o ante una intersubjetividad. Está claro que el periodista no puede escribir lo que le dé la gana, porque si no conecta con la interpretación que el lector haría si estuviera en su lugar su propuesta de interpretación de la realidad no será creída.

Por último, quisiera señalar que el discurso sobre la objetividad se centra en los hechos, sin tener en cuenta que los hechos necesitan ser interpretados. Además, no siempre se ha entendido por «hecho» (*fact*) lo mismo. Como señala Tuchman (1983, pág. 173), «... el término "hecho" tenía una significación diferente en 1848, cuando se fundó el primer servicio norteamericano de cables, que el que tuvo en 1865, 1890 o 1925. Para los primeros servicios de cables, presentar hechos connotaba presentar información aceptable a las políticas editoriales de todos los periódicos que se suscribían al servicio. Durante la Guerra Civil, presentar hechos significaba transmitir versiones gubernativas de las batallas sin evaluar su validez». Pero en un momento histórico determinado el hecho se convirtió en la piedra de toque de la objetividad periodística. «Aunque la profesionalidad surgió entre los informadores en 1890, no fue hasta los años veinte que la facticidad tuvo connotaciones de neutralidad y objetividad profesional, y que los informadores demostraron su imparcialidad evitando explícitamente la distorsión y la parcialidad personal» (Tuchman, 1983, pág. 174).

7.5. Más allá de la objetividad periodística

Como hemos visto en un apartado anterior, la guerra siempre ha puesto en jaque al periodismo. La paradoja que se produce es que a medida que aumentan las posibilidades técnicas de transmisión de información, mayor y más diversificado es el control de la comunicación. Como ya he señalado, la primera guerra del Golfo fue un acontecimiento que marcará la historia del control de los medios de comunicación. También hemos recordado, en este mismo capítulo, casos de falsificación de noticias o reportajes por parte de periodistas. Veamos algunos casos más recientes y que se han producido en distintos países.

El 3 de febrero de 1992, la cadena de televisión France 2 emitió un reportaje sobre un arriesgado salvamento de montaña que era en realidad un ejercicio de entrenamiento de la policía, las Compañías Republicanas de Seguridad (CRS) (*El País*, 17/II/1992, pág. 36).

En España, en 1998, pudimos ver a un político que tenía el don de la ubicuidad, porque fue entrevistado al mismo tiempo, en directo, por dos cadenas de televisión diferentes (*El País*, 22/IX/1998, pág. 68). Estamos en el caso de un falso directo.

En Alemania un reportero alemán se inventaba reportajes escandalosos para la televisión: «Un experto descubrió que la voz del neonazi que hablaba bajo la capucha era la misma que la de otras personas que aparecían en otras películas. Demasiada coincidencia que el neonazi, el narcotraficante y el fabricante de bombas kurdo fuesen la misma persona» (*El País*, 23/IX/1996, pág. 28).

En Estados Unidos también se han producido casos. Uno de los más sonados fue el de un periodista de *The New York Times*, Jayson Blair, que había plagiado, inventado, exagerado y falsificado muchos de sus artículos, algunos de los cuales incluso fueron portada del diario (*El País*, 13/V/2003, pág. 33). El escándalo del caso fue tal que tuvieron que dimitir tanto el director como el director adjunto de *The New York Times* (*El País*, 6/VI/2003, págs. 32 y 34).

Esta muestra trata de casos singulares y denunciados, el debate sobre la objetividad no puede basarse en ellos sino sobre el trabajo cotidiano y aceptado como adecuado de los periodistas. La discusión sobre la objetividad va mucho más allá de si un relato es más o menos objetivo, sino lo que se plantea es hasta qué punto un relato puede ser objetivo. En este sentido me parece muy interesante la obra de Burguet (2004, pág. 15), en la que pretende demostrar que «la separación entre información y opinión es equívoca, inestable, permeable, y que sobre todo puede ser muy engañosa». Este autor, por un lado, hace una crítica de aquello que los textos universitarios de periodismo postulan como objetividad y, por otro lado, recoge ejemplos de cómo la opinión implícita aparece en la información.

¿Por qué también hay una defensa por parte de los estudiosos de la comunicación de la objetividad? Seguramente porque la objetividad se ha ido constituyendo como una matriz de nuestro pensamiento moderno. Para entenderlo mejor debemos ir al trasfondo de la modernidad.

En un interesante trabajo de Toulmin (2001) se pone de manifiesto cuál era el contexto político y social de los pilares del pensamiento moderno. Así, este autor se pregunta, «en primer lugar, cuáles fueron los acontecimientos que resultaron ser tan cruciales para la creación de la Europa moderna; en segundo lugar, cómo influyeron esos acontecimientos en cómo los europeos vivieron y pensaron en las últimas décadas de dicho siglo [se refiere al siglo XVII]; y, finalmente, cómo configuraron el desarrollo de la modernidad hasta la época actual y, no menos importante, nuestro horizonte de expectativas con vistas al futuro» (Toulmin, 2001, pág. 36). En el siglo XVII, el conflicto religioso que vivió Europa, frente a una primera modernidad desarrollada por los humanistas del siglo XVI, hizo emerger una modernidad racionalista que subvirtió la corriente anterior. «La disposición de los humanistas para convivir con la incertidumbre, la ambigüedad y las diferencias de opinión no había hecho nada [...] para impedir el conflicto religioso; luego [...] había contribuido a causar aquel estado de cosas degenerado. Si el escepticismo nos dejaba indefensos, se imponía con urgencia la certeza» (Toulmin, 2001, pág. 91). Esto dio paso a un racionalismo que enterró las propuestas escépticas de los humanistas, ya que se hacía necesaria una nueva certeza incuestionable frente al conflicto religioso que se estaba viviendo. «... en aquel momento el cambio de actitud —la devaluación de lo oral, lo particular, lo local, lo temporal y lo concreto— pareció muy poco precio que pagar por la teoría formalmente "racional" fundada en conceptos abstractos, universales y atemporales» (Toulmin, 2001, pág. 117). Era necesario aceptar que se podía llegar a conseguir una interpretación verdadera, a pesar de las dificultades que pudieran surgir, y universal. En este sentido, hay una tendencia a la descontextualización de las realidades sociales. El contexto desaparece de la reflexión que, sin necesidad de excesivas verificaciones, se pretende universal. Como señala Toulmin (2001, págs. 152-153), los tres sueños de los racionalistas convergen en la misma tendencia: «Los sueños de un método racional, una ciencia unificada y una lengua exacta se unen en un único proyecto. Todos se proponen "purificar" las operaciones de la razón humana descontextualizándolos; es decir, divorciándolos de situaciones históricas y culturales concretas». Se trata de objetivar al máximo la realidad social y de reducir al mínimo las interpretaciones alternativas. Así, también en el ámbito social y cultural, hay una búsqueda desesperada de la verdad aceptable para todos. Este esquema mental ha condicionado nuestra forma de mirar y de entender la realidad.

En el periodismo, esto ha llevado a la distinción entre hechos y opiniones. Sin embargo, como apunta Burguet (2004, pág. 148), «el periodismo se mueve siempre, por activa y por pasiva, por el territorio relativo —y por esto mismo conflictivo, polémico— pero no arbitrario sino argumental de la interpretación...». Como hemos visto en capítulos anteriores, el periodista interpreta la realidad. Pero esto no significa que puede hacer cualquier tipo de interpretación. Aquí podríamos retomar la diferenciación entre «interpretación» y «uso» (Rodrigo, 1995, págs. 127-129). La idea es que todo fenómeno acepta un universo de interpretaciones si no legítimas al menos legitimables. Es decir, cada sociedad acepta ante determinado fenómeno una serie de interpretaciones aceptables. Toda interpretación que vaya más allá de este universo podrá ser fácilmente considerada como un uso malicioso, malintencionado o, sencillamente, sin propósito informativo. Pero téngase en cuenta que lo que sería una interpretación para una comunidad puede ser un uso para otra y viceversa. Así, habría que apuntar que la diferencia entre interpretación y uso estaría en la aceptación social mayoritaria o no del sentido que se le da al fenómeno. Pongamos un ejemplo, supongo que cualquier lector estará de acuerdo que no se puede interpretar el maremoto que ha asolado Indonesia como una venganza de Neptuno contra las criaturas humanas que devastan su reino. Busquemos otro ejemplo más realista: en España sería considerado un uso, es decir, una interpretación no aceptable, el manifestar que el *tsunami* que ha asolado el sudeste asiático ha sido un castigo de Dios. Sin embargo, un diario marroquí, *Attajdid*, afirmó que dicho maremoto fue un castigo divino por el establecimiento, en dichas zonas, del turismo sexual. Pero no sólo esto, hubo una manifestación en Rabat en apoyo a esta interpretación. *El País* (31/I/2005, pág. 8) señala que «*Attajdid* aseguró que Marruecos puede sufrir una catástrofe similar a la que han padecido Indonesia, Sri Lanka, India y otros países si no se termina con la inmoralidad. Los artículos de este diario han sido condenados por la televisión marroquí, y han provocado llamamientos para implantar la censura de prensa». Si un diario hubiera afirmado que esta castátrofe era una advertencia de Poseidón, no habría habido problema de censura o de manifestaciones de apoyo ya que al no ser una interpretación legitimable, supongo que para todo el mundo, se habría interpretado que se hacía un uso, quizá como broma muy poco afortunada.

Para acabar este capítulo sólo quisiera añadir que aunque los periodistas, en algunos casos, pueden mentir, como hemos visto al principio de este apartado, no es ésta la trampa sobre la que hay que estar advertido. Los malos profesionales existen en todos los ámbitos. El problema es, como denuncia Burguet (2004, pág. 58), que se puede engañar sin mentir: «... pueden engañar sin la necesidad de mentir, que es como mentir pero impunemente». Esto se da cuando se informa «... de datos ciertos, objetivos, incontestables, para dar a entender cosas que o son falsas o en todo caso no son ciertas» (Burguet, 2004, pág. 60).

De hecho, mediante presuposiciones, se puede engañar diciendo la verdad. Pongamos un ejemplo. Imaginemos que una revista universitaria hace un reportaje sobre una conferencia que di y titula el reportaje: «El profesor Rodrigo dio la conferencia vestido». Con toda seguridad lo que dice será cierto, ya que por mucho calor que haga en las salas siempre doy las conferencias vestido. Pero engaña al lector porque se presupone que en alguna ocasión di, o que puedo llegar a dar, la conferencia desnudo.

8. Los retos del periodismo informativo

Hace ya más de veinticinco años que Edgar Morin (1975) apuntaba la importancia del estudio de la crisis para una sociología del presente. Pero la diferencia principal es que si el Mayo del 68 francés, que inspiró el libro de Morin, fue una crisis puntual aunque de consecuencias perdurables, en la actualidad parece que la situación es de crisis permanente. En palabras de Giddens (1997, pág. 23) la modernidad actual «se trata de un mundo repleto de riesgos y peligros al que se aplica de modo particular la palabra "crisis", no como una mera interrupción sino como un estado de cosas más o menos continuo». En mi opinión, las crisis anteriores se enmarcaban dentro de la lógica de la modernidad, en cambio las actuales afectan a algunos de los principios fundadores de la modernidad racionalista. Hemos pasado de las crisis *en* la modernidad a la crisis *de* la modernidad. En este sentido Morin (1994b, pág. 446) afirma: «Para mí, la crisis del futuro es un componente de la crisis de la modernidad; lo que llamábamos modernidad está en crisis. Pero como aún no vemos la cara de lo que está emergiendo, tenemos una manera pobre de denominarlo, el término es "pos", "posmoderno". Pienso que los términos "pos" y "neo" traducen la imposibilidad de conceptuar verdaderamente, por ahora, la nueva cara que todavía no está formada». Para Berger y Luckmann (1997) no es que la modernidad esté en crisis sino que la modernidad es la causa de la crisis de sentido del mundo actual. «La modernidad entraña un aumento cuantitativo y cualitativo de la pluralización. Las causas estructurales de este hecho son ampliamente conocidas: el crecimiento demográfico, la migración y, como fenómeno asociado, la urbanización; la pluralización, en sentido físico y demográfico; la economía de mercado y la industrialización que agrupan al azar a personas de los tipos más disímiles y las obligan a interrelacionarse en forma razonablemente pacífica; el imperio del derecho y la democracia, que proporciona garantías institucionales para esta coexistencia pacífica. Los medios de comunicación masiva exhiben de manera constante y enfática una pluralidad de formas de vida y de pensamiento: tanto por medio de material impreso, al que la población tiene fácil acceso debido a la escolaridad obligatoria, como por los medios de difusión electrónicos más modernos. Si las interacciones que dicha pluralización permite establecer no están limitadas por "barreras" de ningún tipo, este pluralismo cobra plena efectividad, trayendo aparejada una de sus consecuencias: las crisis "estructurales" de sentido» (Berger y Luckmann, 1997, pág. 74). Para estos autores nuestra crisis es *por* la modernidad.

Un corolario de este sentimiento de crisis, bastante claro y generalizado, es la incertidumbre. Aunque, como en el caso de la crisis, hay distintas interpretaciones a este fenómeno. Mientras que para Berger y Luckmann (1997) la situación creada por las incertidumbres y las crisis de sentido es dramáticamente angustiosa, para Fried Schnitman (1994, pág. 24) «la pérdida de la certeza que atraviesa la cultura contemporánea lleva a una nueva conciencia de la ignorancia, de la incertidumbre. El poder preguntarse, el dudar sobre la duda introduce, así, una reflexión sobre la reflexividad, un proceso de segundo orden. Las dudas con las cuales el sujeto se interroga sobre la emergencia y la existencia de su propio pensamiento constituyen un pensamiento potencialmente relativista, relacionante y autocognoscitivo». Desde este punto de vista, la incertidumbre no se convierte en un estado temporal, sino que es una característica de la complejidad del tiempo presente. Por esto Morin (1994a, pág. 439) afirma que «es necesario establecer la diferencia entre programa y estrategia; pienso que allí está la diferencia entre pensamiento simplificante y pensamiento complejo. Un programa es una secuencia de actos decididos *a priori* y que deben empezar a funcionar uno tras otro sin variar. Por supuesto, un programa funciona muy bien cuando las condiciones circundantes no se modifican y, sobre todo, cuando no son perturbadas. La estrategia es un escenario de acción que puede modificarse en función de las informaciones, de los acontecimientos, de los azares que sobrevengan en el curso de la acción. Dicho de otro modo: la estrategia es el arte de trabajar con la incertidumbre».

En la modernidad actual es inevitable tener que trabajar con la incertidumbre. Esto nos lleva a cambiar algo la perspectiva. En primer lugar, cada vez está más claro que las teorías omnicomprensivas no lo son en realidad. Esto nos obliga a aceptar una cierta fragmentación de la realidad en visiones parciales, pero al mismo tiempo hay que buscar las interrelaciones entre ellas. Es decir, se trata de una globalidad no unitaria sino plurifacética. Como puede apreciarse, la crisis y la incertidumbre nos conducen a la complejidad, que no es la solución sino el diagnóstico.

Éste es el contexto histórico en que tiene que lidiar el periodismo actual. Como puede apreciarse, los retos no son poco importantes. Para arrostrar estas circunstancias tenemos que tener claro cuál es la función de crear conocimiento del periodista, comparándola con los estudiosos de la realidad social. También compararé los modos de producción de conocimiento de ambos. Para poder ejemplificar más fácilmente mi discurso me centraré en el tratamiento de las minorías étnicas y la inmigración en los medios. Así podremos ver que los prejuicios y los estereotipos son uno de los instrumentos que, a veces, se utilizan en el discurso periodístico. Por último haré algunas propuestas para un periodismo más comprensivo, centrándome en el mismo tipo de información. Sería muy consolador pensar que toda la responsabilidad de la relación comunicativa que propone el periodismo corresponde al periodista, pero el lector también ha de poner de su parte. Por ello considero que es necesario que los usuarios de los medios de comunicación sean cada día más críticos.

8.1. La función cognoscitiva del periodista

Tanto los periodistas como los científicos sociales son intérpretes de la realidad social, pero me parece imprescindible el deslindar claramente las dos funciones cognoscitivas. En ocasiones se ha equiparado el periodista a un intelectual. Evidentemente, como apunta Grossi (1981, págs. 83-84), los periodistas deben poseer un bagaje cultural que les permita recontextualizar la información recibida. En los casos excepcionales esta competencia se concreta en la cultura política que le permite atribuir el valor político al hecho.

En cualquier caso, puede aceptarse que un periodista debe tener una amplia base cultural. Recordemos que el problema de la identidad de los intelectuales nace del paso del antiguo régimen a la sociedad industrial burguesa. En la sociedad postindustrial se empieza a dibujar el paso del ideólogo al especialista. Frente a esta especialización se mantendría todavía el carácter universal del saber periodístico, aunque propiciando al mismo tiempo la especialización. Foucault (1981, pág. 138 y sigs.) distinguía entre «intelectual específico» (sería el especialista) y el «intelectual universal», y el periodista ha de tener un poco de ambos.

Pero una cosa es el *background*, es decir, el saber acumulado, y otra es la actividad cognoscitiva, es decir, cómo se transmite y adquiere este saber. Es en esta última donde se plantea el tema de la objetividad, que el propio discurso periodístico suele reclamar de forma insistente.

La mayoría de los periodistas definen su actividad a partir de la objetividad. En una interesante investigación, Phillips (1977) sugiere que los periodistas tienen hábitos mentales, actitudes y características personales que están estructurados alrededor del ideal de la objetividad periodística.

Por otro lado, como nos recuerdan Weaver y McCombs (1980), en la tradición intelectual del periodismo y de las ciencias sociales hay, desde un punto de vista histórico, similitudes y diferencias.

Evidentemente, ambos intentan describir la realidad, pero sus actividades son distintas. En primer lugar, podríamos describir toda actividad cognoscitiva como la relación entre un sujeto cognoscente y el objeto conocido. Esta relación cognoscitiva se basa en la propiedad de las cosas del mundo exterior de ser inteligibles y la capacidad de su conocimiento por el ser humano. A este nivel, indudablemente se pueden equiparar ambos comportamientos cognoscitivos.

Pero la función periodística se basa, en principio, en la selección de acontecimientos que se consideran periodísticamente importantes o interesantes. El científico pretende descubrir nuevos conocimientos, leyes hasta cierto punto universales. La ciencia busca lo general, el periodismo lo singular; por ejemplo, en el tema de la violencia los *mass media* centrarían su interés en experiencias individuales con las que el público pudiera identificarse rápidamente. La ciencia toma las experiencias individuales como casos. El periodista ve un número muy pequeño de casos que describe en los mínimos detalles. Casos que, en ocasiones, son poco significativos pero curiosos. Si el periodista toma un número mayor de actos de violencia, sería lo que se denomina una «ola de violencia», y suele generalizar a través de estadísticas e incluso argumentar, a través de editoriales, a partir de estos datos. Nos encontraríamos así ante el montaje de una ola de violencia (Fishman, 1983).

En cierta medida podríamos ver la similitud entre el periodismo y los métodos científicos. Ambos pretenden describir la realidad, parten de una base empírica y manifiestan profesar una actitud de objetividad. Pero ¿hasta qué punto el propio conocimiento científico es objetivo?

Para Sierra Bravo (1984, págs. 64-70) la objetividad no sólo depende del objeto y del sujeto, sino también del proceso de producción del conocimiento. Esta reflexión me parece esencial para diferenciar la ciencia del periodismo, ya que se da un proceso de producción distinto.

Volviendo al conocimiento científico, por lo que respecta a las ciencias sociales, Sierra Bravo (1984) recoge los siguientes obstáculos epistemológicos, según afecten el objeto, el sujeto y el proceso de conocimiento. Con relación al objeto hay que señalar que lo social es una realidad muy diversa, compleja, cambiante y sensible. El sujeto cognoscente, por su parte, forma parte del objeto conocido, porque es parte integrante del mismo. De forma que el distanciamiento necesario en la investigación científica se hace más difícil. Por lo que respecta al proceso de conocimiento debemos señalar varias circunstancias de interés. En primer lugar es precisamente en este procedimiento, como ya he dicho, donde se da la diferencia fundamental entre periodismo y ciencia. En segundo lugar, hay que recordar lo que señalaba Piaget (1979, pág. 71): «Recíprocamente, el sociólogo modifica los hechos que observa», al igual que Edgar Morin (1975, pág. 36). En tercer lugar, tampoco el procedimiento científico garantiza la objetividad absoluta. Tengamos en cuenta que difícilmente los investigadores dan cuenta de todas las dimensiones de un fenómeno. Normalmente se centran en un aspecto del mismo que se considera de interés. Es decir, que el conocimiento científico es selectivo. Hay que asumir también la posibilidad de errores en los análisis científicos. En definitiva, hay que asumir que el procedimiento científico no asegura tampoco la objetividad absoluta.

Otra diferencia a tener en cuenta es que mientras el científico social busca, frecuentemente, un cierto grado de generalización, el periodista lo que hace es explicar casos. Castañares (1995, págs. 210-211) compara el trabajo de los detectives y de los periodistas con el de los científicos sociales: «El procedimiento de investigación es también diverso. El científico se verá obligado a contrastar cada una de las hipótesis que va formulando, mientras que los detectives, como Holmes, parten de una hipótesis sobre la que construyen una narración en la que pueden incluirse nuevas hipótesis; sin embargo, estas hipótesis no son contrastadas una a una. Holmes tiene plena confianza en que si la historia que ha construido es coherente, la realidad tendrá que concordar necesariamente con ella [...] los periodistas tienen que comportarse de modo semejante a como lo hace Holmes. No sólo deben partir de alguna hipótesis guiados por esa intuición que en los medios periodísticos, como en los policíacos, se denomina "olfato", también tendrán que construir historias en las que los hechos estén ligados por nexos causales. Para que su historia resulte verosímil, ésta deberá poseer esa coherencia narrativa tan característica de los relatos policíacos: tiene que estar construida sobre la observación meticulosa de hechos que posteriormente son interpretados a la luz de códigos enciclopédidos, en ocasiones infrecuentes, pero sólidamente cimentados. En definitiva, su método se parecerá más al de Holmes que al de un científico».

Por último, quiero recordar la problemática que se da en las ciencias sociales en la conflictiva relación entre la ciencia y la ideología, con especial incidencia en el papel del lenguaje (Schaff, 1969 y 1976; Geertz, 1976 y Reboul, 1980).

Así pues, si en el propio conocimiento científico se descubren obstáculos para conseguir la objetividad, en el ámbito del periodismo estos obstáculos deberían reconocerse como aún mayores. Sin embargo, el periodismo se reclama a sí mismo como un modo de conocimiento objetivo, utilizando una serie de falacias periodísticas, como apunta Tankard (1976, pág. 51), en su aproximación a la realidad social. Estas falacias son:

1. Generalizar a partir de una muestra no representativa.
2. Abuso o mal uso del concepto «fortuito», del azar, cuando, de hecho, estamos ante una realidad seleccionada. Es decir, la realidad no viene dada si no seleccionada.

3. Utilización de encuestas hechas al «hombre de la calle».
4. Se hacen inferencias causales no válidas.
5. Se asume el hecho de que porque algunos casos preceden al acontecimiento son causa del acontecimiento. El *post hoc, ergo propter hoc* es una falacia.

Hay que tener en cuenta que la comparación entre sociólogos y periodistas es engañosa porque, como vemos, llevan a cabo actividades diferentes. El sociólogo es un pensador que puede plantearse los problemas epistemológicos de su propio trabajo. El periodista se podría decir que es una persona de acción que debe producir un discurso con las limitaciones del sistema productivo en el que está inserto.

Con relación al periodista, Tuchman (1980b, pág. 186) señala: «Este último debe tomar decisiones inmediatas a propósito de la validez, de la importancia y de la "verdad", para afrontar los problemas que le pone la propia naturaleza de su trabajo, es decir, elaborar la información denominada noticia: producto de consumo deteriorable construido cada día. La elaboración de la noticia no deja tiempo para hacer una reflexión epistemológica».

Sin embargo, también hay que constatar que, frecuentemente, los periodistas suelen interpretar la descripción de su elaboración productiva como un ataque a su profesionalidad, cuando en realidad simplemente es la descripción sociológica de su trabajo.

Además, los periodistas ven a los sociólogos como académicos encerrados en su torre de marfil y con muy poco contacto con la vida real. Mientras que los sociólogos perciben el trabajo de los periodistas como poco riguroso y muy superficial (Golding, 1981, pág. 66).

Sin embargo, no está de más insistir en el rol social que cumple el periodismo como transmisor de un cierto tipo de saber. El periodista es el enlace del conocimiento de políticos, sociólogos, filósofos y científicos con el ciudadano. El periodista está totalmente comprometido en hacer comprensible para el público el acontecer. Para ello debe buscar el plantearse si el conocimiento que transmite es compartible por su audiencia. El periodista tiene un rol social institucionalizado y legitimado en la transmisión del saber cotidiano y como traductor del saber de los especialistas para el gran público.

8.2. El modo de producción de conocimiento de los periodistas

Los periodistas, como los sociólogos o los antropólogos, son intérpretes del acontecer social. Sin embargo, su trabajo intelectual y productivo es bien distinto. Los periodistas como los científicos sociales, llevan a cabo una actividad de producción de conocimiento, pero la equiparación entre ambos es engañosa. Como ya he apuntado, el sociólogo es un estudioso que está siempre planteándose los problemas epistemológicos y metodológicos de su propio trabajo, mientras que el periodista aparece como una persona de acción que debe producir un discurso de forma rápida e ininterrumpida. No voy a analizar en profundidad la realidad que construyen los medios de comunicación (Luhmann, 2000), simplemente comentaré algunos aspectos concretos de la práctica periodística.

El antropólogo Ulf Hannerz (1996, págs. 181-201) hace una comparación entre los corresponsales y los antropólogos y descubre notables diferencias entre unos y otros. Un elemento muy determinante en el trabajo periodístico es el tiempo de producción informativo. Los medios de comunicación, como es sabido, trabajan a contrarreloj. Pero no sólo esto, además suelen estar poco tiempo en los lugares (los enviados especiales) o, si tienen una permanencia más estable, abarcan unos espacios enormes (los corresponsales). Así, los periódicos abarcan áreas geográficas enormes, incluso continentes, con un solo corresponsal. ¿Cómo puede un corresponsal, con un mínimo de fiabilidad, cubrir toda Sudamérica? Por su parte, un antropólogo puede dedicarse a estudiar un aspecto muy concreto de una cultura, por ejemplo la pelea de gallos en Bali, permaneciendo en una pequeña zona durante un período prolongado.

Otra diferencia es que el antropólogo suele trabajar solo, mientras que los periodistas suelen tener frecuentes contactos, en primer lugar, con su empresa periodística y, en segundo lugar, con otros periodistas que cubren los mismos acontecimientos. Es cierto que hay una competencia entre los distintos periodistas, pero también hay cooperación. Quizá no se pueda afirmar categóricamente que el trabajo periodístico sea un trabajo colectivo, a excepción de los equipos de televisión, pero sí que tiene frecuentes interacciones con otros profesionales.

Además, el periodista recibe, en relación a su producción interpretativa de la realidad, un *feedback* bastante rápido, por un lado, de sus superiores y colegas y, por otro, de la audiencia. Esto le permite ir ajustando su trabajo a las expectativas de ellos. Los científicos sociales, aunque trabajen en equipo y puedan producir *papers* sobre la investigación en curso, tienen un *feedback* menor y, quizá, menos condicionante.

Hay un aforismo que define a los periodistas como aquellas personas que pretenden entrar en los lugares de los que el resto de los humanos desean salir. Como señala Hannerz (1996, págs. 194-195), «el periodismo, a menudo y por razones prácticas, se ve forzado a no entrar en sutilezas. Sencillamente, no se puede hacer mucho con sólo tres columnas en el periódico o treinta segundos en la televisión. Y también tiene que ver, las más de las veces, el hecho de que el corresponsal esté en el conflicto. En este contexto, las personas, sobre todo la gente corriente, se nos muestran en una sola dimensión, la de las víctimas. Los han matado o los han herido, han perdido sus bienes y huyen del peligro. Para captar esto no hace falta ser muy experto en cultura, sólo se necesita un poco de compasión». Es decir, ¿cómo puede el periodista extenderse en explicaciones culturales con el espacio o tiempo limitado que tiene para dar la información? Además, ¿qué tipo de noticias son las que el periodista sabe, por su experiencia, que serán más fácilmente publicables porque cumplen las expectativas de sus superiores, que no conocen de primera mano la realidad que él describe?

Otra diferencia la podemos encontrar en el propio discurso. El periodismo informativo construye un discurso necesariamente asertórico. La clásica dicotomía periodística entre hechos y opiniones hace que muchas informaciones se enuncien como verdades de hecho. El discurso de las ciencias sociales suele ser mucho más prudente y cauto con los mismos hechos, o mejor dicho, con su interpretación. Así se construye un discurso más dubitativo y defensivo que, implícitamente, reconoce su aproximación parcial al fenómeno estudiado.

Un último elemento que explica el trabajo periodístico es su destinatario. Los antropólogos suelen escribir pensando en otros especialistas no necesariamente de su propia cultura, mientras que el periodista tiene una audiencia que necesita comprender, de acuerdo con sus propios marcos de referencia, lo que acontece en contextos muy distantes y distintos. Cuando reciben el material informativo, los medios de comunicación, para hacer los acontecimientos comprensibles, los adaptan a los patrones culturales de su audiencia. A pesar de que puedan existir distintas comunidades interpretativas en una cultura, los medios suelen aproximarse a la interpretación hegemónica o, al menos, fácilmente consensuable.

Pero no sólo esto: además, los medios de comunicación, como ya he apuntado, establecen un horizonte espacial cognitivo y emotivo por el que se establecen unas fronteras que marcan los límites entre el «nosotros» y el «ellos». Es decir, los medios de comunicación llevan a cabo procesos de construcción identitaria. Antes de entrar más a fondo en este último punto me gustaría recordar que sólo hay que dar una ojeada a los periódicos de distintos países para apreciar que tienen un diferente horizonte espacial cognitivo y emotivo. Es decir, que todo tipo de información se hace a partir de una perspectiva determinada. Así, se instituye un «espacio mental» y un «espacio sentimental» (Rodrigo, 1992), que son el anverso y el reverso de una misma construcción identitaria cultural. El «espacio mental» establecerá la frontera que nos separará de «los otros», dará por sentado o racionalizará el sentido de pertenencia. El «espacio mental» establecerá la «*mismidad*» o identidad y la «*otredad*» o alteridad, mientras que el «espacio sentimental» llenará esta *mismidad* y *otredad* de valores. Así, por ejemplo, el «espacio sentimental» establecerá los límites de mi afiliación emocional y de mis procesos de identificación simbólica.

Evidentemente, este establecimiento de la identidad/alteridad se hace, inevitablemente, desde un punto de vista etnocéntrico. Este etnocentrismo, que se puede apreciar en el lenguaje, forma parte del punto de vista que se adopta y del destinatario construido en la narración. La construcción de este «espacio mental» se hace necesaria ya que se narran los acontecimientos a un destinatario modelo determinado. Quizá el mayor problema se puede plantear precisamente en la construcción del «espacio sentimental». Es decir, cuál es el contenido emotivo y simbólico de la identidad construida. Aquí es donde empieza a ser necesaria una actitud responsable de los medios de comunicación. Sin embargo, lo que quería apuntar es que para los periodistas no siempre es fácil construir una alteridad exenta de connotaciones negativas. Pensemos que, de forma más o menos explícita, en muchas ocasiones en el imaginario cultural «el otro» es construido como un ser incompleto. De alguna manera al que se ha caracterizado como diferente se nos muestra como un ser deficiente. No me voy a centrar en el tema de la identidad masculina y la identidad femenina (Vázquez Medel, 1999), pero en este ámbito la historia nos proporciona notables ejemplos de la «deficiencia» femenina que debía ser tutelada por la «magnificencia» masculina (Rodrigo, 2000d). Por contra me centraré en cómo se construyen estos prejuicios y estereotipos.

En ocasiones, detrás del adjetivo «étnico» uno tiene la sospecha que se está construyendo la dicotomía etnocéntrica: normales *versus* étnicos. Es decir, los demás son los étnicos mientras nuestro propio grupo es el normal o, mejor dicho, el que establece la norma de todas las cosas. Por esto cuando se dice que alguien es diferente se suele olvidar en relación a qué se es diferente. Así, implícitamente, por defecto, se construye una «normalidad» desde la que se interpreta todo lo demás.

No caer en la trampa de cierto etnocentrismo es uno de los retos del periodismo actual, en un intento de ser mucho más respetuoso con las minorías étnicas o, simplemente, con las otras culturas.

Es difícil que en cualquier tipo de comunicación, y en especial en la comunicación periodística, no se hagan servir eventualmente estereotipos y prejuicios. En muchas ocasiones esto se denuncia como un indicio de una manifestación ideológica «políticamente incorrecta» del que los utiliza, más o menos inconsciente. Puede ser cierto que en algunos estereotipos y prejuicios haya una actitud racista, pero no siempre es así (Rodrigo, 2000e). Evidentemente no se trata de hacer una defensa de la utilización de prejuicios y estereotipos, lo que pretendo es clarificar este fenómeno.

8.3. Los estereotipos como productores de sentido

El ser humano necesita, para poder vivir, dotar de sentido a lo que le rodea. La creación de sentido es una necesidad ineludible para el ser humano. Decir que lo que no tiene sentido no es supone, quizá, caer en un determinismo lingüístico exagerado, aunque pueda ser cierto para una postura subjetivista. De todas formas debemos hacer algunas aclaraciones. En primer lugar, no hay que pensar que la creación de sentido es un proceso exclusivamente racional; las emociones coadyuvan a dar sentido a la realidad. Así, podríamos recordar que no hay razón sin emoción y no hay emoción sin razón. En segundo lugar, aunque no vamos a seguir esta derivación, hay que reconocer la existencia de lo inefable. Es decir, aquello que es sentido, pero a lo que no le podemos dar un sentido comunicable y que por ello no es fácilmente expresable.

La creación de sentido es una operación compleja cognitiva y emotiva en la que interviene el bagaje enciclopédico (*background*) de una persona y que podríamos denominar su universo referencial. ¿Cómo se ha constituido este universo referencial simbólico de la persona que va a posibilitar la creación de sentido? Nos encontramos ante un proceso social e individual, en definitiva biográfico. El proceso continuo de socialización es un factor determinante en la construcción del universo referencial. Éste se va con-formando gracias a los materiales significantes que el/los contexto/s cultural/es pone/n a su alcance y que la persona experimenta de forma singular. Es decir que, aunque la construcción de sentido está enraizada en la socialización de unas competencias colectivas, la interpretación es en esencia un acto individual aunque con una base social. Quizá un ejemplo pueda aclararnos mejor este punto. Si yo preguntara al lector qué es para él un padre, evidentemente aquellos lectores con los que comparto esta lengua y unos referentes culturales comunes me entenderían. Ésta sería la parte social. Pero qué duda cabe que cada uno de estos lectores lleva a cabo una interpretación de esta palabra que está mediatizada, entre otros elementos por los modelos de paternidad que conozca y por la imagen de su padre que seguramente es distinta en cada lector, incluso aunque tengan el mismo padre. Así pues, el universo referencial que permite la construcción de sentido es una matriz de significado individual que tiene una fundamentación social.

Una vez hemos visto, simplificadamente, el proceso de constitución del universo referencial, podríamos plantearnos su contenido. Evidentemente acometer la descripción del contenido del universo referencial de una persona es una tarea realmente difícil, a menos que esquematicemos una realidad muy compleja. Nos encontramos con un contenido heteróclito y homogéneo, paradójico y coherente, fijo y mutable que está compuesto de sentido común y de conocimientos científicos, de razón y de pasión, de valores y de datos, de *logos* y *mythos*, de juicios y de prejuicios, de estereotipos y de un largo etcétera. Yo me centraré en una parte de dicho contenido que son los prejuicios y los estereotipos.

Así pues, los prejuicios y los estereotipos forman parte de nuestro universo referencial que permite que construyamos nuestro sentido. Además hay que tener en cuenta que, en ocasiones, los prejuicios y los estereotipos nos sirven como un instrumento que nos ayuda a reducir la complejidad de la realidad o a dar sentido a realidades de las que tenemos poca información. Por tanto los estereotipos y los prejuicios calman nuestra ansiedad e incertidumbre ante la falta de sentido de una situación. Quizá por ello todos tenemos estereotipos y prejuicios. Esta constatación nos obliga a hacer una serie de consideraciones. Todos tenemos un universo referencial, más que menos etnocéntrico, en el que habitan estereotipos y prejuicios que hemos ido adquiriendo mediante la lengua, la interacción comunicativa y nuestras vivencias. Esto no debe llevarnos a un proceso constante de autoinculpación. La autoflagelación no es la mejor actitud que se puede adoptar, sobre todo si tenemos en cuenta que no todos los estereotipos y los prejuicios son iguales, como veremos más adelante.

Antes de seguir adelante quizá debería concretar algo más los conceptos de los que estoy tratando. Un prejuicio es simplemente una creencia u opinión preconcebida. Es decir, es una idea que se tiene antes de que la situación nos demande su elaboración. De esta forma apenas tenemos que hacer un esfuerzo en dar sentido a la circunstancia porque el sentido ya lo tenemos previamente elaborado, se trata de aplicarlo casi mecánicamente sin demasiado esfuerzo. La palabra estereotipo viene del procedimiento de impresión denominado estereotipia, que es la reproducción a partir de un molde. Así, se trata de aplicar una concepción a una circunstancia, a una realidad determinada, a partir de un molde prefigurado, sin tener demasiado en cuenta si se trata del molde adecuado o no para interpretar dicho fenómeno.

Como puede apreciarse, estereotipo y prejuicio son conceptos muy similares. Quizá prejuicio es una noción más amplia. En este sentido, Navas (1997, pág. 215) considera que el prejuicio estaría formado, como cualquier actitud, por tres componentes: «Un componente afectivo o evaluativo —que sería el más importante, el esencial—, un componente cognitivo —denominado "estereotipo"— y un componente conativo o conductual, conocido como "discriminación"». Por mi parte, quisiera decir que quizá los prejuicios y los estereotipos

pueden referirse a realidades distintas, mientras que el estereotipo se refiere más concretamente a las realidades humanas.
Así, por ejemplo, una persona puede tener el prejuicio de que
los perros con los ojos azules son más inteligentes que los
que tienen ojos negros, pero difícilmente diremos que se trata
de un estereotipo. Otra diferencia que podríamos apuntar es
que si bien el prejuicio puede ser individual, para que éste se
convierta en un estereotipo es necesario que sea compartido
por el grupo. En definitiva, determinados prejuicios socializa-
dos se convierten en estereotipos. Así, «un estereotipo es un
conjunto estable de creencias y de ideas preconcebidas que los
miembros de un determinado grupo comparten sobre las características de otros grupos. El concepto de estereotipo ha
perdido poco a poco su connotación inicial de irracionalidad y
prejuicio; por ello el estereotipar es considerado actualmente
un proceso cognitivo normal por el cual las personas construyen esquemas para categorizar a las personas e instituciones y
así evitar la "sobrecarga de información"» (Guirdham, 1999,
pág. 161). Precisamente una de las características de la sociedad de la información es la sobrecarga de información que pa-
decemos. Así pues, ante esta tendencia, más que nunca hay
que estar atentos a la utilización de estereotipos y prejuicios.

Algunos autores han apuntado que los prejuicios son «predisposiciones negativas hacia un grupo de gente que ha sido
estereotipado a partir de unas características simples basadas
en una información incompleta» (O'Sullivan *et al.*, 1994, pág.
240). Como puede apreciarse, esta definición se aproxima mucho a la de estereotipo. Por mi parte considero, como ya he
dicho, que el concepto de prejuicio es una categoría más amplia que la de estereotipo. En cualquier caso no voy a entrar en
una discusión terminológica ya que no es el propósito de este
capítulo. Con la anterior definición de prejuicio podría estar
de acuerdo si hacemos algunas precisiones. En primer lugar,
no siempre son predisposiciones negativas. En segundo lugar, no siempre el acceso a una información bastante completa
implicará la desaparición del prejuicio. Más bien nos encontramos ante una serie de ideas preconcebidas sobre individuos

o grupos que pueden ser positivas o negativas. En el caso de prejuicios sobre un individuo, éstos pueden transformarse en juicios después de tener una información completa de la persona y de ejercer un juicio crítico, autocrítico y ponderado. Ahora bien, dudo que sea fácil llevar a cabo un juicio ponderado sobre un grupo determinado. Si ya es difícil emitir un juicio crítico sobre el grupo cultural al que uno pertenece, es fácil imaginar que sobre los otros grupos culturales la dificultad aumenta. Sin embargo, la comunicación intercultural debe desarrollar y gestionar identidades culturales construidas de esta manera (Rodrigo, 2000a).

Aunque los prejuicios se basan en una información parcial y deficiente, no siempre el acceder a nueva información implica cambiar este prejuicio. Es curioso lo resistentes que son al cambio las ideas preconcebidas, incluso cuando se enfrentan a una nueva información que no se ajusta al estereotipo. Así, nos encontramos que, por ejemplo, se puede dar el caso que a la primera persona alemana que conozcamos en nuestra vida le digamos impunemente «¿Sabes que no pareces alemán?». Y decimos esto no porque hayamos hecho un profundo estudio sobre el alma del pueblo alemán, sino simplemente porque aquella persona no se ajusta al estereotipo que tenemos de los alemanes. Así, antes de cambiar nuestros prejuicios, preferimos convertir lo que no se ajusta a ellos en una excepción. Además, en muchas ocasiones, los prejuicios dan lugar a una percepción selectiva de la realidad que sólo se fija en aquellos elementos que corroboran el estereotipo o sencillamente interpreta sesgadamente el acontecer en este mismo sentido.

Hasta ahora hemos visto que los estereotipos ayudan a crear un cierto orden en el complejo universo de nuestra sociedad. Un estereotipo simplifica la realidad y nos permite clasificar los fenómenos casi inmediatamente, sin obligarnos a analizarlos detenidamente, sin necesidad de replantearnos la calidad de nuestro universo referencial. Muchos de estos estereotipos son prejuicios etnocéntricos, hasta cierto punto inevitables. No todo el mundo tiene un conocimiento policéntrico. ¿Cuántas personas no musulmanas serían capaces de explicar lo que significa la *ummah*? Además, no se trata sólo de tener algunas nociones sobre el Islam, tengamos en cuenta que «la noción de comunidad islámica o *ummah* no tiene equivalente en el pensamiento o en la experiencia histórica occidental» (Mowlana, 2000, pág. 179).

Fijémonos que si tratáramos de explicar una noción no compartida, habríamos de buscar cuáles son los conocimientos compartidos que se aproximan más a la nueva noción y hacer una analogía. Esto necesariamente implicará una simplificación y mixtificación de la noción, pero se hace por mor de una mayor comprensibilidad. No quisiera caer en la impotencia y desesperanza de una postura que apunta a la inconmensurabilidad de las culturas y que por ello, en última instancia, negaría la posibilidad de la comunicación intercultural (Rodrigo, 1999, págs. 107-113). Solamente deseo apuntar que los estereotipos y los prejuicios pueden ser, por su propia esencia, un obstáculo para una mejor compresión de determinadas realidades. Pero tampoco hay que pensar que todos los prejuicios y estereotipos tengan terribles consecuencias negativas.

Hay una cierta tendencia a atribuir a los prejuicios y estereotipos una gran negatividad, como hemos podido ver en una de las definiciones dadas. Es cierto que son negativos porque se trata de generalizaciones no fundamentadas y, por ello, son una forma de conocimiento muy precaria. Efectivamente es negativo, o como mínimo erróneo, atribuir a una persona las supuestas características del grupo al que se le atribuye su pertenencia. Pero no siempre tienen por qué tener un contenido negativo. Hay distintos tipos de estereotipos y los prejuicios pueden dar lugar a distintos juicios. Simplificando de nuevo podríamos decir que, por su contenido, los estereotipos y los prejuicios pueden ser: positivos, neutros y negativos. Creer que las andaluzas son guapas es evidentemente positivo. Considerar que todos los madrileños comen siempre cocido madrileño, además de una redundancia, se podría aceptar que es neutro. Tener la osadía de pensar que los catalanes somos tacaños, además de negativo, es evidentemente falso. Bromas aparte, es claro que no siempre los prejuicios o los estereotipos que tenemos sobre otros grupos son negativos. Ahora bien, también es lógico que sean éstos los que sean más preocupantes y a los que los periodistas deben dedicar una mayor atención.

Los estereotipos y prejuicios negativos sirven para justificar, en muchas ocasiones, los privilegios y las diferencias intergrupales, ya que no sólo se utilizan para dar sentido de forma instantánea sino también para clasificar de acuerdo a un orden social. A determinados grupos se les estereotipa de forma negativa y así se alimenta una actitud discriminatoria y de exclusión. Además, hay que ser conscientes de que los prejuicios y los estereotipos se utilizan también para definir los límites del propio grupo. Así, frente a la negatividad ajena se realza la positividad propia. En definitiva, se está construyendo la superioridad de un grupo sobre otro. Por ello, la cultura de un grupo es considerada moral y culturalmente más valiosa que la otra. Esto supone la incapacidad de reconocer que la diferencia no implica la inferioridad de los grupos diferenciados. Todo ello puede alimentar actitudes xenófobas, racistas y etnocéntricas.

El etnocentrismo es, de hecho, al igual que los prejuicios y los estereotipos, una forma de dar sentido a la diversidad. La diversidad pone en cuestión nuestra forma de entender la realidad. El etnocentrismo nos permite adecuar lo ajeno a lo propio, unificar lo diverso, amoldar lo diferente a nuestro universo referencial. Por supuesto puede ser negativo (Rodrigo, 1999, págs. 82-86) pero también es uno de los instrumentos que tenemos para dar sentido a un mundo cada vez más complejo e intercultural. Estas nuevas realidades son un reto permanente para los periodistas. Como afirma Martiniello (1998, pág. 85), «hay quien pretende erigir el multiculturalismo en dogma. En Estados Unidos, por ejemplo, varios profesores que siempre se habían mostrado respetuosos con las minorías y el multiculturalismo han sido llevados ante los tribunales por pronunciar palabras "políticamente incorrectas" presuntamente ofensivas para las minorías raciales o sexuales». Un periodista no debe sentirse permanentemente bajo sospecha, so pena de caer en una inseguridad insoslayable ante el temor de no ser «políticamente correcto» en sus informaciones. Se trata simplemente de que, como cualquier otro trabajador, procure mejorar cada día su trabajo, a pesar de las dificultades que conlleva.

8.4. Por un periodismo más comprensivo

Un prerrequisito para mejorar la práctica periodística es tener una visión crítica sobre el propio trabajo. En relación a la información española sobre el Magreb, Buisef (1994, pág. 18) señala que principalmente las informaciones que se publican en España hacen referencia a muertes, guerras, tragedias, represión... y que «lo malo de ello es que se dirigen muchísimo más a los sentidos que a la razón, acercándose más a seculares estereotipos que a una comprensión (o al menos intento de comprensión) de las poblaciones de las que hablan». Como han señalado algunos autores (Sitaram y Cogdell, 1976, pág. 159), los medios de comunicación «[...] han desarrollado unas técnicas para decir más en menos espacio. Una de estas técnicas es el uso de estereotipos». Mediante los estereotipos, a los medios de comunicación les es más fácil comunicarse con sus audiencias, aunque esto crea malentendidos con los pueblos estereotipados. Así, por ejemplo, Balta (1994, pág. 31) recoge los cuatro estereotipos que los europeos tienen de los árabes: el terrorista, el pobre trabajador inmigrante, el rico emir del Golfo y el integrista fanático. Algunos análisis (Giró, 1999) ponen de manifiesto que el tratamiento periodístico que usa estereotipos descalificantes sigue dándose en la prensa española. Sin embargo, hay que apuntar que desde distintas instituciones se hacen esfuerzos para superarlos. Me limitaré a recoger las aportaciones de dos instituciones que, desde Catalunya, se plantean esta problemática. En primer lugar, comentaré las iniciativas del Consell de l'Audiovisual de Catalunya y, en segundo lugar, las del Col·legi de Periodistes de Catalunya.

El Consell de l'Audiovisual de Catalunya (2000) publicó

una serie de estudios, realizados en 1998, sobre la imagen de las minorías étnicas en las televisiones de Catalunya. No voy a hacer un análisis detallado de los distintos estudios, simplemente recogeré algunas de las conclusiones que me parecen más significativas además de las recomendaciones del Consell de l'Audiovisual de Catalunya (CAC) sobre este tema. A partir de dichas investigaciones se podría decir que, en general, parece que hay una preocupación en el discurso televisivo de no caer en la trampa de los estereotipos, aunque en ocasiones se utilicen algunos. En esta línea la Corporació Catalana de Ràdio i Televisió (CCRTV) elaboró un manual de instrucciones aplicable a todos los informativos para unificar el léxico relacionado con el Islam (*La Vanguardia. Vivir en Barcelona* 3/X/2001, pág. 11). En una investigación del CAC en relación a la imagen del África negra se apunta que «se detecta una creciente preocupación por mejorar el tratamiento que recibe el continente africano en la programación televisiva de nuestro país. Pero a pesar de esta preocupación, de momento no se ha producido una verdadera ruptura con la imagen clásica de los africanos, de tipo racista» (López y Guerin, 2000, pág. 11). Por ejemplo, «los programas destinados a África acostumbran a estar centrados en problemas sociales o en catástrofes naturales...» (López y Guerin, 2000, pág. 12), utilizándose además imágenes y un léxico que refuerza el dramatismo de los hechos. Como nos recuerdan López y Guerin (2000, pág. 12), «la propaganda colonial utilizó el argumento de la desastrosa situación del continente como pretexto para intervenir y consolidar la dominación occidental». Por lo que hace referencia al Magreb también se produce esta ambivalencia que oscila entre la corrección política y el desconocimiento de la cultura magrebí. En la investigación se pone de manifiesto que en el tratamiento televisivo domina la corrección política con excepción de los islamistas radicales argelinos «para los que no se ahorran expresiones de notable truculencia; el hecho de no poder o no saber explicar la violencia argelina en su contexto histórico, social y político real agrava la cuestión, al mostrar esta violencia ciega y desmesurada como un producto específicamente religioso [...] o argelino» (Bolado *et al.*, 2000, pág. 46). Además, también «sorprende la falta de informaciones sobre el Magreb al margen, por supuesto, del conflicto de Argelia y de la emigración marroquí. No hay duda de que ambos temas son los más relevantes, pero al monopolizar las noticias se produce la impresión de que el Magreb es una zona a) miserable y b) violenta» (Bolado *et al.*, 2000, pág. 46).

A partir de estos estudios, el CAC elabora un dictamen en el que se propone una serie recomendaciones de las que sólo recogeré las que hacen referencia a los informativos (Consell de l'Audiovisual de Catalunya, 2000, págs. 55-56):

«1. En relación a los programas informativos.
1.1. Eliminar cualquier referencia al origen étnico de las personas siempre que no sea imprescindible para la comprensión de la noticia, ya que la condición étnica de las personas no determina su comportamiento.
1.2. Los redactores de los informativos procurarán, en todo momento, explicar las noticias referentes a las minorías étnicas dotándolas de suficientes elementos para facilitar al telespectador la comprensión de las mismas en un contexto general y se evitará la ilustración de noticias con imágenes que no se corresponden a los hechos explicados, para no abundar en los estereotipos negativos que están presentes en el imaginario habitual.
1.3. Favorecer la emisión de noticias de otros ámbitos que no sean la inmigración, la delincuencia, los derechos humanos, las guerras. Hay que recordar que los países y los pueblos de referencia también generan noticias de tipo económico o cultural, que ayudan a la mejor comprensión de su complejidad.
1.4. Velar por la correcta utilización de los conceptos y evitar el uso de sinónimos que no lo son —como, por ejemplo, Islam, islamismo, árabe,

fundamentalista—, procurando, cuando sea posible, explicar las diferencias entre estos conceptos.

2. En relación a los programas documentales.
  2.1. Los programas documentales no han de primar en exceso los reportajes etnográficos o que acentúen el supuesto "exotismo" de las minorías analizadas, sino que han de ofrecer al telespectador una visión más plural de las realidades presentadas.
  2.2. Acentuar las opiniones de los interesados, por encima de los comentarios en *off* o de las opiniones de europeos supuestamente "expertos" en la realización de documentales de producción propia.
  2.3. Programar preferentemente aquellas obras que no se limitan a resaltar los rasgos socio-económicos y culturales más "diferentes" y que buscan en el exotismo su razón de ser.

3. En relación a los programas de debate.
  3.1. Procurar siempre una presencia activa de representantes de las etnias analizadas cuando el debate trate sobre problemáticas que les afectan, a fin de que puedan expresar sus opiniones.
  3.2. Incorporar personas competentes de las diferentes minorías estudiadas en debates que no tengan que ver estrictamente con los supuestos "problemas" que les afectan y, en la medida que sea posible, incorporar también la presencia de mujeres de las diferentes etnias en este tipo de programas, para contribuir a la paridad necesaria y deseable en nuestra sociedad occidental.»

A finales de noviembre de 2001, el CAC organizó unas jornadas sobre el tratamiento informativo de la inmigración. También se han publicado las recomendaciones del CAC sobre el tema, dirigidas a las autoridades, a las empresas audiovisuales y a los profesionales de la información. Yo me voy a limitar a sintetizar las relativas a los profesionales de la información (Consell de l'Audiovisual de Catalunya, 2002, págs. 9-13):

1. Se pide relativizar, contrastar y diversificar las fuentes informativas.
2. Se postula garantizar la libertad de expresión de las personas y colectivos de los inmigrantes.
3. Se recuerda el derecho a la imagen y a la privacidad de las personas inmigradas.
4. Se señala que hay que respetar la intimidad de las personas, así se apunta que no se deberían obtenerse imágenes invasivas o planos cortos sin la autorización expresa de los protagonistas.
5. Se pide prestar una atención especial al uso del lenguaje discriminador con expresiones como «ilegal», «indocumentado» o «sin papeles».
6. Se dice que no es aceptable la adopción automática de tópicos, como por ejemplo caracterizar como fundamentalista una única opción religiosa.
7. Se solicita tener especial cuidado en la terminología que se utiliza en los titulares o en los fragmentos destacados de la información.
8. Se considera que hay que evitar los efectos y los recursos técnicos y periodísticos que buscan preferentemente la espectacularización.
9. Conviene administrar con criterio responsable, ponderado y crítico aquellas referencias sobre el origen o el color de la piel de los protagonistas de algunas noticias, que no añaden ninguna información relevante al relato.
10. No es admisible la identificación de una minoría étnica o de un colectivo concreto de personas inmigradas con determinada actividad ilegal.
11. Se solicita que se contextualicen las noticias relacionadas con la inmigración y que se aporte documentación sobre la situación de los países de origen, ya que esto contribuye a deshacer estereotipos.

12. Se pide que se proporcione una visión más completa, compleja, abierta y plural de las sociedades no occidentales y se solicita no caer en el reduccionismo que reduce la información de estos países a la guerra o a la miseria.

13. Hay que evitar la emisión reiterada de imágenes de archivo para ilustrar noticias que no se correspondan a estas imágenes.

14. Las personas inmigradas que participan en la información deben estar debidamente referenciadas con el nombre y, si es pertinente, con aquella característica profesional, cívica o de otro tipo que las identifique.

15. Si se utilizan citaciones textuales u otros materiales de carácter racista o discriminador han de ser debidamente enmarcadas y atribuidas.

16. Por último, hay que evitar caer en actitudes paternalistas que acaban distorsionando la realidad y encubriendo, paradójicamente, posiciones etnocéntricas.

Por su parte, el Col·legi de Periodistes de Catalunya en su comisión «Medios y Xenofobia» propuso, en 1998, un pequeño manual de estilo (Comissió Mitjans i Xenofòbia, 1998) que pretende superar estas tendencias en el tratamiento periodístico. Posteriormente la nueva comisión «Periodisme Solidari» (Col·legi de Periodistes de Catalunya, *sine anno*) amplió algo el anterior manual y editó un folleto titulado: «Manual de estilo sobre el tratamiento de las minorías étnicas en los medios de comunicación social». También puede encontrarse en el Consell de l'Audiovisual de Catalunya (2002, págs. 68-70). La finalidad de dicho manual es «contribuir a una sociedad más abierta y solidaria. Es una herramienta de trabajo abierta a nuevas aportaciones y su éxito depende de la actitud decidida de los profesionales de la comunicación contra el racismo y la xenofobia». No voy a valorar el contenido del manual detalladamente. Simplemente recogeré y comentaré los elementos más interesantes de las recomendaciones que propone. Lo que sí quisiera destacar es que la propia organización colegial de los periodistas catalanes ha tomado conciencia del problema. En relación a las recomendaciones quisiera comentar lo siguiente:

1. Se pide no incluir el grupo étnico, el color de la piel, el país de origen, la religión o la cultura si no es estrictamente necesario para la comprensión global de la noticia.

   Pongamos un ejemplo que se comenta por sí mismo. Se trata del siguiente titular de la sección de sucesos del diario *ABC* (21/XI/1995, pág. 91): «Una mujer negra asesina a otra, blanca, para extraerle el feto y... así, tener un hijo». En esta noticia se informaba del crimen de una persona perturbada mental, en el que el color de la piel era irrelevante. Seguramente el ejemplo reseñado es un caso extremo, en otros casos es más difícil señalar cuándo es necesario o no recoger las características étnicas para la mejor comprensión de la noticia. Van Dijk (1991, pág. 255) propone el siguiente sistema para saber si hay que mencionar la raza. Uno debe contestarse la siguiente pregunta: «¿Mencionaría usted la raza si la persona fuera blanca?».

2. Se solicita evitar las generalizaciones, los maniqueísmos y la simplificación de las informaciones. Se apunta que los residentes extranjeros no comunitarios son tan poco homogéneos como los autóctonos.

   En este mismo sentido Chaffee (1992, págs. 41-42) señala que muchas de las noticias que reciben las audiencias norteamericanas no se refieren ni tan siquiera a naciones sino a grupos de naciones. Así, se habla de los países islámicos, el África negra, el tercer mundo, etc. Además, en estas agrupaciones se da un fuerte y maniqueo componente afectivo: unos son considerados «buenos» y otros «malos».

   En ocasiones en la prensa española se da un tratamiento simplificador, homogeneizador y criminalizador de ciertas minorías étnicas inmigradas. Esta discriminación lleva a denominar como «los ilegales» a aquellos inmigrantes que no tienen permiso de residencia. Piénsese que con esta sustantivación del adjetivo «ilegal», lo que hace es atribuir la ilegalidad a un caso determinado. Cuando se sustantiva una conducta ilegal no se está simplemente determinando una acción sino que se reifica el ser de un colectivo. Es precisamente la identidad de este colectivo, que por otro lado es muy dispar, lo que se define. O, mejor dicho, se superpone a su identidad otra identidad que la sobredetermina, la de ser «ilegales». En el *Diccionario del español actual*, de Seco, Andrés y Ramos, se recoge en la voz «ilegal» un solo caso de sustantivación del adjetivo con el significado de «inmigrante que ha entrado en un país de forma ilegal». Ni tan siquiera en la tercera acepción que recoge este mismo diccionario se da dicha sustantivación, aunque se refiere al «individuo o grupo terrorista fichado por la policía». ¿Por qué sólo los inmigrantes indocumentados son «los ilegales»? Cuando, de acuerdo con la legislación española, lo que han cometido es simplemente una falta administrativa. ¿Qué imagen de sí mismo puede tener un colectivo cuando los medios de comunicación de la sociedad receptora los denomina «los ilegales»? Quizá, en lugar de inmigrantes ilegales sería mejor hablar de inmigrantes ilegalizados. Puesto a crear nuevas palabras, ¿por qué se habla de «inmigrantes» y no de «inmigrados»? Si inmigrante es aquel que llega a un país que no es el propio para establecerse en él, ¿cuánto dura esta acción de llegar? ¿Después de un año todavía se está llegando o al cabo de pocos días o semanas uno ya se ha establecido? Con la palabra «inmigrante» se transmite el subtexto de que su condición de recién llegado jamás finaliza. Incluso, como una especie de código genético, esta condición se transmite a las generaciones venideras. Así, se habla de inmigrantes de segunda o tercera generación, cuando en realidad estas personas no se han trasladado jamás y, si es que fuera nece-

sario identificarlas de alguna manera, serían españolas
y catalanas de primera o segunda generación, respectivamente. Una persona que ha inmigrado es más un
«inmigrado» que un «inmigrante» porque la acción de
inmigrar ya ha concluido.

3. Se propone no potenciar las informaciones negativas
ni las sensacionalistas. Se trata de evitar crear inútil-
mente conflictos y de dramatizarlos. Según este docu-
mento habría que potenciar la búsqueda de noticias positivas sobre las minorías étnicas.

Veamos un ejemplo bastante claro. Se trata de una
información sobre un estudio sociológico de la población carcelaria extranjera en Lleida. Aunque una de las
conclusiones a las que llega el sociólogo, autor de la
investigación y que recoge el antetítulo de la información, es que «el delincuente se hace, no nace», el titular es «El extranjero preso en Lleida es negro y trafi-
cante, o magrebí ladrón o violador» (*Segre*, 3/XI/1996,
pág. 39). Seguramente nos encontramos ante un titular
impactante, pero no es el más feliz. Como se ha puesto
repetidamente en evidencia, en la prensa española, hay
un tratamiento muy discriminador de determinados inmigrantes con claros casos de xenofobia (Giordano,
1996). Pero no se trata de un problema exclusivo de la
prensa española. En una investigación (Rodrigo y Martínez, 1997) sobre el tratamiento periodístico de las minorías étnicas en ocho diarios de élite europeos se pone
de manifiesto que todos ellos asocian principalmente
las noticias sobre minorías étnicas con conflictos. Por
el contrario, apenas aparecían aspectos culturales relacionados con las minorías étnicas.

4. Se pide la ecuanimidad en las fuentes de información.
Por un lado, se han de contrastar las institucionales y,
por otro lado, se deben potenciar las propias de las minorías étnicas, poniendo especial cuidado en las informaciones referidas a los países de origen. Por último,
se señala que se han de publicar las rectificaciones

como elementos habituales de calidad del medio informativo.

Como es bien sabido, el hecho de que las fuentes deben ser fácilmente accesibles y proporcionar información útil al periodista hace que determinadas fuentes sean mucho más consultadas que otras. Como ya vimos en el capítulo de las fuentes periodísticas, esto lleva a una institucionalización de determinadas fuentes que son actores sociales que tienen una especie de derecho de acceso semiautomático a los medios de comunicación, mientras que a otros actores sociales les es mucho más difícil que su punto de vista aparezca en los medios. Precisamente por ello el Col·legi de Periodistes de Catalunya (2003), a través de su Comisión de Periodismo Solidario, ha publicado una *Agenda de la Multiculturalitat de Barcelona*. Esta agenda pretende ser un instrumento que facilite el acceso a las fuentes periodísticas. Así, se recogen las referencias, direcciones, teléfonos, mails, etc., de administraciones públicas y entidades no gubernamentales, de asociaciones de personas inmigrantes, de asociaciones del pueblo gitano y de expertos/as y comunicadoras/es. Anteriormente ya he diferenciado entre fuentes utilizadas y fuentes mencionadas en la información. En principio las fuentes mencionadas son fuentes utilizadas o consultadas, pero no todas éstas aparecen mencionadas en la información. La importancia de las fuentes mencionadas es que se les reconoce la capacidad de interpretar la realidad. Hay un reconocimiento público de su saber. En este aspecto quisiera señalar que en una investigación (Rodrigo y Martínez, 1997, págs. 35-36) sobre el tratamiento periodístico de las minorías étnicas en ocho diarios de élite europeos, anteriormente mencionada, las fuentes de las minorías étnicas aparecen con bastante frecuencia. No son las fuentes más citadas, aunque las informaciones analizadas hacían referencia siempre a minorías étnicas, pero hay que reconocer que aparecen en un alto porcentaje. Aunque hay que advertir que habitualmente los miembros de las minorías étnicas son fuentes porque han participado en los acontecimientos relatados. Esto significa que su saber está basado en el conocimiento experiencial y no en un análisis posterior y externo a los hechos narrados. Por ello podríamos apuntar que las minorías étnicas son fuentes informativas siempre que hayan sido testigos de los hechos, pero no se les concede la capacidad de ser comentaristas externos, a partir de una competencia interpretativa previa, como se hace por ejemplo con los políticos de las mayorías étnicas.

5. Se apela a la responsabilización de los profesionales del periodismo. Se destaca la importancia de la ubicación física de la información, así como la importancia del «efecto dominó» y la utilización de material gráfico.

La relación co-textual de las noticias es importante. No es lo mismo que una información aparezca en las páginas de política, sucesos, sociedad, etc. Las secciones, en que los distintos medios organizan la realidad informativa, vienen a proponernos una interpretación predeterminada de las noticias que enmarcan. Pero no sólo esto, las noticias que coexisten en un mismo espacio dan lugar a lecturas co-textuales. Es decir, un texto se lee relacionándolo con el otro. Por ejemplo, el diario *El País* del 19 de febrero de 1990 tiene en su página 28 un reportaje sobre los traficantes y heroinómanos que intentan escapar de la presión policial en el barrio de El Raval de Barcelona, mientras que en su página 29 hay una noticia titulada «Los africanos del Maresme piden que cambie la ley de Extranjería al festejar la libertad de Mandela». Es difícil no hacer una lectura conjunta de las dos noticias ya que en una primera ojeada al material gráfico muestra, en la foto que acompaña el reportaje de El Raval, unas personas de piel negra siendo arrestadas por la policía. El pie de foto es claro: «Los policías reducen a un africano que se resiste a que le extraigan de la boca una papelina de droga». Mientras que la foto de la noticia, sobre la petición del cambio de la ley de Extranjería, muestra a tres personas de piel negra sentados en una mesa mostrando su alegría con sonrisas. El correspondiente pie de foto es «Un aspecto del homenaje a Nelson Mandela celebrado ayer en Mataró». Además, si leemos el reportaje de la página 28 las conexiones se vuelven todavía más explícitas. Veamos dos fragmentos muy claros: «Los traficantes son en su mayoría ex temporeros del Maresme que, cansados de cobrar sueldos de miseria plantando claveles, han sido captados para vender droga. [...] Uno de los policías increpa al africano sobre la procedencia de la cazadora de piel que viste: "¡Seguro que las 100.000 ptas. que vale las has sacado pasando drogas, desgraciado!". "Trabajo en Mataró y gano 60.000 pesetas a la semana plantando claveles", replica el otro...». El efecto dominó consiste en una sucesión encadenada de acontecimientos derivada de un hecho inicial. A veces hay un contagio a partir de una información negativa sobre un grupo étnico determinado o un colectivo que afecta a otras noticias sobre estos mismos grupos, que no son necesariamente negativas.

6. Se apunta a la necesidad de una cierta militancia periodística. Se propugna el potenciar informaciones positivas sobre una multiculturalidad enriquecedora para todos.

Por mi parte no voy a abundar en esta postura un tanto voluntarista. Pienso que lo que se puede pedir a los periodistas es una buena aptitud y actitud. Una buena aptitud implica el mejorar permanentemente su formación profesional. La realidad es cada día más compleja y necesita de profesionales mejor preparados, éste es el reto. Pero también es necesaria una buena actitud de interés y respeto hacia la realidad interpretada.

Aunque quisiera señalar que el trabajo que debe realizarse no sólo corresponde a los periodistas sino que también los lectores han de cambiar su visión de la información periodística.

8.5. Por un lector más crítico

Los medios de comunicación se autodefinen como simples transmisores de la realidad social y, al mismo tiempo, se nos presentan como ubicuos y omniscientes. Pero su ubicuidad y omnisciencia es autocumplidora, en el sentido de que son los mismos medios los que construyen la realidad de todo lo que pasa. Así, saben todo lo que pasa porque son ellos los que establecen «todo» lo que pasa. Un presentador de los informativos de una televisión española acababa cada día el programa de noticias con la misma frase: «Así han sido las cosas, y así se las hemos contado».

Hay que tener claro que los medios permiten la visibilidad de ciertas realidades, pero al mismo tiempo no reflejan otras muchas realidades. Además, en relación a los hechos sobre los que enfocan su atención, cada día está más claro que los productores de la información lo que hacen es interpretar los fenómenos sociales. Describiendo la realidad social la interpretan. Esta construcción de la realidad se hace con estrategias discursivas que son invisibles a los ojos del lector ingenuo.

Para que el contrato pragmático fiduciario sea aceptado por el destinatario, el periodista debe construir un discurso que parezca verídico. Para ello cita algunas fuentes utilizadas para convertir la noticia en algo verificable. Usa las comillas para poner en boca de los protagonistas sus declaraciones y justificar así la objetividad de su trabajo. Estructura la noticia de forma adecuada, recogiendo en primer lugar los datos esenciales y así se protege de posibles críticas de sus superiores. A veces también aporta multitud de pruebas anecdóticas suplementarias para dar la impresión de que conoce hasta los detalles más nimios de lo que ha sucedido. En definitiva, se trata de crear un efecto de verosimilitud a partir de un discurso veridictorio, que sin embargo no garantiza absolutamente la veracidad.

Como señala Burguet (2004, pág. 144): «Los medios de comunicación no son nunca unos intermediarios neutrales, por acción u omisión siempre toman una postura u otra, actitud que de entrada es bien lícita, y de cualquier forma inevitable. Pero una cosa son las legítimas interpretaciones mediáticas y políticas, y otra bien distinta es que tales interpretaciones, más allá de la certeza moral que la información puede acreditar de manera razonable, puedan tener un carácter de prueba concluyente...». Los medios de comunicación no son «notarios» de la realidad social, son intérpretes.

Tampoco hay que caer en el otro extremo y pensar que los periodistas mienten sistemáticamente. Aunque pueda haber casos de fraudes informativos, como hemos visto, no es ésta la característica esencial y mayoritaria del trabajo periodístico. Lo que hace el periodista es interpretar los acontecimientos a partir de unas limitaciones personales y profesionales. Las limitaciones personales se dan por sus conocimientos y por su ideología. Las limitaciones profesionales hacen referencia al medio de comunicación para el que trabajan y a la proyección social de su actividad. Los intereses financieros, políticos y publicitarios ejercen un insoslayable control sobre la producción informativa. Veamos un ejemplo: *El País* (19/X/1999, pág. 44) informa que la productora de cine Fox retira su publicidad de una revista cinematográfica que criticó una película suya. Recordemos que las revistas dependen más de los ingresos publicitarios que de la venta de ejemplares.

El lector crítico es aquel que sabe interpretar la noticia. Entiende lo que dicen las noticias y sabe por qué y cómo las informaciones afirman lo que afirman. Veamos algunos elementos que un lector crítico debe tener en cuenta.

En primer lugar, en la selección y jerarquización del contenido de un medio se puede apreciar la orientación general del mismo. Los diarios no sólo dan cuenta de unos acontecimientos y no de otros, sino que además determinan la importancia de los mismos haciéndolos aparecer, por ejemplo, en la portada. Es decir, en primer lugar visibilizan algunos fenómenos del acontecer social y, en segundo lugar, jerarquizan la realidad social señalando cuál es el acontecimiento más importante de los que ellos han seleccionado previamente.

En segundo lugar, también hay que percatarse de la relación cotextual de las informaciones. Es decir, no es lo mismo aparecer en una sección o en otra del periódico. Por ejemplo, si una información sobre un delito ecológico la sitúo en la información de sucesos, economía, sociedad o política, el significado de la información cambia notablemente. Por ejemplo, si la mayoría de la información sobre minorías étnicas aparece en las páginas de sucesos, aunque sea como víctimas de actos racistas, se va creando la imagen de las minorías étnicas como problema (Rodrigo y Martínez, 1997).

En tercer lugar, debemos fijarnos en las fuentes citadas que se utilizan para interpretar los acontecimientos. El hecho de que se dé voz a determinadas fuentes para interpretar, valorar y, en definitiva, opinar sobre el acontecimiento es un elemento fundamental en la construcción del sentido. Los periodistas buscan fuentes que deben ser fácilmente accesibles y proporcionar información útil. Esto hace que determinadas fuentes sean mucho más consultadas que otras produciendo, como hemos visto, la institucionalización de determinadas fuentes. En una investigación hemos constatado que en las informaciones sobre minorías étnicas en diarios de élite europeos las fuentes más citadas no corresponden a las minorías étnicas sino que son fuentes políticas (Rodrigo y Martínez, 1997).

En cuarto lugar, el periodista construye la noticia a partir de un modelo interpretativo. En la información sobre el terrorismo puede apreciarse claramente el modelo interpretativo que se utiliza para calificar a los actores. Así, durante el gobierno sandinista nicaragüense, los grupos de «La Contra» eran denominados por cierta prensa norteamericana como «la resistencia democrática» o «los luchadores de la libertad nicaragüense», mientras que para el gobierno sandinista eran simplemente terroristas (Rodrigo, 1991, pág. 47). En relación con este punto es muy interesante hacer una lectura comparativa de un mismo acontecimiento en distintos diarios para descubrir distintos modelos interpretativos. Pero, en ocasiones, este modelo interpretativo es tan dominante que no permite alternativas. Así, por ejemplo, los medios de comunicación hablan de «países desarrollados» y de «países subdesarrollados» o «en vías de desarrollo», pero nunca se habla de «países subdesarrollantes». De esta forma se crea el sentido de una realidad inevitable, sin conexiones entre los dos primeros tipos de países mencionados. Si se omite la existencia de países subdesarrollantes se oculta la explotación de unos países por otros.

En quinto lugar, toda narración es una construcción retórica que el lector no tiene por qué aceptar sumisamente. En la noticia se hacen predicciones sobre las consecuencias del acontecimiento, se analizan las causas, se sacan algunas consecuencias, etc. Veamos el siguiente titular de *El País* (2/III/1997, p. 24): «Un taxista secuestrado pide ayuda con un móvil y acarrea un tiroteo sangriento». Luego, al leer toda la información, se puede apreciar que la supuesta implícita culpabilidad del taxista se debe a que éste, después de ser encerrado en el maletero del taxi por dos delincuentes, utilizó su móvil para llamar a la policía. Posteriormente, al localizar la policía a los delincuentes, se produjo un tiroteo en el que murieron un guardia civil y un delincuente. Burguet (2004, pág. 277) recoge otro ejemplo interesante: «Una fiscal dejó Euskadi, amenazada tras recurrir cinco excarcelaciones de la juez Ruth Alonso» (*El País*, 27/X/2002, portada). Como puede apreciarse, es un titular que produce confusión sobre el victimario.

En mi opinión, la interpretación crítica del lector debe ir acompañada de un cambio de mentalidad. No hay que ver en los medios de comunicación instituciones certificadoras de «la verdad». La metáfora de los medios como «notarios de la realidad» es engañosa. Los diarios hacen interpretaciones de la realidad. Cuanto más se ajusten a la interpretación de la realidad que haría el lector si estuviera en el lugar del periodista, más creerá aquél que se trata de una descripción objetiva. Cuando, aun en estos casos, el lector sea consciente de que se encuentra ante una construcción de la realidad social se habrá producido un cambio de mentalidad. El lector crítico es el que sabe por qué los medios afirman lo que afirman y comprende, además, que estas afirmaciones no son verdades absolutas.

La mejor forma de conseguir lectores críticos es enseñar, desde la escuela, a leer los medios de comunicación (Rodrigo, 2002b). De ahí la importancia de implementar la educomunicación en las escuelas. Un lector crítico es, en mi opinión, la mejor garantía de futuro para una democracia más sólida y un mejor uso de los medios de comunicación.

9. Las noticias

«La noticia es lo que los periodistas creen que interesa a los lectores, por tanto, la noticia es lo que interesa a los periodistas» (Herraiz, 1966, pág. 19). Seguramente este autor tiene razón, porque en última instancia corresponde al periodista decidir qué es noticia, pero como he querido mostrar el proceso es algo más complejo. Como hemos visto a lo largo de la obra, el periodista va a seleccionar de los acontecimientos, a los que tiene acceso, algunos para hacer las noticias. En la selección intervienen múltiples criterios cuya importancia puede ir variando según las circunstancias del día a día. Pero de todas maneras el periodista se debe preguntar si un hecho es susceptible de ser noticia. En algunos casos la magnitud del acontecimiento hace que la pregunta, si es que se llega a pensar, sea absolutamente innecesaria; pero en otros el periodista se planteará qué elementos del acontecimiento pueden convertirse en noticia. Para ello tendrá en cuenta, básicamente, si tiene interés para los lectores, si tiene interés para sus superiores y si es posible, de acuerdo con lo que tiene, hacer la noticia.

Las controversias sobre qué son las noticias han sido frecuentes en el estudio de la comunicación de masas (Fontcuberta, 1993; Burguet, 2004). No entraremos exhaustivamente en las mismas. Pero se hace difícil resistir al deseo de hacer algunas puntualizaciones.

La noticia, o mejor, la ideología de la noticia, se convierte en el elemento nuclear del modelo del sistema de la comunicación de masas liberal. A lo largo de los anteriores capítulos se habrá podido apreciar precisamente cómo la producción de la noticia define una aproximación determinada a la realidad.

9.1. El concepto tradicional de noticia

No voy a extenderme excesivamente en las diferentes definiciones que, desde un punto de vista tradicional, se han dado de la noticia (Dovifat, 1964, págs. 51-53; Martín Vivaldi, 1971, pág. 345; Cebrián, 1981, pág. 30), entre otros. Se me va a permitir, empero, hacer una breve crítica de algunas definiciones.

Martínez Albertos (1977, págs. 35-36) define: «*Noticia* es un hecho verdadero, inédito o *actual*, de interés general, que se comunica a un público que puede considerarse masivo, una vez que ha sido recogido, interpretado y valorado por los sujetos promotores que controlan el medio utilizado para la difusión».

¿Qué significa «un hecho verdadero»? En primer lugar, la noticia no es un hecho, sino más propiamente la narración de un hecho. En segundo lugar, la veracidad de la noticia es un tema absolutamente cuestionable. Hay noticias falsas, y no por ello dejan de ser noticia. El concepto de noticia no lleva inserto el concepto de verdad. En esta línea en el diccionario dirigido por Moles (1975, pág. 495) se dice que «la noticia es la narración de un suceso, de una parcela de la vida individual o colectiva, de algo verdadero o fingido, probado o no (rumor)».

En otra de sus obras Martínez Albertos (1978, págs. 84-85) afirma: «Para que haya noticia periodística, para que se produzca ese fenómeno social que llamamos periodismo, el primer requisito es que unos emisores-codificadores seleccionen y difundan unos determinados relatos para hacerlos llegar a unos sujetos receptores, que guardan dichos mensajes con la esperanza de hallar en ellos una satisfacción inmediata o diferida, mediante la cual consiguen elaborar un cuadro de referencias personales válido para entender el contexto existencial en el que viven. Convertir un hecho en noticia es una operación básicamente lingüística, que permite cargar de determinado significado a una secuencia de signos verbales (orales o escritos) y no verbales, es la tarea específica de unos hombres y mujeres que actúan como operadores semánticos: los periodistas.

»El segundo requisito de la noticia es que la difusión por parte de los sujetos emisores debe realizarse con ánimo de objetividad. Dicho de otra forma: la necesaria manipulación interpretativa ha de llevarse a cabo con una evidente disposición psicológica de no intencionalidad atribuible al codificador».

Martínez Albertos reconoce la intervención del periodista en la noticia, y la subjetivación de la noticia a partir de esta intervención. Sin embargo, introduce un juicio de intenciones. El periodista debe actuar con «ánimo de objetividad», y la necesaria manipulación interpretativa debe llevarse a cabo «con una evidente disposición psicológica de no intencionalidad». La duda surge por sí sola. De no darse este «ánimo de objetividad» o esta «disposición psicológica de no intencionalidad», ¿acaso podemos afirmar que no será una noticia? ¿Cómo se puede descubrir el «ánimo» o la «disposición psicológica» para poder sancionar un relato como noticia?

Detrás de estas obligaciones en el comportamiento del periodista, que establece Martínez Albertos, lo que hay es una preocupación por la pérdida de credibilidad de las noticias y la ruptura del contrato fiduciario de la relación comunicativa *mass media*-público.

La producción de la información se sitúa, según algunos, a nivel de la ética (Iglesias, 1984, págs. 128-169). Más acertadamente Colombo (1983, pág. 91) afirma: «La verdad, o bien se garantiza a sí misma a través de una relación de fe, o no es garantizable ni por la claridad ni por ninguna otra cualidad metodológica. De hecho, ella sólo puede ser fe o ideología. En uno u otro caso, contiene en su interior las pruebas de sí misma, y no es verificable para quien se sitúe fuera de la fe o de la ideología».

Lo que sí hay que admitir es que no es fácil definir concluyentemente el concepto noticia. Cole y Grey (1976, pág. 309) reconocen que «una sola sentencia definitoria de la noticia es inadecuada». Sin embargo, ellos también lo intentan: «La noticia es una comunicación producto cultural, social, psicológico, físico, y otras variables de la sociedad» (Cole y Grey, pág. 308).

Hay que tener en cuenta que no existe un concepto universal de noticia, sino que la noticia es el producto de una sociedad muy concreta. «Con la difusión de la alfabetización, la técnica de la imprenta y el surgimiento del periódico moderno se produjo el desarrollo de la noción moderna de "noticia". En verdad, entre, digamos, 1780 y 1830 aproximadamente, el crecimiento de los periódicos, boletines e informativos fue tan grande en Europa que apareció un fenómeno social fundamentalmente nuevo: el público lector de "noticias"» (Gouldner, 1978, pág. 128). Éste es un elemento importante ya que se van estableciendo unos hábitos comunicativos sociales. Así, «la tipografía y la composición se convirtieron en modos visuales de organizar significados y públicos» (Gouldner, 1978, pág. 129).

Pero es que además «el concepto de noticia tiene significados muy diversos ya sea entre periodistas que trabajan en una misma nación y cultura, ya sea entre dos que trabajan en ámbitos culturales diferentes» (McCombs et al., 1983, pág. 89). Con relación a este último punto hay que recordar la investigación de Mancini (1984) que distingue el periodismo televisivo norteamericano del italiano.

9.2. Las noticias como espejo o como construcción

Podemos resumir las definiciones de la noticia a partir de dos grandes grupos. Por un lado estarían los que defienden la concepción de la noticia como espejo de la realidad. Por otro lado, la noticia sería concebida como construcción de la realidad.

Tuchman (1983, pág. 196), partiendo de la concepción sociológica de los actores sociales, distingue: «Por un lado, la sociedad ayuda a formar conciencia. Por el otro, mediante una aprehensión intencional de los fenómenos en el mundo social compartido —mediante su trabajo activo—, los hombres y las mujeres construyen y constituyen los fenómenos sociales colectivamente. Cada una de estas dos perspectivas sobre los actores sociales implica un abordaje teórico diferente de la noticia».

La idea de la noticia como espejo de la realidad correspondería a la concepción tradicional de las noticias (Cole y Grey, 1972). Se parte, desde este punto de vista, de la objetividad como clave de la actividad periodística. Algún diario recoge esta idea, incluso, en su cabecera. Como, por ejemplo, es el caso del *Daily Mirror*. Aunque en este caso también cabría plantearse ante qué tipo de espejo diario nos encontramos. Como este tema ya ha sido suficientemente tratado no voy a profundizar en él. He de señalar, no obstante, que dentro de esta concepción lo máximo que se suele admitir es la posibilidad de que en las noticias aparezca ineludiblemente el punto de vista del periodista (Stamm, 1976). De forma que se acepta que la noticia sólo dé cuenta de algunos elementos del acontecimiento. Ya Walter Lippman en 1922, citado por McQuail (1985, pág. 171), señalaba que «la noticia no es un espejo de las condiciones sociales, sino la constatación de un aspecto que se ha vuelto sobresaliente».

Evidentemente, en esta primera concepción de la noticia queda oculta la actividad productiva de la noticia, presentándose la noticia como algo ya realizado.

En la segunda concepción, en cambio, se trata de estudiar

la actividad de los informadores y de las organizaciones de los *mass media*. «La noticia no espeja la sociedad. Ayuda a constituirla como fenómeno social compartido, puesto que en el proceso de describir un suceso la noticia define y da forma a ese suceso. [...] La noticia está definiendo y redefiniendo, constituyendo y reconstituyendo permanentemente fenómenos sociales» (Tuchman, 1983, págs. 197-198). Esta segunda concepción ha sido desarrollada a lo largo de los distintos capítulos.

9.3. Definición: la noticia como mundo posible

Me parece casi ineludible el intentar definir, por mi parte, la noticia. Como afirma Durkheim (1982, pág. 65): «La primera tarea del sociólogo debe ser por ello definir las cosas de que él trata a fin de que se sepa —y lo sepa él también— cuál es el problema».

La definición que propongo es la siguiente: noticia es una representación social de la realidad cotidiana producida institucionalmente que se manifiesta en la construcción de un mundo posible.

Por supuesto, esta definición me lleva a concretar la significación de cada uno de los términos que la componen.

1. La representación social
El concepto de representación social nos remite a distintos orígenes teóricos. Ya Durkheim utiliza el concepto de «representación colectiva» como pensamiento colectivo, término que sirve para poner en evidencia ya la primacía de lo social sobre lo individual.

En antropología podemos rastrear ideas colindantes a la estudiada. Sobre todo si nos centramos en el mito. Recordemos que, para Malinowski (1985, pág. 171), «el mito, como constatación de la realidad primordial que aún vive en nuestros días y con justificación merced a un precedente, proporciona un modelo retrospectivo de valores morales, orden sociológico y creencias mágicas».

En psicología quizá este concepto se desarrolló más tardíamente a causa del dominio en este ámbito del conductismo. La primacía de los procesos sociales en la conducta individual se empieza a plantear a través del interaccionismo simbólico (Blumer, 1982).

Pero la aproximación de la psicología social a la representación supone reintroducir el estudio de los modos de conocimiento y de diversos procesos simbólicos en su relación con las conductas.

En definitiva, podemos asumir como buena la siguiente definición de representación social: «Como modalidad de conocimiento, la representación social implica, en principio, una actividad de reproducción de las propiedades de un objeto, efectuándose a un nivel concreto, frecuentemente metafórico y organizado alrededor de una significación central. Esta reproducción no es el reflejo en el espíritu de una realidad externa perfectamente acabada, sino un remodelado, una verdadera "construcción" mental del objeto, concebido como no separable de la actividad simbólica de un sujeto, solidaria ella misma de su inserción en el campo social» (Herzlich, 1975, pág. 394). Desde esta perspectiva psicosociológica la representación es una organización psicológica particular que cumple una función específica. No es, como dirían los sociólogos marxistas, una superestructura ideológica, determinada por una red de condiciones objetivas, sociales y económicas. La representación social sería un instrumento gracias al cual el individuo o grupo aprehende su entorno. Es obvio que la representación desempeña un importante papel tanto en la comunicación como en las conductas sociales. No hay que entender la representación desde un punto de vista estrechamente psicologista sino como señala Herzlich (1975, pág. 411): «La representación, definida para cada contexto, engloba entonces simultáneamente a los protagonistas, la acción y el objetivo puesto en juego así como a los tipos de elección a realizar».

Mannoni (2001, pág. 61) establece tres características en las representaciones sociales: son dinámicas, estructurantes y perseverantes. Las representaciones sociales son procesos cognitivos y emotivos productores de sentido, de realidades simbólicas y dinámicas. Además actúan como esquemas organizadores de la realidad. Por último, las representaciones sociales aseguran la permanencia y la congruencia de lo que es creído. Para Mannoni (2001, pág. 55), «las representaciones sociales están en la interface entre la participación subjetiva en la socialidad y las formas producidas por el cuerpo social». En este mismo sentido, Santamaría (2002, pág. 11) recuerda que «las representaciones son [...] una determinada forma de *concebir* la realidad, en su sentido cognoscitivo pero también constitutivo y estructurador. Las representaciones forman parte de las relaciones sociales, son producto y generadoras de ellas. Es menester destacar que estas representaciones son colectivas no sólo porque sean compartidas por los miembros de un grupo, sino porque se elaboran, mantienen y transforman socialmente, en el seno de las relaciones sociales, y porque además tienen un alcance estructurador de estas mismas relaciones sociales». Es decir, las representaciones sociales son productos construidos socialmente y son constructoras del pensamiento social. Pero hay que recordar con Mannoni (2001, págs. 119-120) que «el problema que se plantea no es saber en qué medida una representación es verdadera o falsa, ni qué relación tiene esta forma de conocimiento con la verdad. En efecto, una representación, porque se trata de *representación*, es necesariamente "falsa" ya que no dice jamás exactamente lo que es el objeto, pero al mismo tiempo es "verdadera" ya que constituye para el sujeto un tipo de conocimiento válido a partir del cual puede actuar». Las representaciones sociales, aunque suelen tener una cierta continuidad histórica, pueden cambiar según las circunstancias de cada momento y de la perspectiva de los observadores. Un ejemplo bastante ilustrativo es la representación de la inmigración en los medios de comunicación (Rodrigo, 2003a).

Mediante el concepto de representación social se pone de manifiesto la construcción de la noticia a través de los acontecimientos tal y como los he definido anteriormente. Sin embargo, la característica de la noticia tal y como es estudiada aquí nos lleva a concretar con mayor exactitud cómo se produce esta representación social.

2. Producción institucional

Wolf (1981, págs. 277-278) afirma que la noticia «es concebida a la vez como un producto resultado de la organización compleja y coordina a muchos factores que se condicionan recíprocamente». No voy a entrar en la producción de la noticia, ya que en su momento ha sido desarrollada ampliamente. Pero recordemos que nos encontramos ante una producción institucional porque la empresa comunicativa es una institución dentro de la sociedad. Recordemos la idea de los medios de comunicación como el «cuarto poder». Pero también hay una institucionalización del rol del periodista, como también hemos visto. Recordemos los dos niveles de objetivación social en Berger y Luckmann (1979). Éstos son la institucionalización y la legitimación.

«La institucionalización aparece cada vez que se da una tipificación recíproca de acciones habitualizadas por tipos de actores. [...] Las tipificaciones de las acciones habitualizadas que constituyen las instituciones siempre se comparten, son accesibles a todos los integrantes de un determinado grupo social, y la institución tipifica tanto a los actores como a las acciones individuales» (Berger y Luckmann, 1979, pág. 76).

«La función de la legitimación consiste en lograr que las objetivaciones de "primer orden" ya institucionalizadas lleguen a ser objetivamente disponibles y subjetivamente plausibles» (Berger y Luckmann, 1979, pág. 120).

Conviene recordar finalmente que he insertado esta producción institucional en el marco de la teoría de la construcción social de la realidad. Se ha de tener en cuenta que, desde esta perspectiva, tiene tanta importancia o más, la propia producción de la noticia como el reconocimiento de la misma. El periodista cumple en la sociedad un rol socialmente institucionalizado que lo legitima para llevar a cabo una determinada actividad. Ya hemos visto, en anteriores capítulos, cómo esta institucionalización se concretaba en un contrato pragmá-

tico fiduciario, elemento fundamental del discurso periodístico informativo.

3. Construcción de un mundo posible

Hay que señalar que la construcción del discurso periodístico informativo supone la creación discursiva de un mundo
posible (Rodrigo, 1985).

Desde un punto de vista narrativo se puede decir que nos
encontramos ante la creación de un mundo posible. La teoría
de los mundos posibles, tal como la ha descrito Umberto Eco
(1981, pág. 157 y sigs.), hace referencia, principalmente, a los
estados de cosas previstos por el lector. Sin embargo, tomo el
concepto de mundo posible para explicar el proceso de producción del discurso periodístico informativo. De algún modo
se puede comparar al periodista con una especie de lector privilegiado de acontecimientos, a partir de los cuales va construyendo mundos posibles que luego transmitirá al auditorio.

El periodista es el autor de un mundo posible que se manifiesta en forma de noticia. En la construcción de la noticia
intervienen tres mundos distintos e interrelacionados, que son:

— El mundo «real».
— El mundo de referencia.
— El mundo posible.

No voy a entrar en el carácter ontológico del denominado
mundo «real». Aunque podemos considerar al mundo «real»
como una construcción cultural. Eco (1981, págs. 186-187):
«Estas observaciones no tienden a eliminar de manera idealis-
ta el mundo "real" afirmando que la realidad es una construcción cultural (aunque, sin duda, nuestro modo de describir la
realidad sí lo es): tienden a establecer un criterio operativo
concreto dentro del marco de una teoría de la cooperación textual. [...] Esto explica la necesidad metodológica de tratar al
mundo "real" como una construcción e, incluso, demostrar
que cada vez que comparamos un desarrollo posible de acontecimientos con las cosas tal como son, de hecho nos repre-

sentamos las cosas tal como son en forma de una construcción cultural limitada, provisional y *ad hoc*».

Para una mejor comprensión hay que señalar que el mundo «real» es la propuesta de interpretación de la fuente que produce los acontecimientos que el periodista utilizará para confeccionar la noticia. El mundo «real» correspondería al mundo de los acontecimientos.

Burguet (2004, pág. 274) hace una diferenciación entre hecho, noticia e información que puede aportar luz a mi propuesta:

> En primer lugar, entiendo los hechos como fragmentos de la realidad percibidos como unidades contextualmente determinadas e interpretadas, y que pueden ser textualizadas y comunicadas, entendiendo que en la información no encontraremos hechos en bruto o en estado puro, cosa que proclama de manera ingenua o tramposa la retórica de la objetividad, sino una determinada percepción e interpretación de la realidad. En segundo lugar, considero que noticia es en un sentido estricto cualquier hecho percibido que los medios en general o uno en particular interpretan que tiene suficiente interés informativo para ser publicado. En consecuencia, y aunque noticia e información se consideran términos equivalentes y con frecuencia se usan de manera indistinta, apunto que en sentido estricto información se refiere a cada una de las versiones periodísticas que se han publicado de un hecho considerado noticia.

El mundo «real» sería el mundo de los hechos, de los acontecimientos al que se le ha dotado de sentido, *prima facie*. Este sentido a primera vista con el que se encuentra el periodista, a través de una fuente, o que él mismo produce cuando es testigo de un acontecimiento, deberá ser verificado si es el adecuado. Para ello el periodista adopta un modelo interpretativo a partir de un mundo de referencia. Este mundo de referencia le permitirá construir un mundo posible, que será su versión de la realidad descrita.

Los periodistas, para dar sentido a los hechos, a los acontecimientos llevan a cabo una inferencia lógica que se conoce como abducción.

Charles Sanders Peirce propuso la inferencia lógica que denominó abducción, aunque también utilizó otros términos como «inferencia hipotética», «hipótesis», «presunción», «inducción abductiva»... Como nos recuerda Castañares (1995, pág. 208), «... una inferencia es el procedimiento mediante el cual se llega a una conclusión partiendo de unas premisas. Tradicionalmente se había considerado que existían dos tipos de inferencias: la "deducción" y la "inducción". La primera es una inferencia de carácter analítico que permite derivar conclusiones particulares de premisas generales. La inducción es, por el contrario, una inferencia sintética que permite extraer conclusiones de carácter general partiendo de premisas particulares. A esta clasificación, Peirce añadiría un tercer tipo al que denominó "abducción". Como la inducción, la·abducción es una inferencia sintética, es decir, permite introducir elementos nuevos en el razonamiento; pero, desde el punto de vista lógico, es todavía más débil, porque tiene más de adivinación que de derivación necesaria de las consecuencias de unas premisas. Utilizando un famoso ejemplo de Peirce: si observo un puñado de judías blancas encima de una mesa y, no muy lejos, un saco de judías blancas, puedo concluir que el puñado de judías procede del saco. Sin embargo, cualquiera podría explicar que esta inferencia, con ser "lógica", no puede considerarse irreprochable». La abducción viene a ser una hipótesis de cómo las cosas han podido ser. En palabras de Sebeok y Umiker-Sebeok (1987, pág. 34), «... la adopción de una hipótesis o una proposición que pueda llevar a la predicción de lo que parecen ser hechos sorprendentes se llama abducción».

La abducción al observar un hecho lo que hace es buscar una teoría o una regla verosímil que explique el hecho.

Cuando sucede un acontecimiento el periodista plantea, como hipótesis, una propuesta de interpretación de los hechos y, a continuación, va a buscar nuevos datos que verifiquen la propuesta de interpretación. Esta propuesta de interpretación es lo que denomino el mundo de referencia.

Ya hemos visto, anteriormente, que el modo de producción de conocimiento del periodista es distinto del de los científicos sociales. Abundando en ello, como señala Castañares (1995, pág. 21), para los científicos «... lo coherente desde el punto de vista lógico no es buscar hechos que verifiquen nuestras suposiciones, sino hechos que las contradigan o falseen. Quizá al periodista no debamos pedirle tanto. Pero, al menos, podríamos aconsejarle que no tenga tanta fe, que compruebe sistemáticamente sus informaciones y que no olvide que, en último término, no hace más que reconstruir la trama de un texto que tiene múltiples interpretaciones».

La abducción es poco fiable como instrumento lógico, sobre todo si luego no se hace una verificación rigurosa de datos que verifiquen la hipótesis interpretativa propuesta (el mundo de referencia), y aun así puede haber errores.

Veamos un ejemplo. El diario *El País* (18/II/1996, pág. 16), en la sección de «El defensor del lector», recoge una crítica a una crónica del corresponsal en Alemania en la que atribuía un incendio en un refugio de extranjeros, en el que murieron 10 personas, a un atentado racista cuando resultó ser finalmente consecuencia de un accidente. «A pesar de esto, debo añadir en mi descargo que casi toda la prensa, alemana e internacional, que trató ese día el tema incurrió en el mismo error, la cosa es muy simple. Como se dice ahora en la jerga española, "blanco y en botella, *ergo* la leche"; la policía declaró que había tres detenidos, uno al menos con la cabeza rapada e indumentaria militar. El fiscal de Lübeck abrió un sumario contra ellos, por sospecha de incendio intencionado y asesinato. El alcalde de la ciudad lloró y apeló a la desobediencia civil para protestar contra el racismo. La máxima autoridad de Alemania, el presidente federal Roman Herzog, dijo en un solemne discurso ese mismo día que "si se trata de un atentado racista, se me acaba la paciencia". El año pasado se habían producido en Lübeck dos atentados contra la sinagoga local. El año 1992, cerca de Lübeck, habían pegado fuego y quemado a tres turcos. Lo siento pero todo significaba que, ya lo dije, era blanco y en botella, o sea, la leche. A pesar de todos estos indicios, la crónica contenía advertencias de precaución en el juicio. Decía la entradilla: "Un incendio provocado, según todos los indicios".»

«Blanco y en botella: es leche», es una abducción. Una vez planteada hay que buscar los indicios que confirmen la abducción realizada. Ya vimos que un periodista tiene múltiples contactos con su redacción y con colegas de otros medios. Por esto si todos los periodistas dan la misma interpretación, es difícil, si no se tienen datos claros en sentido contrario, dar una interpretación distinta. Así pues, como mínimo hay que aceptar que ésta era una abducción verosímil. Además los indicios parecían apuntar que era correcta. Fijémonos en los indicios. Se podrían agrupar en tres tipos:

a) Actuación de las autoridades: detenciones de la policía y actuaciones del fiscal. Aunque hay que decir que el móvil racista parece basarse en el corte de pelo y la forma de vestir de uno de los tres detenidos. Las detenciones policiales y la actuación del fiscal pueden permitir formular una hipótesis, pero no verificarla. Recordemos el principio de la presunción de inocencia.

b) Declaración de las autoridades. Las interpretaciones que hagan las autoridades de los acontecimientos también tienen una influencia importante. El periodista puede pensar que las autoridades tienen información confidencial que no pueden revelar todavía, para no perjudicar las investigaciones. En este caso se dan declaraciones de dos autoridades de gran peso. En primer lugar, la autoridad más próxima al lugar de los hechos, el alcalde, y en segundo lugar la autoridad más importante del país, el presidente de la República. Ante determinados acontecimientos que afectan directamente a la actividad de las autoridades políticas, los periodistas pueden sentir una cierta desconfianza hacia las declaraciones de dichas autoridades. Pero no parece ser éste el caso. Sin embargo, véase que lo que hace el presidente es un enunciado condicional.

c) Antecedentes y proximidad. Recordemos la falacia *post hoc, ergo propter hoc est*: lo que viene después de esto viene a causa de esto. Así, el hecho de que haya habido antecedentes de actos racistas en la misma ciudad no verifica la hipótesis del atentado racista, sino que sirve, simplemente, para considerar que esta hipótesis es verosímil.

En este caso el mundo de referencia, un atentado racista, era muy verosímil, pero no era cierto. Los mundos de referencia son todos aquellos en los cuales se puede encuadrar el acontecimiento del mundo «real». Es imprescindible, para la comprensión de un acontecimiento, su encuadramiento en un modelo de mundo referencial. En el caso comentado los mundos de referencia verosímiles podrían ser: un atentado racista, un accidente, una venganza, un acto de enajenación mental... Fijémonos que cuando hay un suceso siempre se busca el motivo que da sentido al acontecimiento.

Este mundo de referencia también nos permitirá determinar la importancia social del acontecimiento. Como señala Marletti (1982, págs. 188-189), debemos partir de «la existencia de una estructura referencial fija, o sea de un modelo social que establece la importancia mayor de unos hechos en relación con otros, y del examen de la posibilidad, que estos hechos vengan omitidos o tratados con una importancia menor y de las consecuencias que ello puede producir. [...] El hecho de que una cierta estructura referencial, un esquema de juicio haga considerar ciertos hechos como más importantes y por tanto deba ser necesario llevarlos al conocimiento del mayor número de gentes, está profundamente instalado en nuestra experiencia cotidiana [...] no significa que automáticamente cualquier periodista esté en condiciones de captar y de dar la justa importancia a los "grandes hechos" cada vez que se dan».

Por último, está el mundo posible. Éste será aquel mundo que construya el periodista teniendo en cuenta el mundo «real» y un mundo de referencia escogido. Aunque, en definitiva, el periodista no puede establecer cualquier mundo posible, sino que ha de tener en cuenta los hechos que conoce del asunto que pretende relatar, y las características del mundo de referencia a que le remiten los hechos. El mundo posible así construido recogerá las marcas pertinentes del mundo de referencia.

Como señalé anteriormente, cada uno de estos mundos diferenciados están necesariamente interrelacionados. El mundo que hemos denominado «real» correspondería a los hechos, datos y circunstancias que son conocidos por el periodista. Hechos que nos remitirán a un número determinado de mundos de referencia. Y a partir de estos mundos de referencia será como el periodista podrá determinar el tipo de acontecimiento que tiene que relatar. Además, hay que señalar que en el mundo «real» es donde se puede producir la verificación del mundo posible narrado. Verificación por la que el hipotético mundo posible construido es confrontado con los nuevos datos que se vayan aportando sobre el acontecimiento. Evidentemente, esta verificación va a permitir confirmar, invalidar o corregir la elección del mundo de referencia.

Los mundos de referencia son modelos en los cuales se encuadran los hechos conocidos para una mejor comprensión de los mismos. Los mundos de referencia son construcciones culturales que establece el periodista según su enciclopedia. Ante un hecho determinado se puede escoger entre un número limitado de mundos de referencia. El mundo de referencia escogido para la explicación de un hecho debe ser el de mayor verosimilitud. Es decir, debe poder ser creído por el enunciatario. El mundo de referencia es esencial en el estudio de la rutina, de la práctica periodística inserta en la organización industrial comunicativa. Se han estudiado, desde la perspectiva sociológica, los efectos de la práctica periodística y la organización de los medios sobre la información. Se ha demostrado que los comunicadores adaptan sus puntos de vista a la exigencia de la organización y esto explica el tipo de contenido producido por un medio (Epstein, 1973 y Altheide, 1976). Desde una perspectiva sociosemiótica, en el estudio de la rutina informativa se tiene que tener en cuenta la construcción semiótica de los discursos periodísticos, y en concreto la existencia de los mundos de referencia, como uno de los elementos de producción de las noticias.

Para la elección del mundo referencial se tiene en cuenta no sólo que sea verosímil con los hechos conocidos, sino que además se den procesos de intertextualidad. Se toman otros datos de otros hechos que permitan corroborar la correcta elección o no del modelo.

Es fundamental esta elección del mundo de referencia, pues a partir de él se va a buscar la verificación del mismo en los acontecimientos. Además, la elección de un mundo de referencia condiciona los futuros datos que se recopilarán de ese acontecimiento. Es decir, partiendo de un mundo de referencia se van a tener en cuenta unos hechos y se descartarán otros. Por último, hay que recordar que el mundo de referencia va a ser la matriz en la que se construya el mundo posible narrado.

El mundo posible es el mundo narrativo construido por el sujeto enunciador a partir de los otros dos mundos citados. Si en el mundo «real» se producía la verificación y en el mundo de referencia se determinaba la verosimilitud, en el mundo posible se desarrolla la veridicción. El enunciador debe hacer parecer verdad el mundo posible que construye. Para ello se vale de las marcas de veridicción que permiten crear una ilusión referencial que es condición necesaria para la virtualidad del discurso (Rodrigo, 1984).

Mundos de producción de sentido	Operaciones de producción de sentido
El mundo «real»	verificación
El mundo de referencia	verosimilitud
El mundo posible	veridicción

En definitiva, a lo largo de esta obra lo que he pretendido es mostrar cómo se van a construir estos relatos veridictorios que son las noticias.

Sabe una cosa, todavía le queda mucho que aprender sobre periodismo. Mírelo de este modo. Una noticia es aquello que le interesa a un tipo al que nada le importa apenas. Y sólo es noticia hasta el momento en que lo ha leído. Después ya no lo es. A nosotros nos pagan por dar noticias. Si un colega ha enviado la noticia antes que nosotros, la nuestra ya no lo es.

Evelyn Waugh (1938), *¡Noticia bomba!*,
Madrid, Edición Diario EL PAÍS, 2003, págs. 101-102.

Bibliografía

Abril, G. (1997), *Teoría general de la información*, Madrid, Cátedra.

Adoni, H. y Mane, S. (1984), «Media and the social construction of reality», *Communication Research*, vol. 11, nº 3, julio, págs. 323-340.

Agostini, A. (1984), «La tematizzazione. Selezione e memoria dell'informazione giornalistica», *Problemi dell'Informazione*, año IX, nº 4, octubre-diciembre, págs. 531-560.

— (1985), «L'inchiesta giornalistica e i suoi lettori», *Problemi dell'Informazione*, año X, nº 3, julio-septiembre, págs. 429-438.

Altheide, D. (1976), *Creating Reality. How Television News Distorts Events*, Berverly Hills, Sage.

Althusser, L. (1974), *Escritos*, Barcelona, Laia.

Alvira Martín, F. (1983), «Perspectiva cualitativa-perspectiva cuantitativa en la metodología de la sociología», *Revista Española de Investigación Sociológica*, nº 22, abril-junio, págs. 53-75.

Atwood, L. E.; Sohn, A. B. y Sohn, H. (1978), «Dialy newspaper contributions to community discussion», *Journal Quaterly*, vol. 55, nº 3, otoño, págs. 570-576.

Atxaga, B. (1997), *Horas extras*, Madrid, Alianza Editorial.
Auclair, G. (1970), *Le mana quotidien. Structures et fonctions de la chronique des faits divers*, París, Anthropos.
Bagdikan, B. H. (1974), «Shaping media content: professional personnel and organizational structure», *Public Opinion Quaterly*, vol. 37, nº 4, invierno, págs. 569-579.
Balta, P. (1994), «Los medios y los malentendidos euroárabes», en J. Bodas Barea y A. Dragoevich (comps.), *El Mundo Árabe y su imagen en los medios*, Madrid, Comunica, págs. 30-44.
Barthes, R. (1964), *Éléments de sémiologie*, París, Seuil.
Baudrillard, J. (1978a), *A la sombra de las mayorías silenciosas*, Barcelona, Kairós.
— (1978b), *Cultura y simulacro*, Barcelona, Kairós.
— (1979), «La implosión del sentido en los "media" y la implosión de lo social en las masas», en J. Vidal Beneyto (comp.), *Alternativas populares a las comunicaciones de masas*, Madrid, Centro de Investigaciones Sociológicas, págs. 107-118.
Bayardo, R. y Lacarrieu, M. (comps.) (1999), *La dinámica global/ local. Cultura y comunicación: nuevos desafíos*, Buenos Aires, Ciccus/ La Crujía.
Bechelloni, G. (1976), «La giostra delle notizie», *Problemi dell'Informazione*, año I, nº 3, págs. 383-394.
— (1978), «Notizia o interpretazione?», *Problemi dell'Informazione*, año III, nº 4, págs. 171-178.
— (1979), «La formazione professionale del giornalista», *Problemi dell'Informazione*, año IV, nº 3, págs. 379-418.
— (1980), «La dimensione della tragedia», *Problemi dell'Informazione*, año V, nº 1, enero-marzo.
— (1982a), «Oltre il modelo liberale. Ipotesi sulla professionalità gionalistica», en G. Bechelloni (comp.), *Il mestiere di giornalista*, Nápoles, Loguisi, págs. 23-39.
— (1982b), «Dilemmi e modelli nell'area euro-americana», en G. Bechelloni (comp.), *Il mestiere di giornalista*, Nápoles, Loguisi, págs. 40-72.
— (1986), «Il potere nelle organizzazioni dei media», *Problemi dell'Informazione*, año, nº 3, págs. 367-386.
Becker, L. B. (1982), «The *mass media* and citizen assessment of issue importance. A reflection on agenda-setting research», en D. Charles Whitney; E. Wartella y S. Windahl (comps.), Londres, Sage, págs. 521-536.
Behr, R. L. y Iyengar, S. (1985), «Television news, real-word cues,

and changes in the Public Agenda», *Public Opinion Quaterly*, vol. 49, n⁰ 1, primavera, págs. 38-57.

Beltrán, M. (1989), «Cinco vías de acceso a la realidad social», en M. García Ferrando, J. Ibañez y F. Alvira (comps.), *El análisis de la realidad social. Métodos y técnicas de investigación*, Madrid, Alianza, págs.17-47.

Benito, A. (1982), *Fundamentos de teoría general de la información*, Madrid, Pirámide.

Bennett, W. L.; Gressett, L. A. y Halton, W. (1985), «Repairing the news: a case study of the news paradigm», *Journal of Communication*, vol. 35, n⁰ 2, primavera, págs. 50-68.

Berger, P. (1981), *Para una teoría sociológica de la religión*, Barcelona, Kairós.

Berger, P. y Luckmann, T. (1979), *La construcción social de la realidad*, Buenos Aires, Amorrortu Editores.

— (1997), *Modernidad, pluralismo y crisis de sentido*, Barcelona, Paidós.

Bergsma, F. (1978), «News values in foreign affairs on Dutch television», *Gazette*, vol. 24, n⁰ 3, págs. 207-222.

Blumer, H. (1982), *El interaccionismo simbólico: perspectiva y método*, Barcelona, Hora.

Blumler, J. G. (1979), «Teoria e ricerca sui *mass media* in Europa e in America», *Problemi dell'Informazione*, año IV, n⁰ 2, abril-junio, págs. 217-240.

— (1980), «Mass Communication Research in Europe: some origins and projects», *Media, Culture and Society*, vol. 2, n⁰ 4, octubre, págs. 367-376.

Böckelmann, F. (1983), *Formación y funciones sociales de la opinión pública*, Barcelona, Gustavo Gili.

Bolado, A. C. *et. al.* (2000), «La imatge del Magrib a les televisions de Catalunya», en Consell de l'Audiovisual de Catalunya, *La imatge de les minories ètniques a les televisions de Catalunya*, Barcelona, Consell de l'Audiovisual de Catalunya, Generalitat de Catalunya, págs. 30-47.

Bonfantini, M. (1984), «"*mass media*" i formació de les opinions públiques durant la transició», *Anàlisi*, n⁰ 9, mayo, págs. 167-188.

Borrat, H. (1989), *El periódico, actor político*, Barcelona, Gustavo Gili.

Bourdieu, P. y Wacquant, L. (1998), «Sur les ruses de la raison impérialiste», en *Actes de la Recherche en Sciences Sociales*, n⁰ 121-122, marzo, págs. 109-118.

Brant, P. A. (1982), «Quelques remarques sur la veridiction», *Actes sémiotiques*, año IV, nº 31.

Briggs, A. y Burke, P. (2002), *De Gutenberg a Internet. Una historia social de los medios de comunicación*, Madrid, Taurus.

Bruck, P. A. (1982), «La production sociale du texte. Note sur la relation production-produit dans les médias d'information», *Communication information*, vol. IV, nº 3, verano, págs. 92-123.

Buisef, D. (1994), «Medios de comunicación y visiones del Magreb. La percepción Norte/Sur en la prensa española», en *Voces y Culturas*, nº 6, I semestre, págs. 11-21.

Buonanno, M. (1982), «Professionalità giornalistica e istituzioni formative in Francia», en G. Bechelloni (comp.), *Il mestiere di giornalista*, Nápoles, Liguosi, págs. 73-91.

Burgelin, O. (1974), *La comunicación de masas*, Barcelona, ATE.

Burguet Ardiaca, F. (2004), *Les trampes dels periodistes*, Barcelona, Edicions 62.

Bustamante, E. (1982), *Los amos de la información en España*, Madrid, Akal.

— (coord.) (2002), *Comunicación y cultura en la era digital. Industrias, mercados y diversidad en España*, Barcelona, Gedisa.

Carey, J.W. (1980), «La rivoluzione della comunicazione e il professionista della Comunicazione», en P. Baldi (comp.), *Il giornalismo como professione*, Milán, Il Saggiatore, págs. 17-31.

Casasus, J. M. y Roig, X. (1981), *La premsa actual*, Barcelona, Edicions 62.

Casmir, F. L. (1994), «The Rol of Theory and Theory Building», en Fred L. Casmir (comp.), *Building Communication Theories. A Socio/Cultural Approach*, Hillsdale (New Jersey), Lawrence Erlbaum Associates, págs.7-41.

Castañares, W. (1995), «Semiótica y comunicación de masas», en A. J. El-Mir y F. Valbuena, *Manual de Periodismo*, Barcelona, Prensa ibérica, págs. 197-220.

Castells, M. (1997), *La era de la información. Sociedad, Economía y Cultura. Vol.1 La sociedad red*, Madrid, Alianza editorial.

— (1998a), *La era de la información. Sociedad, Economía y Cultura. Vol.2 El poder de la identidad*, Madrid, Alianza editorial.

— (1998b), *La era de la información. Sociedad, Economía y Cultura. Vol.3 Fin de milenio*, Madrid, Alianza editorial.

Cebrian, J. L. (1981), *¿Qué pasa en el mundo? Los medios de información de masas*, Barcelona, Salvat.

Chabrol, C. (1982), «Les discours du pouvoir. Pour une psycho-socio-sémiotique», en J. C. Coquet (comp.), *Sémiotique. L'École de Paris*, París, Hachette, pág. 173-198.

— (1983), «Reflexions al voltant dels pressupòsits epistemològics i teòrics d'una anàlisi dels media», *Anàlisi* n⁰ 7/8, págs. 67-74.

Chaffee, S. H. (1992), «Search for Change: Survey Studies of International Media Effects», en F. Korzenny, S. Ting-Toomey y E. Schiff (comps.), *Mass media effects across Cultures*, Londres, Sage, págs. 35-54.

Chillón, A. (1998), «El "giro lingüístico" y su incidencia en el estudio de la comunicación periodística», en *Anàlisi*, n⁰ 22, págs. 63-98.

Chomsky, N. (1986), «El "gangsterismo internacional" y sus recompensas», *El País*, 3-5-1986.

Chomsky, N. (1995), «El control de los medios de comunicación», en N. Chomsky e I. Ramonet, *Cómo nos venden la moto*, Barcelona, Icaria, págs. 7-54.

Chomsky, N. y Herman, E. (1990), *Los guardianes de la libertad*, Barcelona, Crítica.

Cicourel, A. V. (1979), *La sociologie cognitive*, París, Presses Universitaires de France.

Cohen, S. y Young, J. (comps.) (1973), *The manufacture of news*, Beverly Hills, Sage.

Cole, R. y Grey, D. (1976), «The Nature of News-Tradicional Concepts», en M. Mc Combs; D. L. Shaw y D. Grey (comps.), *Handbook of Reporting Methods*, Londres, Houghton Mifflin Company, págs. 292-313.

Col·legi de Periodistes de Catalunya, Comissió Periodisme Solidari, (*sine anno*) *Manual de estilo sobre el tratamiento de las minorías étnicas en los medios de comunicación social* (sin pie de imprenta).

— (2003), *Agenda de la multiculturalitat de Barcelona*, Barcelona, Col·legi de Periodistes de Catalunya, Comissió Periodisme Solidari.

Colombo, F. (1983), *Rabia y televisión. Reflexiones sobre los efectos imprevistos de la televisión*, Barcelona, Gustavo Gili.

Comissió Mitjans i Xenofòbia (1998), *Manual d'estil*, Barcelona, Col·legi de Periodistes de Catalunya, (sin pie de imprenta).

Consell de l'Audiovisual de Catalunya (2000), *La imatge de les minories ètniques a les televisions de Catalunya*, Barcelona, Consell de l'Audiovisual de Catalunya, Generalitat de Catalunya.

— (2002) «Mitjans de communicació i immigració», en *Quaderns del CAC*, n⁰ 12, enero-abril, Barcelona, Consell de l'Audiovisual de Catalunya, Generalitat de Catalunya.

— (2004), «11-14-M: la construcció televisiva», en *Quaderns del CAC*, n⁰ 19-20, abril-diciembre, Barcelona, Consell de l'Audiovisual de Catalunya, Generalitat de Catalunya.

Coquet, J. C. (1982), *L'École de Paris*, París, Hachette.

Coulon, A. (1988), *La etnometodología*, Madrid, Cátedra.

Debord, G. (1976), *La sociedad del espectáculo*, Madrid, Castellote.

De Fleur, M. L. y Ball-Rokeach, S. (1982), *Teorías de la comunicación de masas*, Barcelona, Paidós.

— (1993), *Teorías de la comunicación de masas*, Barcelona, Paidós (2ª edición, revisada y ampliada).

De George, W. F. (1982), «Conceptualization and measurement of audience agenda», en G. Cleveland Wilhoit y H. De Bock (comps.), *Mass Communication Review Yearbook*. Londres, Sage, págs. 219-224.

Del Rincón, D. *et al.* (1995), *Técnicas de investigación en ciencias sociales*, Madrid, Dykinson.

Demers, F. (1982), «Le "mauvais esprit", outil professionel des journalistes?», *Communication et Information*, vol. 4, n⁰ 3, verano, págs. 63-76.

Dimmick, J. W. (1979), «The Gatekeepers: Media Organizations as Political Coalitions», *Communication Research*, vol. 6, n⁰ 2, abril, págs. 203-222.

Doelker, C. (1982), *La realidad manipulada*, Barcelona, Gustavo Gili.

Domenach, J. M. (1963), *La propaganda política*, Barcelona, Edicions 62.

Donohue, G. A.; Tichenor, P. J. y Olien, C. S. (1980), «Community Structure and Media Use», en G. Cleveland Wilhoit (comp.), *Mass Communication Review Yearbook*, vol. 1, Beverly Hills, Sage, págs. 390-400.

Dovifat, E. (1964), *Periodismo. Fundamentos teóricos y jurídicos, noticia y opinión, lenguaje y forma de expresión*, tomo I, México, Hispano-Americana.

Durkheim, E. (1982), *Las reglas del método sociológico*, Barcelona, Orbis.

Eco, U. (1976), *Signo*, Madrid, Editorial Labor.

— *Tratado de semiótica general*, Barcelona, Lumen.

— «Obbiettività dell'informazione: il debattito teorico e le trasformazioni della società italiana», en AA.VV., *Informazione. Consenso e disenso*, Milán, Il Saggiatore, págs. 15-33.

—, *Lector in fábula*, Barcelona, Lumen.

—, «¿El público perjudica la televisión?», en M. de Moragas (comp.) *Sociología de la comunicación de masas*, Barcelona, Gustavo Gili, págs. 286-303.

Eco, U. y Fabbri, P. (1978), «Progetto di ricerca sull'utilizzazione dell'informazione ambientale», *Problema dell'informazione*, año III, n° 4, octubre-diciembre, págs. 555-597.

Elliot, P. (1972), *The making of a television series*, Londres, Constable.

— (1980), «Selezione e comunicazione di una produzione televisiva», P. Baldi (comp.), *Il giornalismo come professione*, Milán, Il Saggiatore, págs. 137-156.

Engwall, L. (1978), *Newspaper as organizations*, Farmborough (Gran Bretaña), Grower.

Enzensberger, H. M. (1972), *Elementos para una teoría de los medios de comunicación*, Barcelona, Anagrama.

Epstein, E. J. (1973), *News from nowhere*. Nueva York, Vintage Books.

Estudios Semióticos (1986), «Sociosemiótica de la comunicación», *Estudios Semióticos*, n° 9.

Eyal, C. (1982), «The roles of newspaper and television in agenda-setting», en G. Cleveland Wilhoit y H. De Bock (comps.), *Mass Communication Review Yearbook*, Londres, Sage, págs. 225-234.

Eyal, C.; Winter, J. P. y De George, W. F. (1982), «The concept of time frame in agenda-setting», en G. Cleveland Wilhoit y H. De Bock (comps.), *Mass Communication Review Yearbook*, Londres, Sage, págs. 212-218.

Fabbri, P. (1973), «La communicazioni di massa in Italia: sguardo semiotico e mallochio della sociologia», *Versus*, n° 5, págs. 57-109.

Festinger, L. (1982), «Teoría de la disonancia cognitiva», en W. Schramm (comp.), *La ciencia de la comunicación humana*, Barcelona, Grijalbo, págs. 21-32.

Fishman, M. (1983), *La fabricación de la noticia*, Buenos Aires, Tres Tiempos.

Fontcuberta, M. (1993), *La noticia. Pistas para percibir el mundo*, Barcelona, Paidós.

Foucault, M. (1973), *El orden del discurso*, Barcelona, Tusquets.

— (1978), *La arqueología del saber*, México, Siglo XXI.

— (1981), *Un diálogo sobre el poder*, Madrid, Alianza.

Freid Schnitman, D. (1994), «Introducción: ciencia, cultura y subjetividad», en D. Freid Schnitman (comp.), *Nuevos paradigmas, cultura y subjetividad*, Buenos Aires, Paidós, págs. 15-34.

Fuente, I.; García, J. y Prieto, J. (1983), *Golpe mortal. Asesinato de Carrero y agonía del franquismo*, Madrid, Prisa.

Funkhouser, G. R. (1973), «The issues of the sixties: an exploratory study in the dynamics of public opinion», *Public Opinion Quarterly*, nº 37, págs. 62-75.

Gadzilia, S. M. y Becker, L. B. (1983), «A new look at agenda-setting in the 1976 election debates», *Journalism Quarterly*, vol. 60, nº 2, primavera, págs. 122-126.

Gaillard, P. (1972), *Técnica del periodismo*, Vilassar de Mar (Barcelona), Oikos-Tau.

Galtung, J. y Ruge, M. H. (1980), «La struttura delle notizie dall'estero», en P. Baldi (comp.), *Il giornalismo come professione*, Milán, Il Saggiatore, págs. 113-136.

Gans, H. J. (1980), *Deciding What's a News*, Nueva York, Vintage Books.

García, J. L. (2000) *Comunicación no verbal: periodismo y medios audiovisuales*, Madrid, Universitas.

García Canclini, N. (1997), *Cultura y comunicación: entre lo global y lo local*, La Plata (Argentina), Ediciones de Periodismo y Comunicación.

— (1999), *La globalización imaginada*, Buenos Aires, Paidós.

Geertz, C. (1976), «Significación y accion social. La ideología como sistema cultural», en AA.VV., *El proceso ideológico*, Buenos Aires, Tiempo Contemporáneo, págs. 13-46.

— (1989), *La interpretación de las culturas*, Barcelona, Gedisa.

— (1995), «Contra el relativismo», en *Revista de Occidente*, nº 169, junio, págs. 71-103.

Giddens, A. (1997), *Modernidad e identidad del yo. El yo y la sociedad en la época contemporánea*, Barcelona, Península.

Gifreu, J. (1983), *Sistema i politiques de la comunicació a Catalunya*, Barcelona, L'Avenç.

Gil Calvo, E. (2003), *El miedo es el mensaje. Riesgo, incertidumbre y medios de comunicación*, Madrid, Alianza.

Giró, X. (coord.) (1999), *La premsa i el sud: informació, reptes i esquerdes*, Barcelona, SOLC.

— (2004), «La información sobre los países del Sur en los medios del Norte», en Fernando R. Contreras y Francisco Sierra (coomps.), *Culturas de guerra*, Madrid, Cátedra, págs. 155-183.

Giordano, E., «Propaganda racista y exclusión social del inmigrante», en *Cuadernos de Información y Comunicación*, nº 12, 1996, págs. 167-178.

Glasersfeld, H. von (1994), «Despedida de la objetividad», en P. Watzlawick y P. Krieg (comps.), *El ojo del observador. Contribuciones al constructivismo*, Barcelona, Gedisa, págs. 19-31.

Glasgow Media Group (1977), *Bad News*, Londres, Routledge.

— (1980), *More Bad News*, Londres, Routledge.

Goffman, E. (1991), *Les cadres de l'expérience*, París, Les Éditions de Minuit.

Golding, P. (1981), «The missing dimensions-news media and the management of social change», en E. Katz y T. Szechskö (eds.) *Mass Media and Social Change*, Londres, Sage, págs. 63-81.

Golding, P. y Elliot, P. (1979), *Making the news*, Londres, Longman.

Gouldner, A. W. (1978), *La dialéctica de la ideología y la tecnología*, Madrid, Alianza.

Grandi, R. (1985), «La ricerca mediologica di matrice anglossassone sulla professionalità giornalistica», *Problemi dell'informazione*, año X, nº 3, julio-septiembre, págs. 357-364.

Greimas, A. J. (1970), *Du Sens*, París, Seuil.

— (1976a), *Maupassant, La sémiotique du texte*, París, Seuil.

— (1976b), *Sémiotique et sciences sociales*, París, Seuil.

— (1983), *Du Sens II*, París, Seuil.

Greimas, A. J. y Courtés, J. (1979), *Sémiotique. Dictionnaire raisonné de la théorie du langage I*, París, Hachette.

— (1986), *Sémiotique. Dictionnaire raisonné de la théorie du langage II*, París, Hachette.

Grossi, G. (1978), «Sistema di informazione e sistema politico», *Problemi dell'informazione*, nº 1, enero-marzo, págs. 23-38.

— (1981), «Professionalità e "casi eccezionali"», *Problemi dell'informazione*, año VI, nº 1, págs. 71-86.

— (1983), «La comunicazione politica tra partiti e *mass media*», en AA.VV., *Comunicare politica*, Milán, Angelina, págs. 19-35.

— (1985a), *Rappresentanza e rappresentazione*, Milán, Angeli.

— (1985b), «Professionalità giornalistica e construzione sociale della realtà», *Problemi dell'informazione*, año X, nº 3, julio-septiembre, págs. 375-388.

Guirdham, M. (1999), *Communicating across Cultures*, Londres, Macmillan Business.

Gurevitch, M. y Elliot, P. (1980), «Le tecnologie della comunicazione e il futuro delle professioni radiotelevisive», en P. Baldi (comp.), *Il giornalismo come professione*, Milán, Il Saggiatore, págs. 46-61.

Hall, E. T. (1978), *Más allá de la cultura*, Barcelona, Editorial Gustavo Gili.

Hall, S. (1981), «La cultura, los medios de comunicación y el "efecto ideológico"», en J. Curran y otros (comps.), *Sociedad y Comunicación de masas*, México, Fondo de Cultura Económica, págs. 357-392.

Hannerz, U. (1996), *Conexiones transnacionales. Cultura, gente, lugares*, Madrid, Cátedra.

Hausser, M. (1973), «L'enonciation de l'événement», en A. J. Tudesq (comp.), *La presse et l'événement*, París, Mouton, págs. 150-181.

Hermelin, C. (1983a), «La grammaire de l'événement (I)», *Presse actualité*, nº 176, septiembre-octubre, págs. 35-40.

— (1983b), «La grammaire de l'événement (II)», *Presse actualité*, nº 178, diciembre, págs. 47-53.

Hernández Sacristán, C. (1999), *Cultura y acción comunicativa. Introducción a la pragmática intercultural*, Barcelona, Octaedro.

Herraiz, I. (1966), *Enciclopedia del periodismo*, Barcelona, Noguer.

Herzlich, C. (1975), «La representación social», en S. Moscovici (comp.), *Introducción a la psicología social*, Barcelona, Planeta, págs. 389-418.

Hirsch, P. M. (1977), «Occupational and institutional models in *mass media* research: toward an integrated framework», en P. Hirsch; P. Millet y C. F. Kline (comps.), *Strategies for Communication Research*, Beverly Hills, Sage, págs. 13-42.

Huntington, S. P. (1997), *El choque de civilizaciones y la reconfiguración del orden mundial*, Barcelona, Paidós.

Igartua, J. J. y Humanes, M. L. (2004), *Teoría e investigación en comunicación social*, Madrid, Síntesis.

Iglesias, F. (1984), *Guía de los estudios universitarios. Ciencias de la Información*, Pamplona, Eunsa.

Imbert, G. (1982), «La prensa de influencia dominante y la producción de la realidad», *Papers*, nº 18, octubre, págs. 139-159.

— (1984a), «Figuras del sujeto en las páginas de opinión de *El País*», *Estudios Semióticos*, nº 1, págs. 22-38.

— (1984 b), «Notes pour une approche sémiotique du journal d'influence dominante», ponencia en el *Simposium Internacional de Bolonia*, 29 de noviembre-3 de diciembre.

— (1986), «Hacia una semiótica de la manipulación en la prensa de referencia», en *Investigaciones Semióticas I*, Toledo, Asociación Española de Semiótica, págs. 289-296.

Jacquard, R. (1988), *La desinformación: una manipulación del poder*, Madrid, Espasa Calpe.

Janowitz, M. (1980), «Modelli professionali dei giornalismo», en P. Baldi (comp.), *Il giornalismo como professione*, Milán, Il Saggiatore, págs. 32-45.

Jensen, K. B. (1993), «Introducción: El cambio cualitativo», en K. B. Jensen y N. W. Jankowski (comps.), *Metodologías cualitativas de investigación en comunicación de masas*, Barcelona, Bosch, págs. 9-20.

Jordan, B. (1986), «Textos, contextos y procesos sociales», en *Estudios Semióticos*, nº 9, págs. 37-58.

Katz, E, y Lazarsfeld, P. F. (1979), *La influencia personal*, Barcelona, Hispano Europea.

Katz, E.; Blumler, J. C. y Gurevitch, M. (1982), «Usos y gratificaciones de la comunicación de masas», en M. de Moragas (comp.), *Sociología de la comunicación de masas*, Barcelona, Gustavo Gili, págs. 252-285.

Klapper, J. T. (1974), *Efectos de las comunicaciones*, Madrid, Aguilar.

Kline, S. (1982), «Les informations téléviseés: structure de leur interpretation de l'actualité», *Communication et information*, vol. 4, nº 3, verano, págs. 125-155.

Knight, G. y Dean, T. (1982), «Myth and the Structure of News», Journal of Communication, nº 2, primavera, págs. 144-161.

Kivikuru, U. (1998), «Communication Research. Is There Such a Thing?», en *Nordicom Review*, vol. 19, nº 1, junio, págs. 7-11.

Landowski, E. (1980), «L'opinion et ses porte-paroles», *Documents*, nº 12, París, Groupe de Recherches Sémio-linguistiques.

— (1986), «Los proyectos sociales de la semiótica», en *Investigaciones Semióticas I*, Toledo, Asociación Española de Semiótica, págs. 297-306.

Lazarsfeld, P. F.; Berelson, B. y Gaudet, H. (1968), *The People's Choice*, Nueva York, Columbia University Press.

Le Bon, G. (1983), *Psicología de las masas*, Madrid, Morata.

Lefebvre, H. (1968), *La vie quotidienne dans le monde moderne*, París, Gallimard.

Lempen, B. (1980), *Information et pouvoir*. *Essai sur le sens de l'information et son enjeu politique*, Lausana, L'Age d'Homme.

Livolsi, M. (1979), «Modificazione nelle structure en el sistema dei mezzi di comunicazione di massa», en AA.VV., *Informazione, consenso e dissenso*, Milán, Il Saggiatore, págs. 34-51.

— (1985), «Il discorso sulla professionalità e le condizioni attuali», *Problema dell'Informazione*, año X, n⁰ 3, julio-septiembre, págs. 389-396.

López, L. y Guerin, G. (2000), «La imatge de l'Àfrica negre a les televisions», en Consell de l'Audiovisual de Catalunya, *La imatge de les minories ètniques a les televisions de Catalunya*, Barcelona, Consell de l'Audiovisual de Catalunya, Generalitat de Catalunya, págs. 3-16.

Luhmann, N. (1996), *Confianza*, Barcelona, Anthropos.

Luhmann, N. (2000), *La realidad de los medios de masas*, Barcelona, Anthropos.

Lyotard, J.-F. (1984), *La condición postmoderna*, Madrid, Cátedra.

Maalouf, A. (1999), *Identidades asesinas*, Madrid, Alianza.

Machado, E. (2000), *Estructura de la noticia en las redes digitales*, tesis de doctorado, Departamento de Periodismo y Ciencias de la Comunicación, Universidad Autónoma de Barcelona.

Malcolm, J. (2004), *El periodista y el asesino*, Barcelona, Gedisa.

Malinowski, B. (1985), *Magia, ciencia y religión*, Barcelona, Planeta-Agostini.

Mancini, P. (1981), «Strategie del discorso politico», *Problema dell'Informazione*, año VI, n⁰ 2, abril-junio, págs. 195-218.

— (1983), «Lo studio della comunicaziones politica. Alcune riflessioni sugli approci statunitensi», *Problema dell'Informazione*, año VIII, n⁰ 1, págs. 107-131.

— (1984), «La televisione como giornalismo d'attualità. Il giornalismo televisivo negli Statu Uniti e in Italia», *Problema dell'Informazione*, año IX, n⁰ 2, págs. 205-219.

Mannoni, P. (2001), *Les représentations sociales*, París, Presses Universitaires de France.

Marhuenda, J. P. (1979), «Journaux, radio, television: qui croire?», *Revue Française de la Communication*, n⁰ 3, verano, págs. 50-59.

Marletti, C. (1982), «L'informazione tematizzata. Nuove tecnologie della comunicazione e trasformazione dei modelli giosnalistici», en AA.VV., *Nuove tecnologie: sociologia e informazione quotidiana*, Milán: Angeli, págs. 163-225.

— (1983a), «Falsi giornalistici e construzione della realtà», *Problema dell'Informazione*, año VIII, n⁰ 2, págs. 203-239.

— (1983b), «L'informazione come scambio politico», en AA.VV., *Comunicare politica*, Milán, Angeli.

— (1985), *Prima e dopo. Tematizzazione e comunicazione politica*, Dati per la verifica dei programmi trasmessi, n⁰ 68, septiembre, Turín, RAI.

Martín Algarra, M. (1993), *La comunicación en la vida cotidiana. La fenomenología de Alfred Schutz*, Pamplona, EUNSA.

Martín Serrano, M. (1977), *La mediación social*, Madrid, Akal.

— (1982), *El uso de la comunicación social por los españoles*, Madrid, Centro de Investigaciones Sociológicas.

Martín Vivaldi, C. (1971), *Curso de redacción*, Madrid, Paraninfo.

Martiniello, M. (1998), *Salir de los guetos culturales*, Barcelona, Ediciones Bellaterra.

Martínez Albertos, J. L. (1977), *El mensaje informativo*, Barcelona, ATE.

—, (1978), *La noticia y los comunicadores públicos*, Madrid, Pirámide.

Masuda, Y. (1984), *La sociedad informatizada como sociedad postindustrial*, Madrid, Tecnos.

Mazzoleni, G. (1979), «Il potere politico dei *mass media*», *Problemi dell'informazioni*, año IV, n⁰ 1, págs. 51-77.

Mattelart, A. y Mattelart, M. (1997), *Historia de las teorías de la comunicación*, Barcelona, Paidós.

Mc Combs, M. E. (1976), «All the News...», en M. E. Mc Combs; D. L. Shaw y D. Grey (comps.), *Handbook of Reporting Methods*, Londres, Houghton Mifflin Company, págs. 3-19.

— (1981), «The agenda-setting approach», en D. D. Nimmo y K. R. Sanders (comps.), *Handbook of Political Communication*, Beverly Hills, Sage, págs. 121-140.

— (1982), «Setting the agenda for agenda-setting research», en G. C. Wilhoit y H. de Bock (comps.), *Mass Communication Review Yearbook*, Londres, Sage, págs. 209-211.

Mc Combs, M. E. y Shaw, D. L. (1972), «The agenda-setting functions of the *mass media*», *Public Opinion Quaterly*, n⁰ 36, págs. 176-187.

Mc Combs, M. E. y Shaw, D. L. (1993), «The Evolution of Agenda-Setting Research: Twenty-Five Years in the Marketplace of

Ideas», en *Journal of Communication*, primavera, vol. 43, n° 2, págs. 58-67.

Mc Combs, M. E. *et al.* (1983), «Il giornalismo di precisione», *Problemi dell'informazione*, año VIII, n° 1, enero-marzo, págs. 89-105.

Mc Ginniss, J. (1974), *Cómo se vende un presidente*, Barcelona, Edicions 62.

Mc Hale, J. (1981), *El entorno cambiante de la información*, Madrid, Tecnos.

Mc Quail, D. (1985), *Introducción a la teoría de la comunicación de masas*, Barcelona, Paidós.

— (2000), *Introducción a la teoría de la comunicación de masas*, Barcelona, Paidós (3ª edición revisada y ampliada).

Mc Quail, D. y Windahl, S. (1984), *Modelos para el estudio de la comunicación colectiva*, Pamplona, Eunsa.

Miller, G. A. (1979), *Introducción a la psicología*, Madrid, Alianza.

Miralles, R. (comp.) (2003), *Medios de comunicación y educación*, Barcelona, CISSPRAXIS.

Moles. A. (1972), «Notes pour une typologie des événements», *Communications*, n° 18, págs. 90-96.

— (comp.) (1975), *La comunicación y los mass media*, Bilbao, Mensajero.

Molotch, H. y Lester, M. (1975), «Accidental news: the great oil spill as local occurence and national event», *American Journal of Sociology*, vol. 81.

— (1980), «Le notizie come comportamento finalizzato: sull'uso strategico di avvenimenti di routine, incidente e scandali», en P. Baldi (comp.), *ll giornalismo come professione*, Milán, Il Saggiatore, págs. 206-226.

Moragas, M. de (1985), «Introducción: transformación tecnológica y tipología de los medios. Importancia política de la noción de ámbito comunicativo», en M. de Moragas (comp.), *Sociología de la comunicación de masas IV. Nuevos problemas y transformación tecnológica*, Barcelona, Gustavo Gili, págs. 11-33.

— (1988), *Espais de comunicació: Experiències i perspectives a Catalunya*, Barcelona, Edicions 62.

— (1997), «Comunicació», en *Reports de la recerca a Catalunya. Les ciències socials: antropología, ciència política, comunicació i sociologia*, Barcelona, Institut d'Estudis Catalans, págs. 14-16.

Morin, E. (1964), «L'assassinat du Président Kennedy», *Communications*, n° 3, págs. 77-81.

— (1966), *El espíritu del tiempo*, Madrid, Taurus.
— (1968), «Pour une sociologie de la crise», *Communications*, nº 12, págs. 2-16.
— (1969), *La rumeur d'Orleans*, París, Seuil.
— (1972a), *Les Stars*, París, Seuil.
— (1972b), «Le retour de l'évènement», *Communications*, nº 15, págs. 6-20.
— (1972c), «L'évènement-sphnix», *Communications*, nº 18, págs. 173-192.
— (1984), *Ciencia como conciencia*, Barcelona, Anthropos.
— (1994a). «Cultura y conocimiento», en P. Watzlawick y P. Krieg (comps.), *El ojo del observador. Contribuciones al constructivismo*, Barcelona, Gedisa, págs. 73-81.
— (1994b), «Epistemología de la complejidad», en D. Freid Schitman (comp.), *Nuevos paradigmas, cultura y subjetividad*, Buenos Aires, Paidós, págs. 421-442.
— (1997), *Introducción al pensamiento complejo*, Barcelona, Gedisa.
Morin, V. (1978), «L'information télévisée: un discours contrarié», *Communications*, nº 28, págs. 187-201.
Morrison, D. E. (1992), *Television and the Gulf War*, Londres, John Libbey.
Mosco, V. (1986), *Fantasias electrónicas*, Barcelona, Paidós.
Mowlana, H. (2000), «The end of diversity?», en *Trípodos. I Congrés Internacional Comunicació i Realitat*, número extra, págs. 171-182.
Mowlana, H.; Gerbner, G. y Schiller, H. I. (comps.) (1992), *Triumph of the Image. The Media's War in the Persian Gulf - A Global Perspective*, San Francisco, Westview Press.
Navas, M. S. (1997), «El prejuicio presenta un nuevo rostro: puntos de vista teóricos y líneas de investigación recientes sobre un problema familiar», en *Revista de Psicología Social*, 12, 2, págs. 201-237.
Neuman, W. L. (1994), *Social Research Methods. Qualitative and Quantitative Approaches*, Needham Heights (Massachusetts), Allyn and Bacon.
Neveu, É. (2001), *Sociologie du journalisme*, París, La Découverte.
Noelle-Neumann, E. (1977), «Turbulences in the climate of opinion: methodological applications of the spiral of silence theory», *Public Opinion Quaterly*, vol. 44, verano, págs. 142-158.

— (1979), «L'influenza dei *mass media*», *Problemi dell'informazione*, año IV, n⁰ 3, págs. 433-453.

— (1995), *La espiral del silencio. Opinión pública: nuestra piel social*, Barcelona, Paidós.

Nora, P. (1972), «L'évènement monstre», *Communications*, n⁰ 18, págs. 162-172.

Orive Riva, P. (comp.) (1994), *Del golfo Pérsico a los Balcanes. Dos guerras en era «multimedia»*, Madrid, Editorial Complutense.

Orozco Gómez, G. (1996), *La investigación en comunicación desde la perspectiva cualitativa*, La Plata (Argentina), Ediciones de Periodismo y Comunicación.

O'Sullivan, T. *et al.* (1994), *Keys Concepts in Communication and Cultural Studies*, Londres, Routledge.

Pancorbo, Luis (1977), *Ecoloquio con Umberto Eco o la magia imposible de la semiótica*, Barcelona, Anagrama.

Phillips, E. B. (1977), «Approaches to objectivity: journalistic versus social science perspectives», en P. M. Hirsch; P. Millet y G. F. Kline (comps.), *Strategies for Communication Research*, Beverly Hills, Sage, págs. 63-77.

Piaget, J. *et al.* (1979), *Tendencias de la investigación en las ciencias sociales*, Madrid, Alianza.

Pizarroso, A. (1991), *La guerra de las mentiras*, Madrid, Eudema.

Ramonet, I. (1998), *La tiranía de la comunicación*, Madrid, Debate.

Reboul, O. (1980), *Langage et idéologie*, París, P. U. F.

Reed, J. (1985), *Diez días que estremecieron al mundo*, Barcelona, Orbis.

Reporters Sans Frontières (1991), *La presse en état de guerre*, Beziers, Reporters Sans Frontières Editions.

Revista Española de la Opinión Pública (1976), «Sondeo sobre la imagen de la profesión periodística», *R. E. O. P.*, n⁰ 43, enero-marzo, págs. 411-446.

Rockwell, E. (1999), «Occidente, los Otros y la construcción de un nuevo espacio público», en *Revista CIDOB d'Afers Internacionals*, n⁰ 43/44, págs. 121-125.

Rodrigo Alsina, M. (1980), *Introducción al estudio semiótico de la radio*, tesis de licenciatura, Facultad de Ciencias de la Información, Universidad Autónoma de Barcelona.

— (1984), «La ilusión referencial en el discurso periodístico informativo», en *Investigaciones Semióticas I*, Toledo, Asociación Española de Semiótica, págs. 463-446.

— (1985), «La construcción del discurso periodístico informativo», *Estudis Semiótics*, n⁰ 3-4, págs. 26-33.

— (1986), *Terrorismo y mass media. El discurso periodístico sobre el terrorismo en cuatro diarios españoles*, tesis de doctorado, Facultad de Ciencias de la Información, Universidad Autónoma de Barcelona.

— (1991), *Los medios de comunicación ante el terrorismo*. Barcelona, Icaria.

— (1992), «Los medios de comunicación social ante la futura Europa», en *Anàlisi*, n⁰ 14, marzo, págs. 209-217.

— (1993a), «La recepción. Un ámbito para repensar la comunicación», en *Estudios de comunicación*, n⁰ 2, págs. 93-105.

— (1993b), «Per a una anàlisi constructivista del discurs emotiu», en *Anàlisi. Quaderns de comunicació i cultura,* n⁰ 15, págs. 21-29.

— (1994), «Podem seguir parlant de comunicació de masses?», en *Treballs de comunicació*, n⁰ 5, págs. 85-90.

— (1995), *Los modelos de la comunicación*, Madrid, Tecnos (2ª edición, la 1ª edición es de 1989).

— (1996a), «Etnocentrismo y medios de comunicación», en *Voces y culturas*, n⁰ 10, II semestre, págs. 51-58.

— (1996b), «Minorías étnicas, identidades y medios de comunicación», en *Signo y Pensamiento*, n⁰ 29, págs. 39-48.

— (1996c), «La información en los estudios de comunicación. Sociología de la comunicación», en C. Caffarel Serra (comp.), *El concepto de información en las ciencias naturales y sociales*, Madrid, Universidad Complutense de Madrid, págs. 235-259.

— (1997), «Aproximación a una comunicación intercultural eficaz», en *Caderno de Comunicaçao*, n⁰ 4, Universidade Federal de Sergipe (Brasil), págs. 7-18.

— (1999), *La comunicación intercultural*, Barcelona, Anthropos.

— (2000a), *Identitats i comunicació intercultural*, Valencia, Edicions 3i4.

— (2000b), «La comunicación en la encrucijada de la sociedad de la información», en *Sphera Publica. Revista de Ciencias Sociales y de la Comunicación*, n⁰ 0, Universidad Católica San Antonio de Murcia, págs. 85-97.

— (2000c), «De la teoría a la metateoría: consideraciones temáticas y docentes», en *Universitat i periodisme. Actes de les jornades de discussió sobre continguts academics i docència a la llicenciatura de periodisme*, Bellaterra (Barcelona), Servei de Publicacions de la Universitat Autònoma de Barcelona, págs. 181-193.

— (2000d), «Prólogo: Identidades de género», en M. Lozano, *Las imágenes de la maternidad. El imaginario social de la maternidad en Occidente desde sus orígenes hasta la cultura de masas*, Alcalá de Henares (Madrid), Centro Asesor de la Mujer, Publicaciones del Ayuntamiento de Alcalá de Henares, págs. 9-12.

— (2000e), «Estereotips i prejudicis en la comunicació intercultural», en *DCIDOB*, nº 77, diciembre, págs. 8-11.

— (2001), *Teorías de la comunicación: ámbitos, métodos y perspectivas*, Bellaterra (Barcelona), Universitat Autònoma de Barcelona, Servei de Publicacions.

— (2002a), «La interculturalidad en la modernidad actual», en Y. Onghena (comp.), *Intercultural. Balance y perspectivas*, Barcelona, CIDOB, págs. 213-222.

— (2002b), «Por un uso crítico de la prensa», en Carlos Lomas (comp.), *El aprendizaje de la comunicación en las aulas*, Barcelona, Paidós, Colección Papeles de Pedagogía, nº 53, págs. 239-248.

— (2002c), «El periodismo bélico o la guerra al periodismo», en *Signo y Pensamiento*, nº 40, vol. XXI, págs. 42-51.

— (2003a), «Inmigración y comunicación» en Fernando R. Contreras, Rafael González Galiana y Francisco Sierra Caballero (comps.), *Comunicación, cultura y migración*, Sevilla, Editorial Consejería de Gobernación, Junta de Andalucía, págs. 163-181.

— (2003b), «Confianza en la información mediática», en *Revista CIDOB d'Afers Internacionals*, nº 61-62, mayo/junio, págs. 145-153.

— (2004), «Interculturalidad y discursos informativos en España», en *Àgora. Revista de Ciencias Sociales*, nº 10, págs. 129-152.

Rodrigo, M. y Martínez, M. (1997), «Minories ètniques i premsa europea d'elit», en *Anàlisi*, nº 20, págs. 13-36.

Rodríguez López, F. (1994), *L'ensenyament de Periodisme a Europa*, Barcelona, Centre d'investigació de la Comunicació, Generalitat de Catalunya.

Rogers, E. M. y Dearing, J. W. (1988), «Agenda-Setting Research: Where has it been, where is it going?», en J. A. Anderson (comp.), *Communication Yearbook*, nº 11, Londres, Sage, págs. 555-592.

Romano, V. (1993), *La formación de la mentalidad sumisa*, Madrid, Los Libros de la Catarata.

Rositi, F. (1980), *Historia y teoría de la cultura de masas*, Barcelona, Gustavo Gili.

— (1981), «La ricerca sull'informazione giornalistica: fra ipotesi macrosociologiche e problemi metodologici», en AA.VV., *Diritto all'informazione e manipolazione televisiva*, Trieste, Trieste Consult, págs. 85-128.

Said, E. W. (2003), *Orientalismo*, Barcelona, Random House Mondadori.

Sánchez Noriega, J. L. (1997), *Crítica de la seducción mediática. Comunicación y cultura de masas en la opulencia informativa*, Madrid, Tecnos.

Santamaría, E. (2002), *La incógnita del extraño. Una aproximación a la significación sociológica de la «inmigración comunitaria»*, Barcelona, Anthropos.

Saperas, E. (1987), *Los efectos cognitivos de la comunicación de masas*, Barcelona, Ariel.

— (1992), *La sociología de la comunicación de masas en los Estados Unidos. Una introducción crítica*, Barcelona, Promociones y Publicaciones Universitarias.

— (1998), *Manual básico de teoría de la comunicación*, Barcelona, CIMS.

Sartori, G. (1998), *Homo Videns. La sociedad teledirigida*, Madrid, Taurus.

— (2001), *La sociedad multiétnica. Pluralismo, multiculturalismo y extranjeros*, Madrid, Taurus.

Schaff, A. (1969), *Langage et connaissance*, París, Point.

— (1976), «El marxismo y la problemática de la sociología del conocimiento», en AA.VV., *El proceso ideológico*, Buenos Aires, Tiempo Contemporáneo, págs. 47-79.

Schiller, H. I. (1974), *Los manipuladores de cerebros*, Buenos Aires, Granica.

Schlesinger, P. (1978), *Putting «reality» together BBC news*, Londres, Constable.

Schramm, W. (1982), *Hombre, mensaje y medios*, Madrid, Forja.

Schudson, M. (1978), *Discovering the news*, Nueva York, Basic Books.

Schutz, A. (1974), *El problema de la realidad social*, Buenos Aires, Amorrortu.

Searle, J. (1980), *Actos del habla*, Madrid, Cátedra.

Sebeok, T. A. y Umiker-Sebeok, J. (1987), *Sherlock Holmes y Charles S. Peirce. El método de la investigación*, Barcelona, Paidós.

Semprini, A. (1997), *Le multiculturalisme*, París, Presses Universitaires de France.

Shaw, E. F. (1977), «The agenda-setting hypothesis reconsidered: interpersonal factor», *Gazette*, vol. XXIII, nº 4, págs. 230-240.

Sierra Bravo, R. (1984), *Ciencias sociales. Epistemología, lógica y metodología*, Madrid, Editorial Paraninfo.

Sigelman, L. (1973), «Reporting the news: an organizational analysis», *American Journal of Sociology*, vol. 79, nº 1, julio, págs. 132-151.

—, (1980), «L'organizzazione del lavoro giornalistico», en P. Baldi (comp.), *Il giornalismo como professione*, Milán, Il Saggiatore, págs. 65-86.

Silverstone, R. (1981), *The message of television: myth and narrative in contemporany culture*, Londres, Heinemann.

Simon, F. B. (1994), «Perspectiva interior y exterior. Cómo se puede utilizar el pensamiento sistémico en la vida cotidiana», en P. Watzlawick y P. Krieg (comps.), *El ojo del observador. Contribuciones al construccionismo*, Barcelona, Gedisa, págs. 132-142.

Sitaram, K. S. y Cogdell, R. T. (1976), *Foundation of Intercultural Communication*, Columbus (Ohio), Charles E. Merill.

Snider, P. B. (1973), «Nouvelle visite au sélectionneur: versión 1966 de l'étude de cas de 1949», en F. Balle y J. C. Padioleu (comp.), *Sociologie de l'information*, París, Larousse, págs. 215-227.

Stamm, K. R. (1976), «The Nature of News-News Concepts», en M. Mc Combs; D. L. Shaw y D. Grey (comps.), *Handbook of Reporting Methods*, Londres, Houghton Mifflin Company, págs. 314-324.

Sunkel, G. (1985), *Razón y pasión en la prensa popular*, Santiago de Chile, Instituto Latinoamericano de Estudios Transnacionales.

Tankard, J. W. (1976), «Reporting and Scientific Method», en M. Mc Combs; D. L. Shaw y D. Grey (comps.) *Handbook of Reporting Methods*, Londres, Houghton Mifflin Company, págs. 42-77.

Taufic, C. (1973), *Periodismo y lucha de clases*, Madrid, Akal.

Tchakhotine, S. (1952), *Le viol des foules par la propaganda politique*, París, Gallimard.

Terrou, F. (1970), *La información*, Vilassar de Mar (Barcelona), Editorial Oikos-Tau.

Thompson, J. B. (1998), *Los media y la modernidad. Una teoría de los medios de comunicación*, Barcelona, Paidós.

Toulmin, S. (2001), *Cosmópolis. El trasfondo de la modernidad*, Barcelona, Ediciones Península.

Trinchieri, C. (1977a), «Il ruolo del giornalista nella litteratura sociologica», *Problemi dell'informazione*, año II, n° 1, págs. 81-104.

— (1977b), «Il lavoro di cronista. Practica e ideologia della professione giornalistica», *Problemi dell'informazione*, año II, n° 4, págs. 577-614.

— (1982a), «La formazione dei giornalistica nella Republica Federal Tedesca», en G. Bechelloni (comps.), *Il mestiere di giornalista*, Nápoles, Liguosi, págs. 92-116.

— (1982b), «Giornalistica nel Nord», en G. Bechelloni (comps.), *Il mestiere di giornalista*, Nápoles, Liguosi, págs. 145-184.

Trípodos Extra (2004), *11-M 14-M Els fets de Març. Politica i Comunicació*, Barcelona, Trípodos, Facultat de Ciències de la Comunicació Blanquerna, Universitat Ramon Llull.

Tuchman, G. (1973), «Making news by doing work: routinizing the unexpected», *American Journal of Sociology*, vol. 79, n° 1, julio, págs. 110-131.

— (1977), «The exception proves the rule: the study of routine news practices», en P. Hirsch; P. Millet y C. F. Kline (comps.), *Strategies for Communication Research*, Beverly Hills, Sage, págs. 43-62.

— (1978), «Professionalism as an agent of legitimation», *Journal of Communication*, vol. 28, n° 2, págs. 106-113.

— (1980a), «La notizie come risultato di un lavoro: applicazione della routine all'imprevisto», en P. Baldi (comp.), *Il giornalismo como professione*, Milán, Il Saggiatore, págs. 159-182.

— (1980b), «L'obiettività como rituale strategico: analisi del concetto giornalistico d'obiettività», en P. Baldi (comp.), *Il giornalismo como professione*, Milán, Il Saggiatore, págs. 184-205.

— (1981), «Myth and the consciousness industry: a new look at the effects of the *mass media*», en E. Katz y T. Szecskö (comps.), *Mass Media and Social Change*, Londres, Sage, págs. 83-100.

— (1983), *La producción de la noticia. Estudio sobre la construcción de la realidad*, Barcelona, Gustavo Gili.

Tudesq, A. J. (1973), «La presse et l'évènement», en AA.VV., *La presse et l'événement*, París, Mouton, págs. 13-21.

Tunstall, J. (1980), «I giornalisti specializzati e gli scopi delle organizzazioni giornalistiche», en P. Baldi (comp.), *Il giornalismo como professione*, Milán, Il Saggiatore, págs. 87-109.

Urrutia, J. (2000), *La lectura de lo oscuro. Una semiótica de África,* Madrid, Biblioteca Nueva.

Valbuena, F. (1997), *Teoría general de la información,* Madrid, Noesis.

Van Dijk, T. A. (1991), *Racism and the Press,* Londres, Routledge.

Vázquez Medel, M. Á. (1999), *Mujer, ecología y comunicación en el nuevo horizonte planetario,* Sevilla, Mergablum.

Vázquez Montalbán, M. (1979), *La palabra libre en la ciudad libre,* Barcelona, Gedisa.

— (1980), *Historia y comunicación social,* Barcelona, Editorial Bruguera.

— *et al.* (1991), *Las mentiras de una guerra,* Barcelona, Deriva.

Veron, E. (1973), «Linguistique et sociologie. Vers une "logique naturelle des mondes sociaux"», *Communications,* nº 20, págs. 246-278.

— (1976a), «Condiciones de producción, modelos generativos y manifestación ideológica», en AA.VV., *El proceso ideológico,* Buenos Aires, Tiempo Contemporáneo, págs. 246-278.

— (1976b) «Ideología y comunicación de masas: la semantización de la violencia política», en E. Veron *et al., Lenguaje y comunicación social,* Buenos Aires, Nueva Visión, págs. 251-193.

— (1977), «La semiosis sociale», *Documents du travail,* nº 64, Universidad de Urbino.

— (1978), «Sémiosis de l'ideologie et du pouvoir», *Communications,* nº 28, págs. 7-20.

— (1981), *Constuire l'evénement. Les médias et l'accident de three mile Island,* París, Minuit.

— (1983), «Il est là, je le vois, il me parle», *Communications,* nº 38, págs. 98-120.

— (1990), «La construction sociale des évènements», en *Periodística,* nº 2, págs. 9-16.

Vilches, L. (1986), «Inmanencia y extratextualidad en la semiótica parcialmente no lingüística», en *Investigaciones Semióticas I,* Toledo, Asociación Española de Semiótica, págs. 563-571.

Wallraff, G. (1979), *El periodista indeseable,* Barcelona, Anagrama.

— (1987), *Cabeza de turco: abajo del todo,* Barcelona, Anagrama.

Weaver, D. H. y Mc Combs, M. E. (1980), «Journalism and Social Science: a New Relationship?», en *Public Opinion Quaterly,* vol. 44, nº 4, invierno, págs. 477-494.

White, D. M. (1973), «The "gate-keeper" le sélectionneur: étude sur la sélection des nouvelles», en F. Balle y J. C. Padioleu (comps.), *Sociologie de l'information*, París, Larousse, págs. 203-214.

Whitney, D. C. y Becker, L. B. (1982), «"Keeping the gates" for gatekeepers: the effects of wire news», en *Journalism Quaterly*, vol. 59, nº 1, primavera, págs. 60-65.

Williams, W. Jr.; Shapiro, M. y Cutbirth, C. (1983), «The impact of campaign agendas on perceptions of issues in 1980 campaign», en *Journalism Quaterly*, vol. 59, nº 1, primavera, págs. 226-231.

Winter, J. P. (1982), «Contingent conditions in the agenda-setting process», en G. Cleveland Wilhoit y H. De Bock (comps.), *Mass Communication Review Yearbook*, Londres, Sage, págs. 235-243.

Winter, J. P. y Eyak, C. (1981), «An agenda-setting time frame for the civil rights issue 1954-1976», en *Public Opinion Quaterly*, vol. 45, nº 3, otoño, págs. 376-383.

Wolf, M. (1981), «Professionalità e routines produttive nell'informazione televisive», en AA.VV., *Diritto all'informazione e manipolazione televisiva*, Trieste, Trieste Consult, págs. 277-285.

— (1982), *Sociologías de la vida cotidiana*. Madrid, Cátedra.

— (1985a), «La ricerca mediologica italiana a la professionalità giornalistica», en *Problema dell'informazione*, año X, nº 3, julio-septiembre, págs. 365-373.

— (1985b), «La costruzione de modelli nella "communication research"», *Problema dell'informazione*, año X, nº 1, enero-marzo, págs. 29-41.

— (1987), *La investigación de la comunicación de masas*, Barcelona, Paidós.

Wittgenstein, L. (1983), *Investigacions filosòfiques*, Barcelona, Laia.

Índice de nombres

Índice analítico